Tous Continents

Du même auteur chez Québec Amérique

Danseuse et maman, en collaboration avec Martine Jeanson, coll. Tous Continents, 2014.
Toi et moi – Petit traité de la folie à deux, coll. Essais, 2011.
Parce que c'était toi, coll. Tous Continents, 2010.
La Femme rousse – Chronique de l'amour à l'âge de fer, coll. Tous Continents, 2006.
Le Millionnaire, tome 3 – Le Monastère des millionnaires, Hors collection, 2005.
Le Millionnaire, tome 2 – Un conte sur la magie de l'esprit, Hors collection, 2004.
Le Vendeur et le Millionnaire – Un conte sur la magie de la vie, Hors collection, 2003.
Miami, coll. Tous Continents, 2001.
Conseils à un jeune romancier, Hors collection, 2000.
Le Cadeau du millionnaire – Un conte sur le travail et l'amour, Hors collection, 1998.
Les Hommes du zoo, Hors collection, 1998.
Le Millionnaire, tome 1 – Un conte sur les principes spirituels de la richesse, Hors collection, 1997.
Le Livre de ma femme, Hors collection, 1997.
Le Golfeur et le Millionnaire – Un conte sur le bonheur et les secrets du golf, Hors collection, 1996.
Le Psychiatre, Hors collection, 1995.

Ménage à quatre

Projet dirigé par Myriam Caron Belzile, éditrice

Conception graphique : Nathalie Caron
Mise en pages : Andréa Joseph [pagexpress@videotron.ca]
Révision linguistique : Isabelle Pauzé et Chantale Landry
En couverture : photomontage à partir de l'œuvre de solominviktor / shutterstock.com

Québec Amérique
7240, rue Saint-Hubert
Montréal (Québec) Canada H2R 2N1
Téléphone : 514 499-3000, télécopieur : 514 499-3010

Nous reconnaissons l'aide financière du gouvernement du Canada par l'entremise du Fonds du livre du Canada pour nos activités d'édition.

Nous remercions le Conseil des arts du Canada de son soutien. L'an dernier, le Conseil a investi 157 millions de dollars pour mettre de l'art dans la vie des Canadiennes et des Canadiens de tout le pays.

Nous tenons également à remercier la SODEC pour son appui financier. Gouvernement du Québec – Programme de crédit d'impôt pour l'édition de livres – Gestion SODEC.

Canada

Conseil des arts du Canada
Canada Council for the Arts

SODEC
Québec

Catalogage avant publication de Bibliothèque et Archives nationales du Québec et Bibliothèque et Archives Canada

Fisher, Marc
Ménage à quatre
(Tous continents)
ISBN 978-2-7644-3422-2 (Version imprimée)
ISBN 978-2-7644-3423-9 (PDF)
ISBN 978-2-7644-3424-6 (ePub)
I. Titre. II. Collection : Tous continents.
PS8581.O24M46 2017 C843'.54 C2017-941280-9
PS9581.O24M46 2017

Dépôt légal, Bibliothèque et Archives nationales du Québec, 2017
Dépôt légal, Bibliothèque et Archives du Canada, 2017

quebec-amerique.com

Imprimé au Canada

MARC FISHER

Ménage à quatre

roman du mariage

QuébecAmérique

À Molière, pour la leçon tardive
de L'École des femmes.

« Je commence à croire que tout acte sexuel est un processus dans lequel quatre personnes se trouvent impliquées. »

Freud, dans une de ses nombreuses lettres

« Seigneurs, vous plaît-il d'entendre un beau conte d'amour et de mort ? C'est de Tristan et d'Iseut la reine. Écoutez comment à grand'joie, à grand deuil, ils s'aimèrent puis en moururent un même jour, lui par elle, elle par lui. »

Incipit de Tristan et Iseut

PRÉAMBULE

Albert Duras, 39 ans, éditeur de métier, vivant avec une femme et trois enfants qui n'étaient ni d'elle ni de lui, se fit un jour faire, par une voyante, la curieuse prédiction suivante :

« Cet hiver, vous allez rencontrer le grand amour de votre vie dans un jardin de roses où il vente tout le temps, et où il y aura des oiseaux géants. C'est une personne d'une grande bonté, et elle travaille avec les esprits. Vous deviendrez pour un temps une vedette d'Hollywood. Mais avant, vous allez connaître la sagesse en entrant dans la chambre du destin numéro 13. Avec cette femme, vous passerez sous l'horloge où se rassemblent tous les animaux du ciel qui auront les mêmes couleurs que votre cou. Vous visiterez un cimetière, et votre destin avec cette femme dépendra de son gardien. »

Voici le récit mystérieux et romantique (et parfois drôle et parfois triste) de ce qui se passa ensuite dans sa vie. Et dans celle de Sophie Stein, la femme, psychiatre de métier, mariée depuis (trop ?) longtemps et mère d'une fille de 16 ans, qu'il fit l'erreur (?) d'aimer follement.

1
LA RENCONTRE

Lorsqu'il vit pour la première fois Sophie Stein, Albert Duras éprouva une sensation étrange, un trouble indéfinissable.

Il lui semblait qu'il la connaissait.

Ou alors qu'il l'attendait.

Depuis longtemps.

Comme si elle était partie pour un trop long voyage.

Et qu'il était resté sans nouvelles.

D'elle.

Et qu'il en avait terriblement souffert, en avait ressenti un mal de vivre intolérable qu'aucun philosophe ni aucun psychiatre n'aurait pu expliquer, et encore moins guérir.

Maintenant, elle revenait, lui revenait, surprenante et familière.

Et pourtant, c'était une complète étrangère.

Comme malgré lui, il pensa à la prédiction, à ses yeux idiote et irrationnelle, que lui avait faite une médium, quelques semaines plus tôt, en fait, par un hasard bizarre, le jour de la Saint-Valentin: « Cet hiver, vous allez rencontrer le grand amour de votre vie dans un jardin de roses où il vente tout le temps, et où il y aura des oiseaux géants. »

Or il n'était pas libre, vivant depuis trois ans avec une femme. Et l'hiver avait pris fin quelques semaines plus tôt.

Un jardin de roses, où il ventera tout le temps, et où il y aura des oiseaux géants !

Elle en avait fumé du bon, non ?

Ou plus simplement, elle disait n'importe quoi.

Comme ses navrants collègues, elle voulait se montrer intéressante en se faisant sibylline et en déclinant l'arsenal banal, et pourtant quasi imparable, de ce qui pouvait faire rêver ses clients prêts à tout avaler, parce qu'ils n'avaient pas de vie et étaient désespérés, ce qui n'était pas son cas, loin de là.

Pendant qu'elle lui parlait, il n'avait pu s'empêcher d'émettre lui-même, seulement mentalement, une prédiction ironique : elle ne manquerait pas de lui dire qu'il deviendrait célèbre du jour au lendemain, et bien entendu qu'il recevrait une forte somme d'argent inattendu. Prévisible, du moins à demi, elle lui avait en effet annoncé : « Vous deviendrez pour un temps une vedette d'Hollywood. » Il avait consulté sa montre : elle lui faisait perdre son temps !

Il ne l'avait écoutée débiter ces fadaises que par pure politesse, et surtout par intérêt professionnel, et s'était retenu dix fois d'éclater de rire ou de lui montrer la porte de son bureau. Il était éditeur et n'avait accepté de la recevoir que pour complaire à son comptable, qui voyait en elle une bonne affaire : celles de la maison n'étaient pas spécialement reluisantes depuis un an…

Elle l'avait senti réticent devant son projet de livre intitulé *C'est écrit dans le ciel*. Alors, pour vaincre son scepticisme, elle lui avait proposé de lui prédire son avenir.

Mais peut-être que, tout compte fait, il y avait dans ses élucubrations quelque chose de vrai.

Sinon comment cette inconnue aurait-elle pu lui faire tant d'effet ?

On n'était pas en hiver, et pas dans un jardin de roses, certes, mais il neigeait, même si c'était le 11 avril, et Albert se trouvait dans un endroit où il n'y avait pas d'oiseaux géants, mais une sorte d'équivalent moins poétique : des avions, du reste cloués au sol.

Il en savait quelque chose, car il était échoué depuis une heure sur un banc de l'aéroport et il attendait avec exaspération l'annonce de son embarquement.

Pour tuer le temps, il s'était mis à lire sur son ordi la correspondance entre Diderot et Sophie Volland, femme qu'il avait aimée en secret pendant plus de vingt ans, puisqu'il était lui-même marié ailleurs.

Une lettre l'avait particulièrement ému, et, s'étant arraché à son écran, il la savourait mentalement, car il était doté d'une étonnante mémoire des mots, ce qui le servait à merveille dans son métier.

Le billet tendre disait :

« Voilà la première fois que j'écris dans les ténèbres, l'espoir de vous voir un moment me retient et je continue de vous parler sans savoir si je forme des caractères… Partout où il n'y aura rien, lisez que je vous aime… »

Il achevait cette récitation émue lorsqu'il vit la belle inconnue.

Vêtue d'un jean noir troué au genou gauche et d'un imperméable aux vastes épaules, elle semblait littéralement flotter sur le plancher, tirant un mauve bagage à roulettes, le pied ailé dans des espadrilles marquées des célèbres initiales de Coco Chanel qui se tournent le dos et, malgré tout, s'entrecroisent amoureusement.

Elle était plutôt grande, élancée, sa peau était pâle, presque blanche, peut-être par contraste avec la nuit de ses longs et abondants cheveux noirs. Elle avait les yeux clairs (Albert n'eut pas le temps de remarquer s'ils étaient bleus ou verts), et son nez, légèrement retroussé, adoucissait la gravité ou en tout cas le sérieux qui se dégageait d'elle.

Ébloui, et se disant par-devers lui : *c'est peut-être la femme que m'a annoncée Madame Socrate* (c'était le nom d'artiste que la voyante avait choisi – bien qu'il fût un peu paradoxal, car son métier était tout sauf logique), Albert éprouva l'envie irrésistible de la suivre.

Il ferma aussitôt son ordi, le glissa dans son étui, qu'il passa en bandoulière dès qu'il fut levé, puis prit l'inconnue en chasse, chose qu'il n'avait jamais faite, car il était tout sauf un dragueur.

Elle aboutit quelques secondes plus tard au comptoir de la même compagnie aérienne que lui. Il alla se poster juste à côté d'elle, comme un simple voyageur inquiet.

L'inconnue prononça alors des mots simples et pourtant magiques :

— J'ai un vol de correspondance pour Venise, demain, à 10 h 45…

Albert était ravi. Cette femme fascinante ne partait donc pas seulement pour Rome, tout comme lui, elle se rendait aussi à Venise, et, de toute évidence, sur le même vol, car sa correspondance était exactement à la même heure !

— Est-ce que l'avion va nous attendre ? s'enquit-elle.

L'employé, qui était italien, ou en tout cas méditerranéen, consulta sa montre, grimaça.

— Nous avons déjà une demi-heure de retard, madame. Mais parfois avec des vents favorables, le vol est moins long…

Sophie poursuivit la conversation en italien – elle avait aussitôt reconnu l'origine de l'employé à son accent. Albert ne comprit pas tout, juste des bribes, même s'il baragouinait la langue de Dante. Il déplora juste, reproche banal, qu'elle parlât bien trop vite.

Pourtant, il trouva que c'était une véritable musique à ses oreilles, et en plus, comme il s'était légèrement approché d'elle pour mieux suivre la conversation, il put pour la première fois respirer son parfum, français, lui semblait-il : il aurait même été prêt à parier que c'était du Boucheron.

À la fin du bref échange, Sophie dit, malgré sa contrariété : « *Ho capisco, gracie.* »

— Pas de très bonnes nouvelles, risqua alors Albert, qui estimait que c'était là le moment idéal pour adresser la parole à la troublante voyageuse.

Elle se tourna vers lui, l'air méfiant. Son premier réflexe fut de trouver qu'il était beaucoup trop beau. Elle fuyait depuis longtemps cette catégorie d'hommes, car elle les croyait encore plus narcissiques et infidèles que les autres. Elle pensa tout de même qu'Albert était décoratif, avec son abondante chevelure blonde, ses yeux marron et magnétiques, son front haut, sa bouche charnue, son sourire ravageur qui lui permettait d'exhiber la perfection de ses dents : en fait, il avait une véritable gueule d'acteur.

Et puis il était vêtu avec une certaine élégance, monochrome il est vrai : il portait une veste noire, comme son jean, sa chemise et ses souliers : seule son écharpe, bleu pâle avec une poussière d'étoiles dorées, échappait à cette règle. En réponse à sa question, ou à son observation, Sophie lança, plutôt sèchement :

— Non, pas vraiment.

Et elle conclut, d'un ton qui ne laissait guère de place à une plus longue discussion, ça avait plutôt l'air d'une exécution :

— Il ne nous reste plus qu'à nous souhaiter bonne chance.

Puis, avec un haussement de sourcils, et un sourire qui semblait une manière polie de l'envoyer promener, elle dit *arrivederci*, tourna les talons et partit.

Albert demeura interdit.

Piqué par cette rebuffade en bonne et due forme, il eut une hésitation, puis songea, même si se faire humilier par une femme n'était pas son sport favori : *je la suis quand même.*

Il le fit à une prudente distance pour ne pas qu'elle s'en rende compte.

Il la vit bientôt s'arrêter devant un banc libre et s'y asseoir. Puis elle s'affaira sur son cellulaire.

Lui aussi se trouva un siège disponible, d'où il pouvait discrètement l'observer.

Il lui fallait trouver un moyen de l'aborder à nouveau.

La nécessité (amoureuse) étant mère de l'invention (amoureuse), il lui vint rapidement une idée : il trouverait un vol plus tardif Rome-Venise, dont elle, autant que lui, pourraient se prévaloir le lendemain. Et il irait aimablement l'en informer. Ce petit service l'inclinerait peut-être à quelque gentillesse envers lui.

Il s'empara de son cellulaire, crut d'abord que sa pile était morte, ce qui le fit grommeler. Mais il s'aperçut bien vite qu'il était simplement fermé. Il se frappa le front. Il l'avait éteint quelques heures plus tôt pour ne pas être distrait de la préparation (de dernière minute et fort exigeante) de son périple vénitien. Il ne l'avait pas rouvert, ne s'était pas étonné de son manque soudain de « popularité » auprès de ses amis et surtout de ses auteurs, êtres presque tous anxieux par nature et qui ne lui laissaient guère de répit.

Sitôt qu'il l'eut remis en fonction, Albert nota que David Béjart, jeune romancier dont le nouveau livre, *Les Âmes Sœurs*, venait de paraître, lui avait transmis cinq ou six courriels, dont les derniers portaient l'inquiétante mention : URGENT.

Il pensa qu'il lui reviendrait plus tard, malgré cette urgence éditoriale : sa véritable « urgence » était Sophie Stein !

Et le temps de le dire, il dénicha sur Expedia un vol *Roma-Venezia.* À 12 h 20. Et qui coûtait trois fois rien, juste 129 euros TTC !

Il se leva, s'avança non sans quelque nervosité vers Sophie.

Mais il reçut alors, trois fois d'affilée, le même dramatique texto : « Je dois absolument te parler. Je crois que je vais devoir me tuer. »

2
LES CHARMES DU MÉTIER D'ÉDITEUR

Ah! maugréa Albert, *ce qu'il peut être mélodramatique!*

« Je crois que je vais devoir me tuer... »

Il appuyait un peu trop fort sur le crayon du désespoir, non? C'était de la manipulation pure et simple!

Mais, dilemme affreux: et si David était sérieux?

Albert pourrait-il jamais oublier qu'il avait été responsable de son suicide? Son auteur était si fragile, si intense, si désespéré d'avoir du succès...

Après une hésitation – et surtout après avoir vérifié que Sophie était encore tranquillement assise sur son banc et ne semblait pas animée de la moindre intention de le déserter (pour aller où? il neigeait encore à gros flocons, vérification faite), Albert téléphona à son auteur prêt à commettre l'irréparable.

— Ah! fit ce dernier après avoir poussé un immense soupir de soulagement. Je suis tellement content de pouvoir enfin te parler. Ça fait cinquante fois que je tente de te joindre.

Cinquante fois! Il n'exagère presque pas, comme si je m'étais réfugié en Alaska depuis un mois! pensa Albert.

— Je voulais juste te demander, avant que tu t'envoles pour Venise, si tu avais une idée des chiffres de vente pour mon roman?

— Il est sorti il y a à peine trois semaines, David, un peu de patience !

— Mais c'est toi qui m'as appris la boutade de Cocteau : « Les livres ont une histoire tout de suite ou n'en ont pas du tout. »

Si déjà c'était vrai à l'époque du poétique et célèbre auteur de *Thomas L'Imposteur*, donc *circa* 1925, ça l'était encore plus en 2010, année où se déroulait ce drame tragi-comique.

Les libraires, frileux, et obligés, par ce siècle prosaïque, s'il en est, de devenir plus hommes de chiffres que de lettres, retournaient au bout d'un mois ou deux la plupart des livres qui ne se vendaient pas, ou pas assez vite, pour ne pas avoir à les payer au distributeur, qui les reprenait docilement. Ça faisait aussi plus de place aux nouveautés, parmi les chandelles de Noël ou les chocolats de Pâques qui comblaient maintenant utilement la plupart de leurs rayons.

— Je sais, je sais, admit Albert qui détestait se faire mettre en boîte, surtout avec des arguments qu'il avait lui-même fournis à ses adversaires. Reste qu'il faut quand même donner le temps aux lecteurs de l'acheter et aux critiques d'en parler.

— Tu as raison… Mais pour les critiques, je pense que j'ai gaffé…

— Gaffé ? Pourquoi dis-tu ça ? demanda Albert non sans affolement.

— J'ai appelé Natacha Fartaulit.

L'admission était simple et pourtant terrifiante, du moins pour tout éditeur expérimenté.

Dans ses chroniques d'humeur, Natacha Fartaulit, qui avait le don de la formule assassine, faisait et défaisait les réputations. Elle s'en moquait. Avec raison. Un journaliste doit être libre de dire ce qu'il veut. Au sujet de qui il veut. Sinon il n'est pas digne de ce nom, mais simplement le laquais de ses patrons. Natacha Fartaulit avait peut-être bien des torts, mais pas celui-là.

— Ah ! Je t'avais pourtant prévenu de ne jamais, au grand jamais appeler aucun journaliste, sauf pour leur rendre un appel évidemment. Les journalistes sont comme les femmes : ils n'aiment pas les mendiants.

— Je sais, je sais… mais c'était plus fort que moi. Je veux tellement que mon livre marche.

— Tu lui as dit quoi, au juste, à la Fartaulit ?

— Ben, je lui ai juste demandé poliment quand elle allait parler de mon livre. Elle a dit : « Pourquoi je parlerais de ton livre ? Pour dire à mes lecteurs qu'il est aussi mauvais que le premier ? » Alors j'ai dit : « Vous pourriez en profiter pour leur dire qu'il est moins pourri que le seul roman que vous avez réussi à écrire en cent cinquante ans ! »

Albert était abasourdi, et, lui d'habitude si bavard, restait muet.

— Tu ne dis rien ? s'inquiéta son jeune auteur.

Albert pensait, comme malgré lui, victime de sa mémoire tyrannique (précieuse en d'autres occasions, il est vrai), à l'aveu d'Albert Cohen au début du *Livre de ma mère*, aveu consolant – ou encourageant, ou utile, c'est selon – auquel il devait recourir trois, cinq et même parfois dix fois par semaine, pour préserver sa santé d'esprit jusqu'au vendredi : « J'ai résolu notamment de dire à tous les peintres (dans le cas d'Albert, il fallait bien entendu remplacer commodément le mot *peintre* par *écrivain*) qu'ils ont du génie, sans ça ils vous mordent. Et, d'une manière générale, je dis à chacun que chacun est charmant. Telles sont mes mœurs diurnes. Mais dans mes nuits et mes aubes je n'en pense pas moins. »

Albert ne songeait pas à ça parce que David n'avait pas de génie ou parce qu'il craignait de se faire mordre par lui. Mais parce qu'il ne pouvait pas lui exprimer le fond de sa pensée au sujet de son faux pas.

Il voyait surtout le jeu de massacre à venir, parce que si Natacha Fartaulit le descendait en flammes, le reste de la critique emboîterait probablement le pas, le livre ne se vendrait pas, pas plus que son premier roman, dont seulement 249 exemplaires avaient été écoulés et encore, d'autres retours viendraient peut-être assombrir ce bilan déjà déprimant.

David serait à ramasser à la petite cuiller.

Pourtant, malgré ce qui était presque une certitude chez lui – il avait quinze ans de métier, ça comptait ! –, Albert dit, aimable et paternel dans son optimisme :

— On ne sait pas encore si elle va parler de ton livre, et même si elle n'était pas tendre, qu'on en parle en bien ou en mal, comme on dit, l'important est qu'on en parle. Et le livre est bon, non, pas seulement bon : extraordinaire, et c'est ça le plus important. Des trois mille livres en français qui paraissent chaque mois, il n'y a pas dix romans meilleurs que le tien. Ça va finir par se savoir.

David demeura silencieux.

Albert crut aussitôt qu'il avait été coupé. Ça arrive souvent dans les aéroports, et en plus, avec la tempête de neige, les ondes devaient être capricieuses.

— David, tu ne dis rien… Tu es encore là ?

— Oui, je suis là…

— Tu pleures ?

— Non, en fait, je…

À la vérité, il pleurait de cet encouragement de son éditeur. Qui croyait en lui, chose rare, pour ne pas dire unique dans sa vie. Albert l'encouragea :

— Ça va aller, ne t'en fais pas ! Le livre est génial.

— Oh ! merci.

— Il faut que je te laisse maintenant, je suis à l'aéroport…

— Justement puisque tu es là, tu n'irais pas voir si mon roman est en vente au petit tabac comme tu m'avais dit ?

— Écoute, si j'ai le temps, je vais regarder ça… On se parle à mon retour.

Il avait été si absorbé par la conversation avec son jeune auteur qu'il en avait complètement oublié sa surveillance de Sophie Stein. Négligence pernicieuse : elle avait disparu !

Il jeta des regards à la ronde : elle restait introuvable.

Dans son dépit, Albert se dit : *allons voir au tabac si* Les Âmes Sœurs *est déjà en vente. Si c'est le cas, ça fera une bonne nouvelle à annoncer à mon auteur, ça dissipera peut-être son angoisse, même si le pire est à craindre. Vu sa méga gaffe.*

Une surprise l'attendait.

Deux en fait.

3
LE HASARD FAIT (PARFOIS) BIEN LES CHOSES

Sophie Stein, qui s'était volatilisée, était… au tabac !

Et, hasard magique, venait de prendre de sa main gauche aux longs doigts de musicienne un exemplaire des… *Âmes Sœurs* !

Albert ne put à nouveau se défendre de penser à la récente prédiction de Madame Socrate, qui lui avait annoncé, sûre de son fait, qu'il rencontrerait son âme sœur.

Si elle avait choisi ce livre parmi la centaine de ceux disponibles, n'était-ce pas que la Vie voulait lui faire un signe – que justement c'était la femme qui lui était destinée ?

— Vous aimez lire ?

Sophie reconnut la belle voix grave d'Albert, et, pourtant, ne se retourna pas, comme si elle préférait l'ignorer.

Trouvait-elle son insistance agaçante, sa question par trop indiscrète ?

Toutefois, après avoir soulevé les yeux vers le ciel, exigeant peut-être quelque accalmie du destin, elle afficha son plus beau faux sourire et se tourna enfin vers lui.

Elle lui parut encore plus troublante qu'au premier regard, comme si sa brève absence avait magnifié sa beauté.

— Oui, j'aime lire. Mais je ne lis jamais de science-fiction.

— Le roman s'intitule *Les Âmes Sœurs*.

— C'est ce que je voulais dire.

Il sourit : elle avait de l'esprit.

— C'est un roman d'amour remarquable, protesta-t-il.

— Vous êtes homosexuel ?

Elle avait le sens de la répartie, décidément ! Elle l'amusait et tout à la fois le déstabilisait.

— Pourquoi me demandez-vous ça ?

— Parce que je ne fréquente pas les intellectuels, je les trouve trop prétentieux. Alors les seuls hommes que je connais qui lisent des romans d'amour sont des homosexuels.

— Sauf quand ils ont dû les éditer.

— Ah, je vois. Éditeur. Il n'y a pas de sot métier.

Elle avait dit ça le plus sérieusement du monde.

Mais ça ne lui déplaisait pas, loin de là, une femme qui haussait les épaules lorsqu'il annonçait son métier, qui impressionnait généralement les gens, ou en tout cas piquait leur curiosité.

Il nota alors la présence d'un homme qui regardait en direction de Sophie Stein.

Un homme d'apparence tout à fait correcte, portant un costume trois-pièces, une cravate parfaitement nouée, des lunettes bostoniennes comme s'il était avocat ou plutôt étudiant à Harvard, car il ne devait pas avoir beaucoup plus que 22 ou 23 ans.

Manifestement, elle a du succès, et avec de très jeunes hommes plutôt distingués ! pensa Albert.

Ça lui fit un drôle d'effet.

Il éprouva même une sorte de jalousie, qui aurait été plus naturelle s'il avait eu des droits sur elle : or il n'en avait aucun.

Mais il ne pouvait tout de même pas aller lui dire de cesser de regarder ainsi « sa » femme !

Le type se tenait quelques mètres derrière Sophie.

Elle se rendit bientôt compte qu'Albert regardait souvent en sa direction, ce qui semblait à tout le moins impoli, si bien que, contrariée, elle ne put résister à la tentation de se retourner, persuadée que c'était une femme, probablement sexy, et probablement jeune et sans doute blonde : les hommes sont si banalement prévisibles !

Elle aperçut aussitôt le type qu'Albert avait repéré. Parut surprise, esquissa un demi-sourire où flottait quelque contentement, aurait-on dit : ce n'était pas une rivale !

Comme pour faire diversion, elle consulta alors la quatrième de couverture des *Âmes Sœurs*, vit la photo de David Béjart, observa :

— On dirait la réincarnation de Sören Kierkegaard.

— Vous connaissez Kierkegaard ? s'étonna-t-il avec ravissement : elle avait des lettres, visiblement !

Car il est vrai que son jeune auteur aurait pu être le frère jumeau du célèbre philosophe danois, avec sa gueule romantique à souhait, son abondante chevelure noire, son large front, sa bouche lippue, et des yeux immenses qui ravageaient un visage anguleux, presque maigre.

— Je le connais un peu malgré moi. C'est une patiente qui me lit à chaque séance des pages du *Journal du séducteur*. Bientôt, je vais le savoir par cœur.

— Une patiente ? Vous êtes psychologue ?

— Non, psychiatre.

— Psychiatre. Il n'y a pas de sot métier.

Elle sourit : il avait de l'esprit.

À nouveau – mais en s'efforçant de ne pas le montrer –, Albert se laissa revisiter par des bribes de sa conversation avec Madame Socrate. Un peu pour la narguer, ou qu'elle s'enfonce encore plus dans ses pathétiques annonces, il lui avait demandé des précisions au sujet de son âme sœur supposée. Après avoir fermé les yeux, pour mieux voir il ne savait où, elle lui avait dit :

— C'est une personne d'une grande bonté, et elle travaille avec les esprits…

Sur le coup, il s'était dit : *ah non ! pas une autre flyée Nouvel Âge* (il en recevait trois par semaine dans son bureau, qui venaient toutes d'écrire des best-sellers assurés – exactement comme, justement, la femme qu'il avait devant lui) *qui fait de la canalisation ou parle aux défunts !*

Mais en cet instant, il pensa plutôt : le mot *psychiatre* vient du grec, *psyche*, qui veut dire esprit, et *iatros*, qui veut dire médecin.

Donc cette inconnue travaille avec les esprits…

Sophie reposa *Les Âmes Sœurs* sur le cube où elle l'avait pris, attirée par le titre. Peut-être.

Ou alors par la page couverture qui figurait un couple s'embrassant passionnément place Saint-Marc : on voyait en arrière-plan les fameuses arcades du Palais des Doges. Étant donné qu'elle s'en allait à Venise, elle avait trouvé ce hasard amusant. Peut-être.

Albert s'empressa de dire :

— Mais, je… Est-ce que je peux vous l'offrir ?

— Me l'offrir ? Ça s'offre encore, un livre, de nos jours ? Ce n'est pas complètement démodé, comme cadeau ?

— De plus en plus, hélas ! Bientôt, il y aura plus d'auteurs que de lecteurs.

— Une raison encore meilleure que je vous encourage. Alors je vais faire une affaire avec vous. Je l'achète, et si je ne l'aime pas, vous me remboursez.

— Mais vous allez faire comment pour me retrouver ?

— Vous êtes l'éditeur, non ? Alors votre adresse doit bien se retrouver quelque part dans le livre...

Elle était logique et indépendante.

— Marché conclu !

Elle abandonna son bagage à roulettes près de lui comme si elle lui en confiait la garde. Ce geste le toucha. Elle lui faisait confiance. Elle se dirigea vers la caisse. Elle y arrivait, et fouillait dans son sac à main pour régler son achat, lorsqu'Albert se dit : *je suis con, je manque de classe, j'aurais dû insister.*

Il se dépêcha vers elle, mais, dans sa hâte, il oublia qu'il était le gardien de son bagage, qu'il laissa derrière lui.

Il devança Sophie et tendit à la caissière un billet de 50 $.

— J'insiste.

Sophie eut une hésitation, regarda la caissière, qui trouvait visiblement Albert beau comme un dieu et hochait discrètement la tête, les lèvres plissées, les yeux arrondis, avec l'air évident de souffler à sa cliente hésitante : « Dites oui, dites oui, dites oui ! »

Sophie lui fit un clin d'œil complice et, se tournant vers Albert, consentit :

— Si vous insistez.

Il régla le livre.

Sophie esquissa un sourire. Il put voir ses dents, qu'elle avait très belles, malgré quelques irrégularités qui lui donnaient encore plus de charme.

Il y avait quelque chose de réconfortant dans ce sourire, ou pour mieux dire une sorte de bonté qui, peut-être, pensa-t-il, provenait de son métier. Un psychiatre aidait les gens, par définition. Et pour se plaire à pareille tâche, pour s'y consacrer, ne fallait-il pas être bon ? On ne pouvait pas juste faire semblant, ou en tout cas pas très longtemps, parce que tout finissait par se savoir, non ?

Il pensa spontanément à la prédiction de Madame Socrate : *c'est une personne d'une grande bonté.*

Mais le sourire de Sophie disparut lorsqu'elle vit la main vide d'Albert.

— Mon bagage, il est où ? s'enquit-elle.

— Votre bagage ? Euh je…

Il osait difficilement avouer son étourderie, qui avait des conséquences imprévues.

Ils regardèrent tous les deux à la ronde.

C'est Sophie qui la première comprit ce qui venait de se passer.

4
BRÈVE CHASSE À L'HOMME

L'homme aux lunettes bostoniennes et au costume bien coupé s'éloignait à toute vitesse avec le bagage à roulettes de Sophie.

Comme s'il contenait des secrets d'État, des lingots d'or, ou mieux encore, ce qui est infiniment plus rare et plus précieux : le secret durable du bonheur à deux !

Albert leva la main, et demanda, impérieux :

— Hé ! vous ! Qu'est-ce que vous faites ?

Le jeune homme se retourna, le vit, ne répondit évidemment pas, se mit plutôt à courir.

Sophie n'en revenait tout simplement pas : un filou cravaté ! Elle avait toujours pensé qu'il n'y avait que les avocats et les politiciens pour oser vous détrousser devant vos yeux !

Albert confia son ordi à Sophie, puis, intrépide, prit aussitôt en chasse le voleur.

Joggeur expérimenté, il gagna rapidement du terrain.

Le jeune homme chic vit aussitôt qu'Albert courait plus vite que lui, et crut sage d'abandonner le bagage à roulettes : il s'engouffra in extremis dans un ascenseur dont les portes se refermaient.

5

LA ROSE DES VENTS

— Je suppose que je n'ai plus d'autre choix que de t'offrir un verre, dit Sophie à Albert, qui lui rapportait avec une sorte de fierté son bagage. On peut se tutoyer, en passant?

— Oui, on se tutoie, bien sûr. Et non, tu n'as pas le choix de m'offrir ou pas un verre: je n'ai couru après le filou que dans cette seule intention. C'est même moi qui l'ai payé pour faire semblant de te voler.

— Naturellement.

Il est trop beau, mais au moins il est amusant, pensa-t-elle.

Elle lui tendit alors la main avec l'assurance que lui donnaient son équilibre intérieur, sa profession et son âge:

— Sophie Stein.

Il accepta évidemment de la lui serrer, et se présenta:

— Albert Duras.

Quelques instants plus tard, ils tombèrent sur un bar appelé La Rose des Vents. Albert fit un drôle d'air en voyant l'enseigne. Sophie le remarqua, demanda:

— Ça ne te plaît pas? On peut aller ailleurs, si tu veux.

— Non, non, ça va.

Néanmoins, il conserva quelques secondes encore sa mine défaite, ou en tout cas perplexe. Il s'était rappelé encore une fois l'annonce de Madame Socrate : il rencontrerait le grand amour de sa vie dans un jardin de roses où il venterait tout le temps, et il venait d'entrer dans un estaminet appelé… La Rose des Vents !

Il pensa qu'il commençait à voir des choses qui n'existaient pas, qu'il avait sans doute besoin de vacances plus qu'il ne le croyait. Du reste, il ne se souvenait même plus de la dernière fois où il en avait pris. Un verre, il lui fallait un verre !

Il l'eut bientôt devant lui, c'était du mauvais blanc, coûteux pourtant, mais il s'en moquait éperdument : il était fasciné par le visage de Sophie, par ses yeux surtout, des yeux verts, perçants et intelligents, mais dans lesquels flottait une certaine tristesse. Ou était-ce de la désillusion ?

Il eut à nouveau l'impression, en plongeant dans son regard, qu'il la connaissait.

D'où, peut-être, leur complicité rapide, quasi instantanée, et c'était extrêmement mystérieux.

Il y eut un silence entre eux, mais il n'était pas embarrassant, et Albert pensa que la chose était rare, surtout entre deux étrangers.

Le cellulaire de Sophie, qui sonna, y mit fin. Elle répondit, eut une brève conversation, qu'elle conclut par ces mots :

— Je t'embrasse, ma chérie…

Elle raccrocha puis commenta :

— Ma fille, Elsa… Chaque fois que je pars en voyage, elle s'inquiète, comme si elle avait encore 12 ans et que je l'abandonnais pour toujours.

— Elle a quel âge ?

— Seize ans.

— Seize ans !

Il n'en revenait pas.

— Mais tu as l'air d'avoir à peine 30 ans.

— Je vais avoir 40 ans, le 5 octobre prochain, si tu veux tout savoir.

Albert arrondit les yeux mais ne dit pas à la belle étrangère exactement pourquoi : il était lui aussi né le 5 octobre et deviendrait quadragénaire le même jour qu'elle.

— C'est quoi, ton secret ? la questionna Albert.

— Pas d'alcool.

— Pas d'alcool ? dit-il, un pli perplexe dans son large front, l'index tendu vers son verre : le blanc, même mauvais, était quand même de l'alcool !

— Sauf en voyage.

— Évidemment.

— Deux litres d'eau, et deux kilomètres de marche par jour. Et surtout, SURTOUT, manger très peu, sauf dans un bon restaurant.

— Évidemment.

Il aimait de plus en plus parler avec elle et savourait la récitation de ses paradoxes amusants.

— Je vais boire à ça.

— Moi aussi.

Elle prit une gorgée de vin, fit une grimace, dit :

— Vraiment infect, ce vin, et en plus, les portions sont ridiculement petites. Garçon !

Elle leva son verre en sa direction pour en réclamer un deuxième. Et Albert l'imita.

Ils vidèrent en même temps leur verre de mauvais blanc.

Albert la considéra, encore éberlué par ce qu'il venait d'apprendre d'elle, et surtout l'étonnante révélation qu'elle avait une fille de 16 ans…

Comme si elle avait pu lire dans sa pensée, Sophie demanda :

— Toi, tu as des enfants ?

— Une fille de 16 ans.

— Ah, amusant ! La mère se porte bien ?

— Je ne pourrais pas dire. Je ne l'ai pas vue depuis quinze ans.

— Depuis quinze ans ?

— Elle est partie vivre à Londres avec un banquier quand notre fille avait un an.

— Je vois. Elle faisait quoi, comme métier ?

— Banquière.

— Ça leur faisait une chose en commun.

— Oui. L'argent.

— Tu as refait ta vie ?

— Deux fois.

— Ça se passe bien ?

— C'est compliqué.

— Vous êtes ensemble depuis trois ou sept ans ?

— Trois ans. Comment as-tu fait pour deviner ? fit-il, interloqué.

— C'est ce que les hommes qui ne sont pas libres depuis trois ou sept ans disent aux femmes avec qui ils veulent tromper leur femme. Comme tu es encore jeune (elle eut envie d'ajouter *et que tu as une gueule de tombeur, et que la fidélité ne doit pas être exactement ton sport préféré*, mais elle ne le fit pas), j'ai opté pour trois ans.

— Élémentaire, mon cher Watson ! plaisanta Albert, même si la boutade de Sophie l'avait quelque peu déstabilisé.

Mais comme pour ne pas trop le lui montrer, il enchaîna :

— D'autres théories à ce sujet ?

— Oui. Quand les femmes font l'erreur de s'attacher aux hommes qui ont des vies compliquées et leur demandent de quitter leur femme pour elles, ils leur disent qu'ils les aiment, qu'ils voudraient bien refaire leur vie avec elles, que même c'est leur rêve le plus cher, moins cher que le divorce quand même, mais que… c'est compliqué !

Albert plissa les lèvres avec un amusement ravi.

— Mon Dieu, tu as beaucoup d'expérience avec les hommes qui ont des vies compliquées !

— Non, avec leurs maîtresses.

— Avec leurs maîtresses ?

— Oui. J'en reçois toutes les semaines dans mon cabinet. Parce qu'elles se demandent si elles doivent se lancer en bas d'un pont ou en politique.

L'hilarité d'Albert se déchaîna à nouveau, puis il dit :

— Ah, évidemment… Psychiatre, j'oubliais.

Ils entendirent alors une annonce de la compagnie aérienne : l'embarquement pour leur vol allait enfin débuter !

— Ah ! finalement ! s'exclamèrent-ils à l'unisson, et ça les amusa, cette synchronicité.

Albert n'eut pas le temps de poser à Sophie des questions sur son état conjugal. Il savait qu'elle avait une fille. Mais pas plus. Elle ne lui avait pas dit si elle était encore avec le père. Ou si elle avait dû refaire sa vie, tout comme lui. Une ou deux fois ou peut-être plus souvent encore, comme c'en était la mode de nos jours.

Il vérifia si elle portait une bague à l'annulaire de la main gauche : ce n'était pas le cas.

6
ELLE OCCUPAIT LE SIÈGE 44A, LUI LE 11A

Dans la longue file d'attente de l'embarquement, ils n'eurent que quelques trop brefs instants pour poursuivre la conversation entamée à La Rose des Vents.

Et briser le code qui leur aurait révélé qu'ils étaient des âmes sœurs.

Depuis les temps les plus anciens.

Et leur situation actuelle – même contraire et compliquée – n'y changeait rien.

Il leur avait simplement fallu du temps pour se rencontrer.

Car ils avaient des dettes du passé à régler.

Avec des êtres qui n'étaient pas leur âme sœur, mais leur avaient été nécessaires dans le chemin qui les mènerait à La Rose des Vents, où ils pourraient enfin se rencontrer.

Et c'était pour l'éternité : car tel est le lot des âmes sœurs.

Albert demanda à Sophie le motif de son périple vénitien.

— Par affaires, répondit-elle.

— Par affaires ?

— Un patient italien que je vois deux ou trois fois par année.

— À Venise ?

— Il a de bons arguments. Il me paye 25 000 $ pour mon déplacement, et me réserve la meilleure chambre au Danieli, la suite où ont séjourné Alfred de Musset et George Sand.

— Convaincant, en effet.

— En plus, j'en profite pour me replonger dans mon enfance. Je suis née à Venise. Mes parents ont immigré au Canada alors que j'avais 9 ans.

— Stein, ça ne sonne pas très italien, pourtant.

— Mon père était suisse.

— Suisse ?

— Allemand.

— Évidemment.

— Et toi ? Venise en solo. C'est plutôt rare, non ?

— Un congrès d'édition. Auquel je n'irai probablement pas. Même s'il se tient au magnifique théâtre La Fenice.

— Je ne suis pas sûre de comprendre.

— J'ai besoin de réfléchir. Mon comptable aime bien quand je peux justifier mes dépenses de voyage.

— On ne badine pas avec l'impôt.

Albert sourit. Il se délectait. Elle faisait de toute évidence allusion à la pièce de Musset, *On ne badine pas avec l'amour*, si fameuse qu'elle en était devenue une sorte de dicton, ce qui est la gloire suprême, car elle assure l'immortalité à son auteur.

— La suite de George Sand et Alfred de Musset, tu as dit…

Elle n'eut pas le temps de répondre autrement que par un sourire amusé : ils étaient vraiment sur la même longueur d'onde, et ce petit jeu verbal était un régal.

Les passagers, en effet, étaient appelés à monter dans l'avion par section.

Sophie occupait le siège 44A.

Lui le 11A.

Le hasard ne les favorisait pas.

Il faut parfois que, pour se rencontrer, un homme et une femme parcourent des milliers de kilomètres, traversent même des continents ou alors, s'ils habitent la même ville, que, par un destin favorable, ils aillent au même endroit le même jour à la même heure, et encore ça ne suffit pas : encore faut-il qu'ils se voient, qu'ils puissent se parler.

Mais Sophie et Albert avaient beau avoir rempli toutes ces conditions sine qua non, et avoir pris un verre ensemble à La Rose des Vents, que sont quelques instants, même drôles, même charmants ?

Que veulent-ils dire, vraiment, lorsque le destin en a décidé autrement ?

Que la Diseuse de Bonne Aventure de la Vie ne voit pas d'avenir entre cette femme et cet homme, dans la boule de cristal où lisent ses yeux qui voient tout ?

Ne sont-ils pas, ces instants drôles et charmants, comme les petits bouts de papier que vous trouvez dans ces biscuits chinois que vous ne mangez pas, et qui vous prédisent un avenir merveilleux ou décrètent des vérités faussement profondes ou carrément ridicules, la palme d'or allant assurément à : « Votre vie sera longue et utile comme un rouleau de papier de toilette ! » ?

Et pourtant, dans votre désespoir – ou votre espoir de quelque changement, ce qui revient au même –, vous y croyez, ou faites semblant d'y croire : ça ne coûte pas plus cher ! Et ça vous fait sourire pendant dix secondes : il n'y a pas de petits bénéfices à la Banque du Bonheur, dans laquelle si peu de gens, même vos amis, même vos parents, font des dépôts, car ils ne croient guère en vous et vos rêves, ou alors ils ont trop peu de provisions de bonheur : on ne peut donner ce qu'on n'a pas !

Vu son numéro de siège, Sophie fut appelée à embarquer avant Albert.

Elle eut, du moins lui sembla-t-il, un bref moment d'hésitation. Comme si elle se demandait si elle ne devait pas dire une phrase de cette eau: « Tu descends à quel hôtel ? Tu me laisses ton numéro de cell ? On se texte et on va boire un bellini au Harry's Bar ? Ou alors, si tu en as envie, on se tape un petit souper dans une trattoria que je connais à un jet de pierre du Rialto : ils servent le meilleur *spaghetti alla puttanesca* que je connaisse ; normal, c'est près de ce pont célèbre que les *puttane*, je veux dire les putains, faisaient commerce de leurs charmes aux belles heures (nocturnes) de la Sérénissime... »

N'importe quoi, quoi !

Mais en lieu et place, vu sa gêne, ou sa prudence avec les hommes trop beaux, qui en plus avaient une « vie compliquée » (quel cocktail de malheur assuré pour une femme !), Sophie se contenta de dire :

— Bon voyage. Et encore une fois merci pour mon bagage !

Il aurait vraiment aimé qu'elle lui tende une perche, mais elle ne l'avait pas fait. Lui aurait pu faire le premier pas, mais un élan de culpabilité était monté en lui.

Vis-à-vis de cette femme avec qui, depuis trois ans, il avait une vie.

Compliquée.

Il se résigna : *c'est peut-être mieux ainsi.*

7

« JE TE TROUVAIS SI BIEN SOUS MON AILE... »

« Mon enfant, j'ai tant pleuré, tant souffert depuis que je suis au monde. Console-moi. Dédommage-moi. Je te laisse aller avec une peine que tu ne pourrais concevoir. Je te pardonne bien aisément de ne pas éprouver la pareille. Je reste seul, et tu suis un homme que tu dois adorer. Du moins, au lieu de causer avec toi comme autrefois, quand je causerai seul avec moi, que je me puisse dire en essuyant mes larmes : *je ne l'ai plus, il est vrai, mais elle est heureuse...* »

Un homme lisait cette lettre écrite il y a des siècles par un autre homme.

Le premier était Albert Duras, éditeur de métier, et le second, Denis Diderot, libre penseur de son métier, en une période de l'humanité dont les idées, les libertés, pourraient éclairer notre époque violente et sombre, vu son noble nom : le siècle des Lumières.

Cet homme tentait de se consoler du récent départ de sa fille en se répétant la réflexion de Diderot : « Je ne l'ai plus, il est vrai, mais elle est heureuse... »

Cet homme, qui trouvait dans la littérature plus commode refuge que dans le Prozac ou le crack, avait repris la lecture de son livre abandonné aussitôt qu'il avait pris place dans le siège 11A (le 11B et le 11C étaient libres, il ne s'en plaignait pas, ne se trouvant pas en mauvaise compagnie seul avec lui-même) de son avion retardataire qui devait passer au déglaçage, chose qui prendrait visiblement le temps que ça prendrait, car il y avait de nombreux appareils avant le sien qui attendaient le même toilettage obligatoire.

Cette lettre, que Diderot écrivait à sa fille qui venait de prendre mari, bouleversait Albert, car il lui semblait qu'il aurait pu l'écrire, à quelques détails près. Mais il contenait ses larmes, car il était en public, et pleurer en public, ça ne se fait pas, encore moins quand on est un homme.

Il crut alors reconnaître le rire magique de Sophie, sorte de consolation providentielle de la peine qui le rongeait depuis le 1er avril. Sophie allait ou revenait peut-être des toilettes, qu'il pouvait voir depuis son siège.

Il leva la tête. Plissa les lèvres : ce n'était qu'une adolescente avec un fort nez, une chevelure exubérante et des lunettes à grosse monture : il se replongea avec déception dans sa lecture.

« Je vous ordonne de serrer cette lettre et de la relire au moins une fois par mois. C'est la dernière fois que je vous dis : je le veux. Adieu, ma fille, adieu, mon cher enfant. »

C'est le mot « adieu » peut-être qui le bouleversait le plus.

Parce que, en général, on dit adieu à des gens qu'on ne reverra plus.

Qui sont à l'article de la mort.

Ou prêts pour quelque autre grand départ : parfois, je le sais, c'est juste une manière dramatique et désespérée entre amoureux de se séparer, dans l'espoir que la gravité de la menace engendrera une réconciliation, que l'un ou l'autre changera à temps d'idée. Avant que l'irréparable ne se produise : ça arrive. Un peu trop souvent en notre époque d'amours éphémères.

Cette prière de Diderot à sa fille n'était pas de toute évidence la conclusion de sa correspondance avec elle, car il lui écrivait aussi :

« Je te trouvais si bien sous mon aile ! Dieu veuille que le nouvel ami que tu t'es choisi soit aussi bon, aussi tendre, aussi fidèle que moi. Ton père. »

Albert nourrit commodément son chagrin de la lettre suivante, que Diderot fit parvenir à sa sœur : « Je n'ai plus d'enfant, je suis seul et ma solitude m'est insupportable. (...) Il n'y a plus personne ici. Nous rôdons, Mme Diderot et moi, l'un autour de l'autre, mais nous ne sommes rien. L'art d'écrire n'est que l'art d'allonger les bras. »

« L'art d'écrire n'est que l'art d'allonger les bras... », murmura Albert. Et il pensa aussitôt : *y eut-il de toutes les époques (lumineuses ou sombres), et sous la plume de tous les génies, définition plus simple et surtout plus vraie de ce drôle de métier, que tant de gens veulent embrasser sans en avoir le talent parce qu'ils connaissent les 26 lettres de l'alphabet : comme si la faculté de calculer votre épicerie faisait de vous un mathématicien digne d'Einstein ou de Pascal ?*

Lisant ces lettres, ces surprenants et fort anciens miroirs de sa vie, aurait-on dit, Albert songea que, pour la première fois peut-être, il avait vraiment envie d'écrire, dans l'espoir, même probablement illusoire, que son livre aboutirait un jour dans les mains de sa fille Lisa.

Et que, le lisant, elle comprendrait son chagrin.

Et lui reviendrait en courant.

Et ce serait le même bonheur qu'avant.

Il n'aurait fait que s'exercer, même maladroitement, mais avec succès pourtant, à l'art d'allonger les bras.

Son ordinateur fermé, les yeux humides, Albert murmurait: « Je te bénis dix fois, cent fois, mille fois ; va mon enfant. Je n'entends rien aux autres pères. Je vois que leurs inquiétudes cessent au moment où ils se séparent de leurs enfants ; il me semble que la mienne commence. Je te trouvais si bien sous mon aile… » lorsqu'il eut un espoir nouveau.

8
LE SOURIRE DE SOPHIE

Sophie Stein, qui revenait des toilettes (elle n'avait pas vu Albert à l'aller, et lui non plus, tout absorbé par sa lecture, ne l'avait pas aperçue), s'était arrêtée devant lui. Même si elle n'était pas dans son cabinet avec un patient, elle restait psychiatre, si bien qu'elle sentit toute la détresse d'Albert. Elle ne le vit plus comme un homme beau, trop beau même, et probablement aussi superficiel que narcissique.

Elle le vit tout simplement comme un homme.

Un homme triste.

Pour cause, peut-être, de vie compliquée, ainsi qu'il le lui avait expliqué.

— Ça va ? lui demanda-t-elle, car à son propre étonnement, elle se faisait du souci pour lui, comme si déjà il était un ami.

— Oui.

— Tu es sûr ?

— Oui, oui.

Elle sentait qu'il ne lui disait pas la vérité (ce que font rarement les hommes, surtout lorsque cette vérité les concerne, car de toute manière, bien souvent, ils ne la conçoivent pas), mais elle ne le connaissait pas vraiment, et il n'était pas un patient, alors elle pouvait difficilement insister.

Un voyageur s'excusa à ce moment auprès de Sophie. Elle le laissa passer. Voulut reprendre la conversation mais un autre passager lui fit la même requête. Il était plutôt corpulent, et avait besoin de toute l'allée : Sophie dut s'avancer devant le banc 11C.

Albert dit :

— Écoute, le siège 11B est libre, le 11C aussi.

— Le siège 11B est libre ?

— Oui, précisa-t-il, je veux dire le siège à côté de moi, alors si… Enfin ça me ferait plaisir si tu…

Le cellulaire de Sophie sonna. Elle vérifia la provenance de l'appel, s'excusa auprès d'Albert :

— Une patiente. Probablement en état de crise. Je vais devoir la prendre.

Et elle repartit vers le siège 44A.

Sans spécifier à Albert si oui ou non elle acceptait sa courtoise invitation.

9

LA FEMME D'HIER, LA FEMME DE DEMAIN

En entendant la seconde annonce de l'agent de bord, assortie de ses banales instructions aux passagers, Albert considéra, à côté de lui, le banc 11B, toujours vide.

Comme sa vie peut-être.

Il pensa à nouveau que, au fond, c'était mieux ainsi.

Il n'était pas un homme libre.

Et avoir ou à tout le moins tenter d'avoir une aventure en voyage – ce qu'il n'avait jamais fait depuis trois ans, c'est-à-dire depuis qu'il était avec sa compagne –, c'était non seulement banal mais un peu lâche, non ?

Par un hasard curieux, et assez troublant, son cellulaire sonna, et c'était sa compagne, et non pas, ainsi qu'il avait d'abord pensé, son jeune auteur anxieux qui voulait vérifier si son livre était bel et bien en vente au tabac de l'aéroport.

— C'est moi, dit-elle. Je voulais juste savoir si ton avion part ou si tu rentres à la maison. J'ai vu aux nouvelles que tous les avions étaient retenus au sol à cause de la tempête.

— Non, non, on part finalement. Ils déglacent l'avion.

— Ah ! tant mieux…

Elle disait ça, mais au fond, elle ne semblait pas vraiment le penser. Elle semblait même penser le contraire. Comme si elle sentait que ce voyage ne serait pas très bon pour leur couple.

Que, même, il serait peut-être fatal. Savait-elle déjà qu'Albert avait eu une espèce de coup de foudre pour une autre femme, qu'il l'avait suivie, lui avait parlé, qu'il avait pris un verre de vin avec elle, et même deux, dans un bar qui portait un nom plutôt inquiétant pour qui croit qu'il n'y a pas de hasard, que tout est signe, si tant est qu'on sache les voir et les interpréter : La Rose des Vents ?

— Je m'ennuie déjà de toi…

— Euh, moi aussi, mais je pars juste quatre jours.

— C'est vrai…

Albert aperçut alors une agente de bord qui levait la main en direction d'une passagère qu'il ne pouvait pas voir (elle venait de l'arrière de l'avion) et la tançait.

— Madame, s'il vous plaît, retournez à votre siège !

Elle ne lui obéit pas visiblement.

Car elle apparut devant un Albert aussi surpris que ravi, et lui demanda, ordi en bandoulière, et sac à main contre sa hanche, en désignant le siège 11B :

— Ton offre tient toujours ?

— Euh oui, bien sûr.

Il leva le doigt pour lui demander de patienter, puis informa sa compagne :

— Je dois raccrocher maintenant, l'avion décolle.

— Je t'aime.

— Moi aussi, répondit-il comme on le fait toujours, souvent par simple habitude, même si on ne le pense pas vraiment : et parfois on le dit en pensant qu'on ne le pense pas, mais il s'avère que c'était vrai qu'on le pensait lorsque l'autre part, car soudain on est fou d'amour : c'est simple, quoi !

Albert raccrocha.

Et il eut la vague impression, comme lorsque, scrutant le lointain horizon, on croit apercevoir un oiseau solitaire, un aigle peut-être, que cet appel était une sorte de relève de la garde dans sa vie. Amoureuse. Sa compagne, qui venait de lui dire *je t'aime* et à qui il avait répondu mécaniquement, *moi aussi*, était la femme d'hier, Sophie Stein la femme de demain.

Et ce ne fut pas sans émoi qu'il la vit s'asseoir à ses côtés, sur le siège 11B.

Peut-être avait-il souhaité ce changement depuis un an, et surtout depuis le 1er avril, mais maintenant qu'il arrivait (peut-être, car il n'y avait rien de certain, même si bien des prédictions de la surprenante Madame Socrate se réalisaient bizarrement), il n'était plus persuadé qu'il le souhaitait.

Car cette femme dont il s'était détaché (était-ce par la seule et sinistre force de l'habitude, cette liquidatrice si souvent efficace de la passion ?), par quelque concours de circonstances imprévu, il l'avait quand même aimée.

10

C'EST (VRAIMENT) COMPLIQUÉ !

— La sœur aînée de ma compagne est morte il y a un an. Elle avait trois enfants. Un garçon de 16 ans, qu'elle élevait seule, parce que le père était un Mexicain rencontré pendant une semaine de vacances folles à Acapulco…

— Et ce qui s'est passé à Acapulco n'est pas complètement resté au Mexique.

— Non, rigola-t-il, en effet…

Une pause et il poursuivait :

— Elle avait aussi deux petites jumelles de 7 ans qu'elle élevait également seule, parce qu'elle n'a jamais su qui était le père : elle voyait trois hommes en même temps quand elle s'est rendu compte qu'elle était enceinte.

— Oh ! c'est vraiment compliqué ! Pas reposante, la madame.

— En effet. Alors quand elle est morte, il y a eu une sorte de conseil de famille. Enfin si on peut appeler ça un conseil de famille. Ma conjointe n'a jamais connu son père… Et sa mère souffre d'Alzheimer sévère. Alors le conseil de famille, c'était ma fille, ma compagne Louise et moi.

— Je vois.

— Louise ne peut pas avoir d'enfant, ça la tuait, c'était son rêve d'en avoir. Alors là, elle a vu ça comme une sorte de cadeau du ciel, malgré, évidemment, le chagrin immense d'avoir perdu sa sœur. Rien n'est parfait. Moi, j'étais hésitant, c'est beaucoup de responsabilités. Aussi, c'était un gros changement pour ma fille de 15 ans. Quand je lui ai parlé de notre projet d'adoption, elle a dit, tout excitée: « Ça a toujours été mon rêve d'avoir une grande famille! » Je me suis dit, soulagé: « Elle me donne sa bénédiction! » On a organisé un souper de famille. Reconstituée. C'est le mot clé.

— Hum... je sens que je vois venir la suite. J'ai quelques patients qui ont vécu ça, pas beaucoup, remarque, juste 9 sur 10.

— Voyons si je tombe dans ces joyeuses statistiques. Pour faire un histoire courte: ma fille est tombée en amour avec les jumelles, qui n'arrêtaient pas de lui demander: « Est-ce que ça va être toi notre nouvelle grande sœur? Dis oui, dis oui, dis oui! »

— Oh! que c'est mignon.

— Mais la suite l'a moins été.

Il marqua une pause, pour rassembler ses esprits, et enchaîna:

— L'ado de service avait une fixation sur ma fille. Il faisait tout pour la surprendre nue. Le soir, il entrait dans sa chambre sans frapper, le matin dans la salle de bain pendant qu'elle prenait sa douche. Mais évidemment, lorsqu'on le lui reprochait, il plaidait que c'était un accident. N'empêche, ma fille est partie vivre avec son copain, le 1er avril, jour de son anniversaire, même si je l'ai suppliée à genoux de rester. Notre projet de famille reconstituée a été un échec.

Ce sommaire de la déconvenue d'Albert parut affecter véritablement Sophie. En fait, à titre d'âme sœur ou de psy, elle semblait vraiment émue: ce n'était pas de la comédie.

— C'est curieux, si tu y penses, la vie, philosopha Albert, c'est curieux et c'est cruel, je veux dire, tu fais une erreur, une seule petite erreur de jugement, animé des meilleures intentions du monde, et tu peux perdre tout ce que tu as mis des années à construire.

— Tu ne penses pas que, parfois, ce qu'on croit être une erreur, comme tu dis, c'est juste le détour un peu inattendu que prend la vie pour nous emmener ailleurs, à un endroit où on sera plus heureux ?

— Même quand on a tout perdu ?

— Sauf que ta fille, tu ne l'as pas vraiment perdue, elle t'aime, et tu l'aimes. Dis-toi qu'elle est juste partie en voyage.

— Peut-être, peut-être, mais j'aurais juste aimé qu'elle parte en voyage un peu plus tard. Dans... dix ou quinze ans par exemple.

— On les aime, nos enfants...

— Oui. Parce que chaque heure que je passe sans elle est perdue à tout jamais. Et personne ne pourra jamais me convaincre du contraire.

— Je sais, je sais... Mais elle a des choses à vivre et à apprendre. Et puis tu n'as quand même pas perdu ta compagne.

— Non, mais on s'est perdus de vue. C'est si facile de vivre seul quand on vit à deux. Alors imagine à cinq, avec quatre personnes qui n'ont pas le même sang que toi !

— La vie est une grande romancière.

— Je sais, si elle me soumettait un manuscrit, je la mettrais tout de suite sous contrat. Je vous dois combien, docteur ?

— Plus qu'un éditeur peut se permettre.

Il eut envie de l'embrasser tant il la trouvait drôle, brillante et amusante. Attachante aussi, car son humour était tendre.

Mais ça ne se faisait pas.

Après tout, elle n'était qu'une parfaite étrangère rencontrée dans un aéroport pour cause d'improbable tempête de neige en avril.

Par hasard, finalement, si l'on faisait abstraction de la prédiction de Madame Socrate...

Qui avait peut-être juste eu de la chance...

Ou alors il était désespéré, et voyait des signes où il n'y en avait pas : ça s'est vu, croyez-moi !

Parce que sa fille, la prunelle de ses yeux, le soleil de sa vie, était partie.

Et il se sentait infiniment seul.

Je te trouvais si bien sous mon aile...

Il échangea un long regard avec Sophie.

Comme s'il voulait savoir...

Était-elle une belle étrangère d'un soir, d'un vol, ou son âme sœur pour la vie ?

Le voyant lumineux indiquant que les passagers pouvaient détacher leur ceinture s'activa, accompagné de son bip coutumier.

Ce ne fut toutefois pas le réflexe de Sophie.

De se libérer de sa ceinture.

À la place, dans son sac à main, elle prit un petit flacon, et, dans le petit flacon, un comprimé, qu'elle avala sans le secours d'un verre d'eau, comme si elle avait l'habitude de cette rudesse.

— Oh ! désolé, s'excusa Albert, je manque complètement de tact, les histoires des autres, c'est si déprimant. Tout le monde s'en fout. Moi, le premier. Sauf évidemment si je crois que je peux en faire un best-seller.

Sophie goûta la plaisanterie, malgré son cynisme, réel ou seulement badin, et précisa aussitôt :

— Non, non, ce n'est pas un antidépresseur, c'est un somnifère : il faut absolument que je dorme quelques heures, j'ai un emploi du temps plutôt chargé à Venise.

Elle tendit le flacon à Albert, lui demanda :

— Tu en veux un ?

Sa gentillesse le toucha infiniment. Il pensa qu'ils commençaient à ressembler à des amis, peut-être : la chose n'est-elle pas normale et même inévitable entre deux âmes sœurs assises l'une à côté de l'autre par « hasard », sur les sièges 11A et 11B dans un avion en partance pour Rome, avec comme destination finale la ville des amoureux, Venise ?

Pourtant, Albert la remercia de son offre en disant :

— Euh non, j'ai de la lecture à faire, hélas !...

— Hélas ?

— Je suis éditeur !

Elle se frappa le front.

— Bien sûr.

11

MORT À VENISE

Sophie avait prétendu vouloir absolument dormir, et pourtant, malgré le somnifère, elle ne s'y prépara pas du tout, loin de là, et Albert se gratta la tête car elle ouvrit plutôt son ordi sur ses genoux.

— Si je m'endors en écoutant mon film, tu seras gentil de refermer mon ordi pour moi, mon…

Elle ne précisa pas « mon » quoi. Mais elle rougit. Comme si elle avait failli se trahir, dire par exemple… *mon chéri*. Elle était psychiatre, peut-être pas freudienne, vu que c'est supposément démodé, mais psychiatre tout de même, et connaissait assurément le sens des lapsus, ces trous de serrure du langage par lesquels on voit dans la chambre des cœurs.

Albert, lui, pensa effectivement que Sophie avait passé près de dire *mon chéri*.

Vrai ou pas (car il pensa qu'elle avait peut-être voulu dire simplement *mon ami*), ça le toucha, cette demande, cette complicité. Comme on a dans un couple. Parfois.

Sophie mit le film, et, avant même d'en voir les premières images, Albert devina de quoi il s'agissait, car la musique, qui filtrait par les écouteurs bon marché fournis par la compagnie aérienne, l'annonçait pour tout cinéphile qui se respecte : c'était le célèbre adagietto de la *Cinquième Symphonie* de Mahler, si bien que ce ne pouvait être que *Mort à Venise*, de Visconti. Ce qui avait une certaine logique, pensa Albert, puisque c'était leur destination.

C'était son film préféré, il n'avait jamais su comment se l'expliquer. Même s'il n'avait jamais eu de fascination pour les jeunes éphèbes, blonds ou pas, il s'était identifié dès la première fois qu'il l'avait vu au personnage principal, à sa douleur, à sa crise existentielle. Est-ce parce que c'était le drame de l'enfance perdue, d'une carrière artistique décevante ? Allez savoir, avec un chef-d'œuvre !

Albert ne put s'empêcher de se tourner vers l'écran de Sophie, même s'il connaissait par cœur les premières images du film. On voyait l'aube brumeuse dans la lagune, puis le visage émouvant de Dirk Bogarde, convalescent, élégant dans sa tenue d'homme fortuné du début du 20e siècle, nostalgique et désolé, parti pour une cure de santé sans sa femme et sa fille, à la suite d'une recommandation de son médecin.

Albert parut triste ou contrarié.

Sophie le remarqua, s'en inquiéta.

— Tu n'aimes pas ce film ?

— Non, au contraire, j'adore. Je le connais presque par cœur.

— Moi aussi.

Elle semblait heureuse, vraiment heureuse de cette coïncidence, de cette unanimité de leurs goûts.

Car « unanimité » veut dire, selon l'étymologie latine : *una anima*, donc une âme, ce qui est justement le propre des âmes sœurs qui, en a-t-on le fréquent sentiment, sont une seule âme distribuée entre deux corps et réunie par l'amour !

Sophie Stein s'ouvrit de la raison de son émerveillement :

— Je l'écoute par sentimentalisme, parce que le Grand Hôtel des Bains, au Lido, où a été tourné le film, comme tu sais sans doute, vient d'être vendu.

— Ah non ! Sérieusement ? Pas cet hôtel mythique !

— Oui, à un promoteur immobilier qui va le transformer en condos de luxe. On ne peut pas arrêter le progrès.

— Ni la décadence du bon goût.

— Je sais.

Elle avait les mêmes dégoûts, les mêmes tristesses que lui.

Signe – qui s'ajoutait au fait qu'elle était née le même jour que lui, et que, tout comme lui, elle avait une fille de 16 ans – qu'elle était vraiment son âme sœur ?

Elle se concentra sur le film.

Lui se concentra sur cette pensée, cette lubie que lui avait mise dans la tête Madame Socrate. Qui n'était peut-être que la messagère du destin.

Ensuite, comme il était débordé (en fait, il était en retard de presque deux mois dans ses lectures obligatoires), il se mit, sur son ordi, à la lecture d'un nouveau manuscrit, ayant renoncé à reprendre celle de loisir entreprise un peu plus tôt.

12
LISA À LA PLAGE

Il trouva décevante la première page, erreur souvent fatale des jeunes auteurs. Il lut la deuxième, tout aussi ennuyeuse.

Être éditeur présuppose l'art de gérer sa déception pour pouvoir lire le manuscrit suivant: la lecture rapide est bien souvent la seule manière de prévenir la dépression.

Parfois, comme il passait tant d'heures chaque semaine à se taper (de la manière la plus expéditive possible) de la mauvaise littérature, Albert Duras ne savait plus si c'était bon ou mauvais. À croire que ses certitudes avaient été ébranlées, ses exigences habituelles mises en vacances. Il aurait sans doute fallu qu'il fasse comme Hercule Poirot avant de lire ses journaux: qu'il se protège les mains par des gants blancs contre l'encre de la médiocrité.

N'ayant pas encore trouvé de « gants blancs littéraires », il se rappelait de temps à autre ce que pouvait, ce que devait être un bon livre en lisant ou relisant de grands auteurs, des valeurs sûres, de la vraie littérature, quoi !

À la dixième page de ce manuscrit-ci, son idée était faite. Le début ne tenait pas la promesse du titre, qu'il avait aimé. Ou plutôt, il la tenait, affirmant: *Je suis con.* Il était surtout ennuyeux, cet auteur, et comme Voltaire a dit qu'il n'y avait qu'un mauvais genre, le genre ennuyeux, ça n'annonçait guère de succès d'estime ou de librairie.

Il revint à la page frontispice, tapa, en rouge, juste à côté du titre, un mot auquel il devait trop souvent recourir : REFUSÉ. Il ferait suivre le manuscrit à son assistante, qui enverrait à l'infortuné auteur la lettre de refus habituelle.

Albert Duras savait qu'il décevait bien des auteurs. Mais il préférait ça à l'idée de décevoir encore plus de lecteurs, et de perdre des milliers de dollars par suicidaire gentillesse. Il savait que le métier d'éditeur exige de dire non. La plupart du temps. Il n'y prenait nul plaisir, la fibre sadique étant peu développée en lui, contrairement à la plupart des gens qui ont ou croient avoir quelque pouvoir. On oublie souvent qu'un éditeur est aussi un lecteur, un premier lecteur et, à l'instar de tout lecteur, il veut être charmé, s'amuser, rire et pleurer, être instruit et toujours découvrir la perle rare.

Qui se trouve peut-être dans le prochain manuscrit.

Avant, justement, de s'attaquer à ce prochain manuscrit, pour s'accorder une récréation, ou purger son esprit grâce aux lentes splendeurs de Visconti, Albert s'intéressa au film : une scène le plongea dans un abîme de nostalgie.

C'est celle où le héros, Aschenbach, voit pour la première fois Tadzio (l'adolescent blond qui le fascine) jouer sur la plage avec des gamins de son âge.

Albert se revit en vacances à la mer avec sa fille Lisa, qui avait 8 ans à l'époque. Ils étaient allés à Ogunquit, charmante station balnéaire du Maine : lui voulait descendre au Anchorage Inn, mais ils ne purent pas. Albert n'avait pas réservé, et l'hôtel affichait complet, c'était la haute saison, si bien qu'ils avaient échoué dans un hôtel plus que quelconque, au nom trompeur et ronflant :

King's Court, dont la cour, justement, n'était royale que de nom, car c'était un vulgaire parking en asphalte. Seul avantage, l'hôtel était à deux pas de la plage.

Albert se rappela qu'en entrant dans la chambre, la seule qui restait et où il y avait deux lits doubles, Lisa avait dit, autoritaire, en désignant celui de gauche : « Ça, c'est mon lit, papa. »

Sur la plage – il ne résistait pas facilement, en vacances, à l'attrait des journaux matinaux –, elle lui avait reproché, comme il se faisait tirer l'oreille pour construire avec elle des châteaux de sable : « Tu lis tout le temps, papa ! Pourquoi tu ne m'aides pas ? »

Maintenant, Lisa n'édifiait plus de châteaux de sable, avec sa petite pelle de plastique jaune et sa naïve ingéniosité qui n'avait d'égal que son application, elle ne lui faisait plus aucun reproche, et ça le tuait, cette erreur du passé qui ne revient jamais. Elle n'avait plus 8 ans, elle n'avait plus besoin de lui, elle avait 16 ans, elle était partie.

Faire sa vie, comme on dit, avec son petit ami.

Qu'il aimait bien.

Mais qui, en l'espace d'un instant (cruel et définitif) était devenu le grand voleur.

Le voleur de grand chemin.

Parti avec, dans sa besace, sa fille.

Qui était sa vie.

Est-ce nécessaire d'ajouter que les larmes lui montèrent aux yeux ?

Pudique, embarrassé, il se détourna, mais pas assez vite pour que Sophie ne soit témoin de son émoi.

Délicate, elle s'enquit :

— C'est touchant, hein ?

Il opina du bonnet, préféra ne pas lui dire pourquoi ça l'était doublement pour lui, et que, surtout, c'était juste, c'était surtout un malentendu : il ne s'émouvait pas de quelque péripétie de *Mort à Venise*, mais du départ inopiné de sa fille que ce chef-d'œuvre lui rappelait.

Contre toute attente, Sophie Stein réprima alors un bâillement. Albert la taquina :

— À peine quelques heures qu'on se connaît, et c'est déjà l'effet que je te fais.

— Mais non, mais non ! protesta-t-elle avec la dernière véhémence, c'est le somnifère, il est vraiment puissant. Je sais, parce que je me le suis moi-même prescrit. Ça endormirait un éléphant.

Et elle décréta, péremptoire, imprévisible comme depuis le début d'« elle et lui », si du moins ce n'était pas juste une vue de l'esprit, allez savoir :

— Assez de *Mort à Venise* pour ce soir !

Elle rangea son ordi, et ensuite prit la petite couverture mise à la disposition des passagers et s'en couvrit. Elle dit :

— Bonne nuit !

Albert pensa qu'il lui serait bon de se reposer. Comme Sophie.

Il referma son ordi, qu'il rangea sous le siège, releva la tablette sur laquelle il l'avait posé, dut pourtant s'escrimer avec le loquet pour qu'enfin il la retienne.

Lorsqu'il se retourna vers Sophie, elle avait déjà fermé les yeux, et s'était assoupie.

Un sourire imperceptible flottait sur ses lèvres, comme si elle rêvait de quelque chose de plaisant.

Des vacances à deux, peut-être.

Sur une plage.

Ou à Paris.

Des vacances bonnes, telles certaines invitations, pour deux personnes seulement.

Deux.

Lorsqu'on l'est vraiment.

Deux.

Ou à deux, si vous préférez.

Comme un vrai couple, quoi !

Ce qui est la meilleure manière de ne plus être seul.

Pourtant, comme il avait un petit vernis de littérature, forcément, vu son métier, et que, même s'il était un romantique incurable, il y avait un côté de lui qui restait cynique, conséquence de certaines déconvenues passées, il pensa à l'amusante boutade de San Antonio, que tous les critiques avaient décrié malgré son immense talent, car il avait toujours passé pour un vulgaire bateleur des mots : « On est toujours seul : il suffit de savoir avec qui. »

13

DOUBLE VIE

Albert pensa : *comme elle est spéciale, comme elle est troublante ! Et en plus, elle est brillante, elle est drôle... Et psychiatre, pas banal, comme métier ! On se connaît depuis deux heures à peine et on dirait qu'on se connaît depuis toujours, qu'on a mille choses à se dire, des millions de rires en réserve. Il y a si longtemps que je n'ai pas passé un si bon moment avec une femme... Un moment, comment dire ? léger... Oui, léger... C'est le mot...*

Et il tenta de se convaincre que ce n'était pas justement parce qu'il était un homme... léger ! Il aurait d'ailleurs pu le prouver par A + B.

Car en trois ans, et malgré la froideur de plus en plus grande entre sa compagne et lui, il ne l'avait jamais trompée. Et pourtant, ce ne sont pas les occasions qui avaient manqué, avec toutes ces jeunes romancières en herbe qui lui tournaient autour, dans les cocktails et les salons du livre, et même ces parfaites étrangères qui l'abordaient parfois dans la rue, à l'épicerie ou au restaurant, et dont les intentions étaient évidentes : certaines lui donnaient même leur carte de visite ou leur numéro de téléphone. Il les jetait invariablement à la poubelle, sans jamais une seule hésitation, une seule tentation.

Il ne supportait tout simplement pas l'idée d'avoir une double vie.

Double vie…

La seule évocation de ces deux mots le hérissait, autant que le homard pour lequel il avait une sévère allergie.

Ça « sonnait » tant, dans son esprit de sentimental démodé qui croyait encore au grand amour, comme un visage à deux faces…

Et c'était forcément un visage monstrueux, ou en tout cas hideux.

À un de ses amis, homme nouvellement marié aux incurables mœurs de célibataire, qui comprenait mal son obstination à ne pas profiter de son extrême popularité auprès des femmes, il avait un jour expliqué que, de même qu'il condamnait le mélange des genres avec ses auteurs, il ne pouvait supporter celui des salives en amour : embrasser deux femmes était au-dessus de ses forces.

Il avait toujours préféré se séparer qu'être infidèle.

Il s'avisa pourtant, en ce moment, comme s'il était vraiment à un tournant de sa vie (La Rose des Vents ?), que quelque légèreté serait peut-être le meilleur remède pour oublier le départ de sa fille adorée…

Il était absorbé dans ces déprimantes réflexions lorsqu'il sentit sur son épaule la tête de Sophie.

Elle s'y était posée, à la manière d'un adorable oiseau !

Ses cheveux, qu'il trouvait magnifiques, touchaient sa joue, et il pouvait respirer avec une ivresse encore plus profonde son parfum Boucheron.

Par le col de son chemisier blanc, dont les trois premiers boutons étaient défaits – était-ce à (suave) dessein ? –, Albert se rendit alors compte qu'elle ne portait pas de soutien-gorge. Elle voyageait léger, quoi ! Il pouvait entrevoir son sein droit, et ça le troubla. Il lui semblait qu'il n'avait jamais vu sein aussi beau, aussi parfait dans sa délicatesse, sa frémissante fraîcheur, et sa pointe arrogante et rose : on aurait dit la poitrine d'une adolescente. *Et pourtant,* se rappela-t-il, comme mystifié par cette merveille, *Sophie est une femme de presque 40 ans !*

Il se questionna : *est-ce une heureuse conséquence de l'amusante discipline supposément spartiate qu'elle s'impose : pas de vin, sauf en bonne compagnie, manger peu, sauf dans un bon restaurant et tutti quanti ?*

Lorsqu'il trouva enfin le sommeil à son tour, il rêva de Sophie.

Ils étaient à Venise, dans une gondole, et ils se disputaient : un vrai couple, quoi !

Comme ils en avaient sans doute l'air aux yeux de tous les passagers de leur vol.

Les apparences…

14

À ROME, IL FAUT VIVRE COMME LES ROMAINS

De mauvaises nouvelles attendaient Sophie et Albert dans la Ville Éternelle.

La première était que non seulement ils avaient raté leur vol de correspondance *Roma-Venezia* – ce qui n'était pas une surprise – mais que de surcroît il n'y avait pas de place sur le vol suivant, ni sur aucun autre avant le lendemain midi, de quoi amputer leur bref voyage d'une bonne journée.

Restait le train, bien sûr.

Mais ce n'était pas très amusant.

Pas autant en tout cas qu'une voiture.

Mais ils n'avaient pas de réservation.

Et la seconde mauvaise nouvelle est que tout ce qui restait de disponible était, au comptoir de chez Hertz, le cinquième qu'ils visitaient et dernier des environs de l'aéroport, une Alfa Romeo 4C décapotable, superbe sans doute, mais qui coûtait les yeux de la tête, soit plus de 300 euros par jour !

Pourtant, dix minutes plus tard, ils filaient au volant de cette superbe italienne – et emportée à moitié prix !

— Tu lui as dit quoi, au juste, pour qu'elle nous file cette bagnole géniale pour le prix d'une Fiat, turbo ou pas ? s'enquit Albert, vraiment médusé.

C'est que, la chose est connue, et incorrigible selon toute apparence : les hommes n'aiment guère, ou en tout cas s'étonnent sans fin, que les femmes puissent être plus efficaces qu'eux, et en cherchent toujours la « mystérieuse » explication.

Ils roulaient déjà dans Rome, sous un soleil splendide, un ciel bleu comme la Méditerranée, et ils admiraient du mieux qu'ils pouvaient, en évitant les collisions et les engueulades, le Quadrige dans la Cité Ancienne, le Colisée, et, au loin, la basilique Saint-Pierre.

Sophie lui révéla ce qu'elle avait dit :

— Un mensonge.

— Un mensonge ? Tu lui as dit un mensonge ?

— Oui. Que je t'ai vu pour la première fois à un feu rouge, que je t'ai klaxonné à trois reprises, mais que, comme tu étais au téléphone avec une personne plus importante que moi, du moins tu le croyais, tu m'as ignorée. Alors au feu suivant, après t'avoir à nouveau klaxonné en vain, je n'ai pas pris de chance avec le destin, et je t'ai foncé dedans. Elle riait comme une folle, ensuite comme tu as vu sans comprendre pourquoi, elle avait les larmes aux yeux : je lui ai dit que, trois jours après, on était mariés, et qu'on était en voyage de noces.

— Tu… tu lui as vraiment dit ça ? Et ça a suffi pour avoir l'Alfa Romeo à moitié prix ?

Il s'émerveillait de son sens de l'invention bien plus grand que celui de nombre de ses auteurs qui n'en étaient pas vraiment, mais rêvaient juste de l'être, pour les mauvaises raisons, évidemment, comme la gloriole, les royautés fabuleuses et les séances de signatures dans un salon.

— Non, qu'est-ce que tu crois ? Je ne travaille pas pour Walt Disney. Je lui ai simplement dit la vérité.

— La vérité ?

— Oui. Que j'étais née à Venise, et par hasard elle aussi était vénitienne de naissance.

— Même le travail ne vaut pas la chance.

— Vrai. Mais en général plus on travaille, plus on a de la chance.

— Vrai. Même si j'ai toujours eu la chance de réussir sans travailler.

— Tu dois avoir un bon karma.

— Tu crois à ça ?

— Oui, surtout après deux verres de mauvais blanc.

— Sérieusement, tu lui as dit quoi ?

— Que je devais absolument être à Venise ce soir parce que demain, je devais rencontrer un client richissime qui est suicidaire depuis trois ans, et qui en plus habite le Palazzo Dario.

— Le Palazzo Dario ?

Sophie n'eut pas le temps de lui donner une petite leçon d'histoire (mystérieuse) de Venise au sujet de ce célèbre palais (maudit) que tous les Vénitiens connaissent et redoutent parce que son cellulaire sonna. Elle vit la provenance de l'appel, et s'exclama, le visage défait en une expression indéfinissable :

— Ciel, mon mari !

15

CIEL, MON MARI !

Albert ne sut pas tout de suite si elle plaisantait.

Comme elle venait juste de le faire en lui racontant comment elle avait convaincu l'employée de chez Hertz de leur trouver une voiture.

En plus, « Ciel, mon mari ! », c'était une expression qu'on utilisait à toutes les sauces, même et surtout quand ce n'était pas du mari (en général cocu, du moins depuis *L'École des femmes*) dont il s'agissait.

Pourtant, quand elle plaça, pour exiger de lui le silence, son index impérieux devant ses lèvres si parfaitement dessinées, il en conclut qu'elle était probablement sérieuse, et ça lui porta une sorte de coup, un peu bizarrement : elle était mariée.

Ça n'aurait dû lui faire ni chaud ni froid : malgré son coup de foudre, il n'avait nulle intention de tromper sa compagne.

Alors…

Alors peut-être était-il tout simplement confus.

Comme on l'est souvent lorsqu'on arrive, même si on ne le sait pas encore, à La Rose des Vents, où notre vie prendra un nouveau tournant.

Sophie parlait avec son mari, disait :

— Oui, ça va bien, et oui, je suis enfin arrivée en Italie, avec trois heures de retard.

Il lui demanda comment s'était passé le vol.

Elle ne lui dit pas le plaisir infini qu'elle avait éprouvé à parler avec Albert Duras, les rires qu'ils avaient eus, et il y avait aussi eu des fous rires, qui parfois sont la voie royale du grand amour.

Et elle ne lui avoua évidemment pas qu'elle roulait à tombeau ouvert dans une Alfa Romeo 4C avec un inconnu séduisant et drôle (mais trop beau, et avec une vie vraiment compliquée : rien n'est parfait !) rencontré à l'aéroport, pour cause de tempête de neige printanière.

Elle lui dit simplement qu'elle avait raté son vol de correspondance *Roma-Venezia* et qu'elle avait préféré louer une auto plutôt que prendre le train. Ces banales vérités lui rendaient moins embarrassants les mensonges par omission qu'elle venait de commettre, et dont le nombre était assez effarant.

Son mari, dont elle n'avait apparemment éveillé aucun soupçon (d'ailleurs le mot soupçon était excessif, sans doute : elle ne l'avait quand même pas trompé !) même si dans sa voix il y avait un tremblement inhabituel, des hésitations qui s'accordaient mal avec son tempérament de femme volontaire et sûre d'elle, son mari, donc, ne se douta de rien.

Tout à sa contrariété, il ragea que Montréal fût encore couvert de cette stupide neige printanière, et que, avoir su, même si Venise n'était pas exactement sa tasse de thé, beaucoup s'en serait fallu, il aurait été du voyage. Laconique, elle déplora :

— Dommage !

— Bon, dit-il sans savoir que parfois on se lance des sorts ou annonce son propre malheur par le simple usage inconsidéré de mots en apparence inoffensifs, amuse-toi bien ! On se reparle demain.

Amuse-toi bien, pensa-t-elle, après avoir raccroché.

Elle ne regarda pas Albert, qui, pourtant, le sentait-elle, lui jetait des regards obliques. Elle regardait plutôt devant elle. Comme une femme qui vient d'avoir une dispute. De couple.

Elle avait chaussé ses lunettes fumées, assez grosses, et pourtant élégantes, ou en tout cas qui lui allaient bien. Une façon de dire à l'autre : *fous-moi la paix, j'ai besoin de mon espace, de mon silence, j'ai moi aussi une existence !*

Il y avait aussi le soleil, et elle ne portait pas de chapeau de paille d'Italie, et Albert ne ménageait pas son Alfa.

D'autant plus qu'ils avaient rejoint l'autoroute A1, enfin délivrés des bouchons – et des klaxons – romains !

Albert s'avisa qu'elle ressemblait à *La Dame dans l'auto avec des lunettes et un fusil*, du subtil Japrisot, qu'il aurait tant aimé publier, même si ce n'avait été que ses carnets de travail ou son journal intime, s'il en avait jamais tenu un.

Mais il n'était pas Gallimard, Grasset ou Fayard, encore moins Le Seuil ou Flammarion.

Et Sophie n'était pas rousse ou blonde, mais brune, presque noire à la vérité.

Et surtout, elle ne transportait pas un fusil.

Alors Albert osa lui dire – et il y avait malgré lui dans sa voix une sorte de reproche comme dans un couple quand l'un des deux vient d'apprendre quelque vérité épouvantable que l'autre lui avait cachée :

— Tu ne m'avais pas dit que tu étais mariée.

— Tu ne me l'as pas demandé.

— Touché.

— C'est le père de ta fille ?

— Non, elle est née par génération spontanée. Qu'est-ce que tu t'imagines !

Il aurait aimé qu'elle se montre moins ironique, qu'elle lui en dise plus. Peut-être. Par exemple si elle était heureuse en ménage ou si leur mariage battait de l'aile. En tout cas, ça devait être une union solide, après plus de quinze ans, forcément, vu l'âge de sa fille. Lui s'était confié, lui avait tout dit de sa vie. Mais elle ne semblait pas d'humeur loquace.

Elle ne le regarda plus, observa plutôt le paysage. Comme si elle préférait ne pas pousser plus loin leur amitié naissante. Albert pensa à son épaule posée sur la sienne pendant le sommeil, à sa gentillesse aussi.

Il conclut, hâtivement, peut-être : *Sophie n'est qu'une compagne de voyage accidentelle rencontrée à l'aéroport et avec qui j'ai loué une auto parce que nous avons raté notre correspondance. Elle a d'ailleurs insisté, comme pour bien marquer les limites entre nous, pour payer sa moitié, mon comptable applaudira cette initiative.*

16
MIEUX VAUT NE PENSER À RIEN

Malgré tout, Albert Duras était content.

Si du moins on pouvait l'être à son âge, qui est souvent, vu l'approche de la terrifiante quarantaine (après laquelle on soupire lorsqu'on atteint la cinquantaine!), celui des bilans parfois accablants.

Content d'être avec cette femme superbe, dans une voiture superbe, dans un pays superbe, où il y avait des vignes partout, des châteaux tous les dix kilomètres, des villages médiévaux accrochés à presque chaque flanc de montagne, des fleurs, partout des fleurs, des cyprès, des pins parasols dont la vue l'émouvait tant…

Il réfléchit: *ce serait amusant si, par un simple coup de baguette magique, on pouvait tirer un trait sur son passé, mieux encore le faire disparaître, ou par une sorte d'amnésie volontaire, tout oublier, et alors repartir à zéro, le pas ailé, le cœur léger…*

Mais il raisonna aussitôt que, par la même occasion, ça voudrait aussi dire qu'il effacerait tous ses précieux souvenirs avec sa fille… Et ça, ça le tuerait, car il avait l'impression que c'était la seule chose qui lui restait d'elle…

D'ailleurs il n'avait peut-être pas tout à fait tort. Depuis son départ, elle ne lui avait pas encore rendu visite, l'avait appelé une seule fois, et encore, pour lui demander brièvement si, dans ce qui avait été sa chambre, elle n'avait pas oublié sa paire d'espadrilles roses et vertes. Lui en voulait-elle de lui avoir imposé une vie qu'elle n'avait finalement pas aimée, même si au départ elle s'était réjouie d'avoir une grosse famille, et qu'elle avait raffolé des jumelles ? Voulait-elle le punir de l'avoir pour ainsi dire chassée de la maison, d'une vie qu'elle avait adorée ?

Mieux valait ne pas penser à ça, parce que ça ne faisait qu'exalter son chagrin !

Mieux valait ne penser à rien !

Ne penser à rien d'autre que rouler, dans cette vibrante Alfa Romeo 4C.

Sur l'autoroute, Albert atteignit bientôt la vitesse de 135 kilomètres à l'heure.

Une clochette nasillarde sonna alors, déplorablement programmée pour annoncer au conducteur qu'il venait d'atteindre la limite de vitesse officielle. Celle, tolérée, était bien plus élevée, et en tout cas Albert, qui roulait dans la voie du centre, se faisait constamment doubler à sa gauche.

S'il l'empruntait, pour dépasser un lent conducteur devant lui, en moins de deux, une voiture lui collait aux fesses, et lui indiquait, par son clignotant gauche, *basta*, accélère ou change de voie !

— Tu dépasses la limite, Albert…, prévint Sophie.

— Ah ! c'est pour ça, cette clochette ? dit-il, jouant les innocents.

— Non, c'est pour nous prévenir que c'est l'heure de l'apéro !

Il rigola, avec une conviction douteuse. Elle ajouta :

— Je suis mère !

Il n'eut pas envie d'en discuter, d'argumenter qu'en Italie (ce qu'elle savait forcément puisqu'elle y était née et y était revenue plusieurs fois à l'âge adulte, à tout le moins pour voir ce richissime patient vénitien), les automobilistes roulaient à toute vitesse : à preuve, tout le monde ou presque le dépassait.

Il se contenta de ralentir docilement.

Pourtant, il pestait intérieurement.

Pour une fois qu'il pouvait conduire une voiture sport, comme il n'avait jamais pu s'en offrir une, vu qu'il n'était qu'éditeur et littéraire de surcroît, même si, parfois, il publiait quelques vedettes au livre unique, de quoi apaiser les récriminations de son comptable en renflouant les coffres de la maison. Parfois. Car parfois, même les vedettes faisaient des flops. Ça devenait plus humiliant pour lui : il se sentait comme une femme qui se travestit en putain et que pourtant personne ne veut embaucher, même si elle offre gratuitement sa débauche.

À peine quelques minutes plus tard, il se trouva derrière une Renault effarouchée de dépasser 100. Il y avait des limites à la prudence ! Il ne tarda pas à se rendre compte que, pour la doubler, il devait aussi dépasser un chapelet de sept ou huit voitures. Et le faire rapidement, car une impatiente Audi lui colla tout de suite au cul, à quelques mètres à peine. Il accéléra, la clochette sonna, il se tourna vers Sophie, avec un geste impuissant de la main pour expliquer laconiquement la situation, et son coupable excès nouveau.

Mais… elle s'était endormie !

Il applaudit.

Il pourrait enfin rouler !

À sa guise.

Dans la (merveilleuse) voie de gauche.

Il fit rapidement monter le compteur à 160, puis, s'étant adapté en moins d'une minute à cette vitesse quand même inhabituelle pour lui, il poussa sa merveilleuse mécanique à 180, puis à 200.

Il jubilait : c'était grisant.

L'Alfa Romeo ne vibrait pas, semblait parfaitement heureuse de cet effort, une sorte de sinécure pour elle !

Mais trente secondes plus tard, une Ferrari lui fit un appel de phares.

Il tarda (délibérément) à la laisser passer, en se disant : *je roule quand même à deux cents.*

Mais la Ferrari s'approcha alors dangereusement de son pare-chocs, et son conducteur lui fit non seulement un autre appel de phares, mais le klaxonna à répétition.

Quand Albert lui céda enfin le passage, le mec de la Ferrari lui montra le doigt. Par sa fenêtre.

Le sang d'Albert ne fit qu'un tour : il vérifia que Sophie dormait toujours et prit la Ferrari en chasse.

Une Alfa Romeo contre une Ferrari, c'est David contre Goliath.

Pourtant, Albert sut tirer son épingle du jeu, ne se laissa pas damer le pion, déploya des prodiges d'ingéniosité, courut de grands risques aussi, évitant parfois in extremis un accident qui, à cette vitesse, aurait pu être fatal, à telle enseigne que le conducteur de la Ferrari, quittant l'autoroute pour la sortie vers Mestre, allongea à nouveau son bras par sa fenêtre, mais c'était cette fois-ci pour lui montrer son pouce, en signe de victoire, ou en tout cas de respect ou de félicitations : d'ennemis, ils étaient devenus amis !

Albert lui rendit la pareille, lui montra le pouce de la clémence que, anciennement, les empereurs romains du Colisée montraient au public, pour signifier qu'ils épargnaient la vie d'un gladiateur méritoire ou simplement populaire.

Amis, oui, en quelques heures à peine !

Trois pour être plus précis.

Et voici pourquoi.

Normalement pour parcourir les 538 kilomètres qui séparent Rome de Venise, il faut compter un peu plus de six heures. Mais à une vitesse moyenne de 200, pas besoin d'être Einstein ou Galileo (soyons locaux !) pour faire le calcul !

Albert se rengorgeait, et regardait son nouvel ami qui, dans sa sortie, s'éloignait au volant de sa rouge Ferrari, lorsqu'il se rendit compte qu'il y avait devant lui un bouchon, et qu'il allait emboutir une Rolls. Probablement conduite par un Américain. Ou un Italien qui voulait passer pour un, ça s'est vu.

Pas vraiment une bonne idée !

D'abîmer si dispendieux carrosse !

Albert appliqua les freins de toutes ses forces.

Le cœur battant à 100 à l'heure ou plutôt à 200 et quelques.

Il évita de justesse la collision.

Mais pas le réveil soudain de Sophie.

Qui demanda, en sursaut, les yeux emplis de brume, comme celles, parfois, hivernales, de la Lagune, sinistres compagnes ou messagères des inondations :

— Qu'est-ce qui se passe ?

— Rien, un con qui a freiné devant moi à la dernière minute.

Elle se frotta les yeux.

— On est rendus où ?

— À Mestre.

— À Mestre ? Déjà ?

Elle jeta un regard à la ronde, avisa les trop visibles usines de Mestre, qui est tout sauf une poétique introduction à Venise, même plutôt sa parfaite contradiction, avec ses constructions chimiques et pétrochimiques, du moins dans sa partie la plus voisine de la Sérénissime. Elle était bel et bien à Mestre, la chose était indéniable, surtout pour une Vénitienne de naissance.

— J'ai dormi pendant cinq heures ? s'étonna-t-elle.

— Je ne sais pas, mentit sans mentir Albert car il ne savait pas quelle heure il était exactement mais il comprenait bien ce qu'elle voulait dire, et la raison de son étonnement : c'était son inavouable vitesse.

Elle consulta sa montre, laissa tomber, dégoûtée d'elle-même :

— Je ne prendrai jamais plus ces foutus somnifères !

Une petite demi-heure plus tard, ils se trouvaient tous les deux sur un de ces bateaux-bus qui, à l'origine, étaient actionnés par la vapeur, et continuent de s'appeler *vaporetto* malgré leur alimentation, plus moderne, au diesel.

Et Albert, incapable de résister à tant de beauté, presque envahi par elle comme Venise, hélas ! trop souvent, par *l'acqua alta*, prenait photo sur photo.

17

« LORSQU'ON VA À VENISE, IL FAUT DESCENDRE AU DANIELI »

—NATHALIE SARRAUTE

Albert Duras n'en était pas à son premier séjour dans la Sérénissime – c'était le cinquième en fait –, mais chaque fois, le charme opérait.

Et aussi la nostalgie, sa compagne souvent inévitable.

Il y avait aussi Sophie, avec le vent adriatique qui soulevait sa chevelure magnétique...

Il y avait son sourire, parfois, ses lunettes toujours fumées qui lui donnaient un look de star.

Sophie qu'il trouvait encore plus belle, avec, en arrière-plan, cette succession de façades roses, jaunes, bleues ou ocre, qui, si Albert y songeait trois secondes, faisaient paraître Montréal bien médiocre.

Ébloui, il ne pouvait s'empêcher de la photographier.

D'abord, elle se hérissa. Pour deux raisons, au moins :

1. Ils n'étaient pas des amoureux.
2. Et même s'ils l'avaient été – et après moins de vingt-quatre heures, peut-on être vraiment amoureux ? –, ils n'étaient libres ni l'un ni l'autre.

Au début, elle faisait comme font les stars qui, traquées par les paparazzi, mettent la main devant leur appareil-photo, en un commode paravent.

Puis elle se couvrit le visage de ses deux mains.

Pourtant, devant l'insistance d'Albert, qui continuait de la bombarder, elle baissa les bras, c'est le cas de le dire, et lança:

— Ce que tu peux être cliché!

Et elle se prêta alors au jeu avec une sorte de gaminerie, fit des poses, comme si elle était une femme amoureuse, ou en tout cas flattée d'être admirée.

Elle affichait le sourire du bonheur, et pourtant, elle s'était mise à penser, non sans tristesse, et peut-être avec une sorte de révolte, voire une petite colère, qu'il y avait des années que son mari ne l'avait pas photographiée comme ça.

À la vérité, elle ne se souvenait même plus de la dernière fois. Même au cours de son lointain voyage de noces, où les cellulaires n'existaient pas encore, et en tout cas ne servaient pas d'appareil-photo, il avait oublié sa Nikon à la maison et avait préféré ne pas en acheter une autre, et cette chicheté l'avait un peu ulcérée: un voyage de noces, on n'en fait pas dix fois dans sa vie!

Elle se demanda comment il se faisait qu'elle pensait à lui, à ce moment précis, puis réfléchit que c'était peut-être simplement parce qu'elle était à Venise, sur un vaporetto, avec un autre homme que lui, accidentellement peut-être, mais tout de même, et que c'était une chose qui ne lui était jamais arrivée…

Une jeune femme noire les trouva vraisemblablement charmants et leur proposa, comme font souvent les touristes en semblables circonstances, d'utiliser le cellulaire d'Albert pour les prendre en photo, puisque les *selfies*, ou égoportraits, ça ne semblait pas son truc.

— Oh non, vraiment pas ! répondirent-ils à l'unisson, et avec une égale conviction, comme si cette idée les affolait.

Ils rirent de cette coïncidence, mais notèrent aussitôt que leur refus semblait avoir froissé la jeune touriste, comme s'ils avaient douté de son honnêteté, ce qui était tout sauf sympa et à mille lieues de leur pensée. D'ailleurs, comment diable s'enfuirait-elle avec le cellulaire d'Albert, puisqu'elle se trouvait sur un vaporetto au beau milieu du Grand Canal ?

— Euh oui finalement, se ravisa Albert, c'est une bonne idée, et Sophie ne s'objecta pas, car elle avait pensé la même chose que lui.

La jeune femme parut surprise de cette volte-face, mais fut ravie de prendre quelques clichés dès qu'Albert se fût placé près de Sophie.

— En voyage de noces ? demanda-t-elle après son bref travail.

— Non, juste en voyage..., trancha Sophie.

— Ah, fit la portraitiste du dimanche qui sembla regretter d'avoir posé la question et nota qu'en effet, l'annulaire gauche de Sophie était nu, crime de lèse-majesté de toute nouvelle mariée digne de ce nom.

Sophie s'irrita : *j'ai hâte que ça finisse, ce stupide malentendu. Ce que les gens aiment marier les gens, ou en tout cas les voir en couple ! Bon, d'accord, Albert et moi sommes ensemble à Venise, sur un vaporetto, et il me prend en photo* as if there was no tomorrow. *Mais quand même...*

Le vaporetto atteignit bientôt la station San Marco, et la plupart des passagers qui s'y trouvaient encore y descendirent, car c'était l'arrêt principal.

— Tu me laisses ton numéro de cell pour la visite du Grand Hôtel, enfin si ton offre tient toujours ? demanda Albert.

Il avait dit ça de manière nonchalante pour ne pas avoir l'air de trop y tenir, même s'il avait vraiment envie de la revoir, comme si l'idée de passer quatre jours seul à Venise, ce qui lui avait semblé providentiel au moment de son départ, lui paraissait maintenant insupportable, ou en tout cas la chose la plus ennuyeuse au monde.

— Bien sûr, fit-elle, comme si c'était pour elle une chose déjà entendue. Donne-moi ton numéro !

Il le lui donna, elle lui texta illico le dessin d'un avion, dit :

— Voilà.

Et elle ajouta :

— Tu descends à quel hôtel ?

— Le Gabrielli.

— Ah ! on est presque voisins.

Le Gabrielli, il est vrai, se trouvait lui aussi sur le Grand Canal, *riva degli Schiavoni*, à dix pas du Danieli, juste un peu plus près du Palais des Doges.

Albert était ravi.

Il passerait un peu plus de temps en la compagnie de Sophie.

Mais une mauvaise surprise l'attendait.

Le Gabrielli, hôtel de charme s'il en était, avait été transformé en banale agence de voyages, comme en témoignait sa vitrine toute bariolée de spéciaux « irrésistibles » !

Albert était bouleversé : le progrès, comme pour le Grand Hôtel des Bains, ne faisait pas de quartier !

Et ça lui posait bien évidemment un problème pratique : il n'avait pas de chambre !

— Mais, s'étonna Sophie, tu n'avais pas fait de réservation ?

— Non, ils me connaissent, enfin c'est un grand mot, j'y suis descendu trois ou quatre fois, ces dernières années, le patron aime la littérature et je lui apporte à chaque voyage quelques bons romans, alors il me trouve toujours une chambre.

— Hum, je vois... C'est embêtant.

S'il avait pris soin de réserver sa chambre au Gabrielli, comme fait tout voyageur prudent, il aurait vu que l'hôtel n'avait pas fermé ses portes mais seulement déménagé à un jet de pierre ou presque du Danieli, et se trouvait toujours *riva degli Schiavoni*, au 4110, pour être plus précis, et donc un peu plus du côté du Lido.

— Oui, vraiment...

Elle lui proposa alors quelque chose d'étonnant.

— Écoute, si tu veux, viens au Danieli avec moi, le temps que j'y dépose mes bagages et ensuite je t'aide à trouver un hôtel...

— Je... je ne voudrais pas m'imposer..., dit-il tentant de dissimuler son émotion, car il y avait tant de gentillesse dans sa proposition.

— Non, non, avec plaisir.

— Dans ces conditions...

À la (luxueuse) réception du Danieli, qui est une véritable orgie baroque de marbre et de dorures, avec ses colonnes et ses candélabres de verre de Murano (forcément !), l'employé demanda spontanément à Albert s'il avait une réservation. Il sourcilla, se tourna vers la superbe psychiatre, qui vint à sa rescousse :

— Oui. Au nom de Sophie Stein.

L'employé vérifia à l'ordinateur, trouva son nom sans difficulté, dodelina de la tête :

— Oh ! la suite Alfred de Musset-George Sand...

Tous les employés de l'hôtel continuaient de l'appeler ainsi même si ça faisait plus de 175 ans que le poète n'y était plus venu (c'était en 1833, forcément). La plupart ne savaient même pas qui il était, et certains croyaient qu'il était atteint du vice italien, car ils n'auraient jamais pu s'imaginer que George Sand n'était pas un homme.

— Nous vous attendions avec impatience, fit-il avec obséquiosité, et en s'inclinant légèrement.

C'est que les voyageurs qui réservaient cette suite célèbre devenaient ipso facto les clients les plus importants de l'hôtel, car c'était la chambre la plus chère.

L'employé tendit aussitôt une fiche d'inscription à Sophie, et une deuxième à Albert, en disant :

— Monsieur Stein… Si vous voulez remplir une fiche vous aussi.

— Euh non, je suis juste un ami de madame, je ne descends pas ici.

L'employé esquissa un sourire embarrassé, avisa pourtant les bagages d'Albert, trouva la chose curieuse. Il regarda son écran, sourit :

— Oh, monsieur Santini, alors…

Albert se tourna vers Sophie, intrigué : il ne savait visiblement pas qui était monsieur Santini. Elle lui expliqua :

— C'est mon patient vénitien.

— Ah, évidemment…

— On laisse tes bagages ici jusqu'à ce qu'on t'ait trouvé un hôtel ?

— Euh oui… Bonne idée !

Albert s'étonna de cette nouvelle gentillesse. Elle n'était pas obligée de lui proposer de laisser ses bagages à la réception du

Danieli (comme si elle souhaitait secrètement que finalement il y descende !) ni de l'aider à se trouver une chambre. Il lui parut qu'il faisait des progrès.

Sophie se tourna vers l'employé, indiqua :

— Mon ami va laisser ses bagages ici quelques heures.

— Bien sûr, madame Stein, on les laisse à la consigne sans problème.

La fiche de Sophie complétée, l'employé de l'hôtel posa la clé de la chambre sur le comptoir. C'était une clé dont la parure était assez remarquable, attachée qu'elle était à une lourde cloche de bronze à la base de laquelle était écrit en haut-relief « Hôtel Danieli », et que décorait une sorte de longue chevelure rouge, qui lui conférait une certaine noblesse romaine ou en tout cas un luxe vénitien.

— Voici votre clé, et en passant, j'avais oublié de le mentionner, monsieur Santini prend en charge toutes vos dépenses pendant le séjour.

— On n'en aura pas besoin tout de suite, fit Sophie en désignant la clé, on a des trucs à faire, faites seulement monter mes bagages.

En se dirigeant vers la porte de l'hôtel, elle dit à Albert, sûre d'elle :

— Ça ne devrait pas être trop difficile de te trouver un hôtel, je suis vénitienne, et ce n'est quand même pas la haute saison.

18
« ON TROUVE TOUT AU HARRY'S ! »

—ERNEST HEMINGWAY

Sophie était vénitienne, la chose était incontestable, et sans doute n'était-ce pas la haute saison, en avril, à Venise.

Pourtant, à peine Albert et elle avaient-ils passé, à main droite, le célèbre Pont des Soupirs qui relie le Palais des Doges aux Plombs, célèbre prison dont Casanova s'évada miraculeusement, que la vue de la place Saint-Marc les effara.

Sophie soupira.

Et Albert l'imita.

Car il y avait cinq cents, peut-être mille Japonais qui envahissaient piazza San Marco et tentaient de l'immortaliser banalement avec leur appareil-photo ou leur cellulaire.

Sophie avait envie de s'arracher les cheveux, et Albert encore plus, car il n'avait pas de chambre.

Ils se tournèrent ensemble vers la lagune.

Un immense paquebot de croisière y mouillait, *Princess Cruise*, si ça se trouvait, dont venait de descendre ce flot de touristes nippons ! Bien sûr, la plupart ne se chercheraient pas de chambre, le soir venu, et retourneraient dormir sur le bateau, avec trois mille photos de Venise, toutes plus originales les unes que les autres, mais quand même...

— Tu es déjà allé au Harry's Bar ?

— J'en ai entendu parler vu que j'ai lu Hemingway, mais non, jamais eu la chance !

— Alors on y va, c'est juste au coin, il sera encore temps de te chercher une chambre après, fit-elle avec un enthousiasme de fillette, ou d'adolescente, comme ses seins si parfaits de quadragénaire à la discipline spartiate : pas de vin, sauf en voyage, manger peu, sauf dans un bon restaurant et cetera...

Et ça aussi, ça le charma, comme le charmait tout en elle : c'en était ridicule, excessif, insensé à la fin !

Ils parvinrent tant bien que mal à se frayer un chemin dans la foule compacte (on se serait crus à Times Square, le 31 décembre à minuit !), ce qui n'était pas une promenade très agréable, et plusieurs fois Albert dut servir de bouclier ou disons de garde du corps à Sophie, pour ne pas qu'elle se fasse trop bousculer par des touristes distraits qui s'émerveillaient devant les célèbres arcades du Palais des Doges, ou le lion ailé de la colonne de Saint-Marc.

Pour ce faire, il devait mettre son bras sur son épaule, se tournait forcément vers elle, voyait parfois, accidentellement, par le magique entrebâillement de son chemisier aux trois premiers boutons encore plaisamment ouverts, non seulement son sein droit, comme dans l'avion, mais les deux. Et alors une folle inspiration lui vint, car il avait furieusement envie d'elle, tout à coup : pourquoi ne pas le lui dire ?

Oui, pourquoi ne pas lui dire qu'il avait envie d'être seul dans une chambre avec elle, là, tout de suite, subito presto, et de lui faire l'amour éperdument ?

Parce que soudain, c'était la seule chose au monde qui avait un sens pour lui, et tout le reste n'était que littérature : dans l'esprit d'un éditeur, pareil aveu avait de l'importance, non ?

Mais il ne le lui dit pas.

Qu'il voulait être seul avec elle dans une chambre, nu de préférence, et lui faire l'amour toute la nuit puis ensuite tout le jour, en fait tout le temps que durerait leur séjour vénitien…

Et ensuite, ils verraient…

Ce que la vie leur réserverait, une fois revenus à Montréal…

Mais ce retour lui semblait si loin, si loin, et si déprimant…

Et l'offre de Sophie était pour Harry's Bar. Pas pour une chambre où faire l'amour follement.

Ils arrivèrent enfin, *calle Vallaresso*, devant la double porte de bois et de verre du Harry's Bar, au-dessus de laquelle était affiché le numéro d'immeuble : le 1323.

En le voyant, Albert éprouva un vague malaise… C'est qu'il venait de se rappeler que Madame Socrate lui avait parlé, dans une de ses prédictions, du chiffre 13, mais il ne se souvenait plus au juste pourquoi.

— J'espère qu'on va trouver une table, fit Sophie.

— Mais ne trouve-t-on pas tout chez Harry's ? la taquina Albert.

Fondé le 13 mai 1931 par Giuseppe Çipriani, l'estaminet célèbre tire son nom, dit-on, d'un jeune étudiant américain, Harry Pickering, qui fut abandonné à Venise par sa tante, qui réprouvait ses mœurs et surtout son alcoolisme. Barman de l'hôtel où était descendu l'étudiant écervelé, Cipriani lui prêta 10 000 lires, somme importante à l'époque, pour qu'il puisse rentrer chez lui, en Amérique. Quelques années plus tard, guéri de son éthylisme, Harry revint à Venise et non seulement lui remboursa sa dette, mais y ajouta un « intérêt » de 30 000 lires.

Riche de cette somme inattendue, Cipriani put alors, ce qui avait toujours été son rêve, ouvrir, au début de *calle Vallaresso*, tout près de la piazza San Marco, son bar que, par reconnaissance, il appela Harry's Bar. L'établissement, comme si la bonté attirait la chance, connut un succès immédiat. Et son livre d'or accueillit au cours des ans des signatures aussi prestigieuses que celles de Marconi, Toscanini, Alfred Hitchcock, Georges Braque, Charlie Chaplin, Orson Welles, et, bien sûr, Ernest Hemingway, qui y avait même sa table attitrée durant l'hiver 1950.

Sophie et Albert entrèrent dans le bar mythique, dont le décor avait un dénuement tout milanais, avec un plafond et des murs sans ces ornements baroques ou byzantins, ces tapisseries lourdes, ces murales et ces marbres généreux qu'offre souvent Venise à ses visiteurs. Toutes les tables (de bois et rondes) étaient déjà occupées, mais ils purent s'asseoir au bar, de bois et de marbre noir, où seules deux places étaient libres mais séparées l'une de l'autre par un charmant octogénaire qui, de toute évidence médusé par Sophie, s'empressa de se lever pour lui céder son tabouret. Il se présenta en s'inclinant profondément :

— Giuseppe Roncalli.

Tout à fait distingué, il portait un costume bien coupé, de couleur ivoire, bien accordé à une cravate de soie blanche et milanaise, avec une rose tout aussi blanche piquée maladroitement à sa boutonnière, ce qui le rendait encore plus touchant. Un peu comme Liszt vieillissant, il portait aux épaules ses cheveux encore abondants et blancs. Et il sirotait une flûte de champagne.

— Venez, fit Sophie, en italien, qui, dans son cas, était du vénitien, je vais vous arranger un peu votre rose.

Il se laissa faire, enchanté.

Albert trouva que Sophie était magique. Plus que magique… Il cherchait le mot. Il lui vint enfin : elle était bonne, tout simplement bonne, et c'était qualité si rare en cette époque narcissique, ou c'était chacun pour soi, même dans un couple parfois.

— Bon, comme ça, vous êtes irrésistible, décréta Sophie. Alors soyez prudent avec les femmes, parce que vous allez faire des ravages !

Il sourit, et il y avait, dans ses beaux yeux bleus de vieux, une mélancolie.

Le barman, fort stylé dans sa veste blanche et sa boucle noire, comme tout le reste du personnel, vint leur demander ce qu'ils souhaitaient prendre.

— Il faut que tu essaies le bellini, fit avec enthousiasme Sophie, c'est le fondateur du bar qui l'a inventé.

— Ah, je ne savais pas. Alors pourquoi pas ?

Les bellinis arrivèrent, (dans des verres hauts et sans pied qui ressemblaient à de simples verres à jus) frais, joyeux, merveilleux prophètes de bonheur en leur robe rose, leur parfum, et leur exubérant collet de mousse. Il y avait aussi, en accompagnement, deux soucoupes, l'une remplie d'olives vertes, l'autre vide, pour disposer de leurs noyaux.

Le festif mélange de prosecco et de purée de pêche blanche parut trop sucré à Albert, et il n'en prit qu'une timide gorgée, dut se retenir pour ne pas grimacer et offusquer Sophie.

— Si tu permets, eut-il quand même la politesse de dire, je vais prendre autre chose. Moi, les trucs sucrés…

— Tous les dégoûts sont dans la nature, le taquina Sophie.

— Tu dois en savoir quelque chose, psychiatre que tu es.

Il se commanda un verre de blanc, optimiste qu'il serait meilleur qu'à l'aéroport, ce qui ne serait guère un exploit, surtout en Italie dans un bar aussi célèbre.

Lorsque le barman revint avec le chardonnay qu'Albert l'avait laissé choisir pour lui, et leur demanda s'ils souhaitaient quelque chose à manger, Sophie dit :

— Bon, je n'ai pas eu beaucoup de succès avec mon bellini, mais je suis sûre que tu vas aimer le carpaccio.

Cette entrée, aussi fameuse que goûteuse, était, selon la légende urbaine (et très certainement vénitienne), l'invention de Giuseppe Cipriani, fondateur de Harry's.

Il l'avait mise au point pour complaire à une comtesse italienne dont la diète draconienne proscrivait la viande cuite. À l'époque, la Sérénissime, depuis des siècles amie des arts, tenait une exposition du peintre Vittore Carpaccio. Giuseppe, qui admirait le peintre, avait voulu lui rendre hommage. Grand bien en fit à l'artiste : on oublia ses toiles, mais pas son nom, car tout le monde ou presque sait ce qu'est un carpaccio.

Sûre de son fait, Sophie en commanda deux assiettes, même si elle en connaissait le prix, exorbitant, du moins selon les critères américains, car elle voulait se racheter aux yeux d'Albert pour le désastre des bellinis.

Pourtant, en voyant arriver la célèbre entrée, Albert sourcilla :

— Mais il n'y a pas de copeaux de *parmigiano* ?

— Bien non, c'est la recette originale avec la sauce universelle.

— La sauce universelle ? J'aime le nom, mais encore ?

— C'est une mayonnaise spéciale. Regarde !

Et il y avait, en effet, un mince filet de mayonnaise qui formait, sur les tranches de bœuf cru, une sorte de tableau abstrait, différent d'une assiette à l'autre, comme si le chef, inspiré, abhorrait la répétition.

— Ah ! je vois, fit Albert qui se sentait un peu béotien, et pourtant, osa poser une autre question, digne comme la première d'un touriste qui n'a pas beaucoup voyagé, en tout cas pas dans cette partie du monde, en tout cas pas chez Harry's, où on trouvait tout mais… pas tous les condiments sur pareille merveille : il n'y a pas de poivre ?

— Oui, mais pas du banal poivre noir, du poivre blanc ! Pour ne pas ruiner l'effet de la sauce universelle. On est en Italie, pas aux États-Unis !

Contrit, Albert constatait à quel point Sophie Stein était vénitienne, et à quel point il ne l'était pas, et ne le serait peut-être jamais, malgré toute sa bonne volonté, malgré ses quatre ou cinq séjours dans la ville natale de Marco Polo : les beautés vraies ne livrent pas si aisément leur mystère !

— J'ai raté une autre occasion de me fermer la bouche, admit Albert.

Il avait, ce faisant, la double modestie d'un éditeur qui se trompe trois fois sur quatre avec ses auteurs – et ses espoirs de best-sellers – et d'un homme juste à moitié heureux dans sa vie sentimentale, ce qui bien souvent équivaut à dire qu'il n'est pas heureux du tout.

Anxieuse de ravir ses papilles déçues par le bellini qu'elle avait cru infaillible, Sophie approuva :

— Mais justement, ne rate pas l'occasion de t'ouvrir la bouche, là !

Docile, subjugué, ébloui, il obéit.

Prit une première bouchée de carpaccio, admit :

— Tu as raison, c'est bien. Même sans le *parmigiano*.

— Non, c'est mieux que bien, c'est extraordinaire. Ferme les yeux et laisse-toi faire ! Tu vas comprendre.

Il ferma les yeux, intrigué, et se laissa faire.

— Maintenant, ouvre la bouche !

Sa soumission se prolongea, chose étonnante chez un homme si farouchement indépendant.

Elle lui servit une bouchée de carpaccio, suggéra, impérieuse :

— Concentre-toi ! Ne pense à rien d'autre ! Sois dans le moment présent ! Oublie le passé, oublie l'avenir ! Goûte la sauce universelle, le bœuf, le sel et le poivre blancs, leur exquise combinaison !

Pour le convaincre totalement, elle improvisa un jeu de mots, brillante malgré la fatigue du voyage :

— *Carpaccio diem !*

D'abord il rigola, faillit même s'étouffer, car il avait la bouche pleine : elle avait de l'esprit, comme il en avait déjà eu quelques preuves. Puis il reprit un certain empire sur ses sens.

Il se concentra, goûta, ou plutôt tenta de goûter le carpaccio de chez Harry's.

Mastiqua.

Mais son esprit était ailleurs.

Car Sophie, que ce fût intentionnel ou pas, le provoquait.

Il se voyait l'embrasser.

Dans une chambre.

Ensuite, il entreprenait de la déshabiller.

Et elle se laissait faire.

Et il la voyait enfin nue.

Elle s'allongeait sur le lit.

Lui souriait.

Lui ouvrait les bras.

Lui ouvrait les jambes.

Il entrait en elle.

Et sa vie commençait.

Ou plutôt recommençait.

Peut-être, tout compte fait, la vie valait-elle la peine d'être vécue.

— Maintenant, fit Sophie, tu peux ouvrir les yeux.

Il obtempéra.

Mais avec une certaine irritation, car il était vraiment rendu loin, ailleurs, à la vérité, dans ce lit imaginaire, avec Sophie, et leurs ébats étaient devenus assez débridés.

— Tu as aimé ?

— Aimé ? J'ai adoré !

Il aurait toutefois été bien incapable de dire ce que goûtait ou ne goûtait pas le carpaccio de chez Harry's et encore moins sa sauce universelle.

Sa mémoire émue était tout habitée du corps nu de Sophie.

Pour rendre son mensonge plus convaincant, Albert s'empressa de prendre une autre bouchée de carpaccio. Qu'il aurait préféré avec du *parmigiano*. Sauf qu'à Venise, il fallait vivre comme les Vénitiens.

Sophie s'attaqua elle aussi à son entrée, dans un silence religieux que respecta Albert : elle mangeait peu mais mangeait sagement, et savourait chaque bouchée, comme si c'était la première, comme si c'était la dernière.

Lorsque le barman vint les débarrasser de leurs assiettes vides, il demanda à Sophie, dans un excellent français, car il l'avait entendue bavarder avec Albert :

— Votre premier voyage à Venise ?

— Comment avez-vous deviné ? fit-elle, et Albert la trouva suave dans son imparable moquerie.

— À force de travailler avec le public, on devient psychologue.

— Je veux bien, mais ça prend quand même un don.

Il se rengorgea, avec un air fat :

— Je suis né comme ça !

Albert secouait la tête : exquise, elle se payait sa tête.

Remis en partie de l'inflation de sa vanité, qui faisait qu'il pouvait momentanément s'intéresser à quelqu'un d'autre que lui, le barman, comme bien des gens déjà, crut qu'elle était en couple avec Albert, et lui demanda :

— Comment vous êtes-vous rencontrés ?

Albert entendit la question, mais laissa Sophie y répondre, prévoyant une autre de ses fantaisies, ou fanfaronnades. Imprévisible, elle dit simplement :

— Dans l'avion.

— Dans l'avion qui vous emmenait ici, en Italie ?

— Oui…

Édifié, le barman dit :

— *That's amore !*

— C'est aussi comme ça que j'ai rencontré ma femme, s'émerveilla l'octogénaire, qui parvenait à suivre la conversation malgré une ouïe imparfaite.

Et il ajouta, nostalgique :

— Mais maintenant elle a démissionné.

— Démissionné ? demanda Sophie, tout à la fois charmée et intriguée par l'expression qui recelait une sorte de poésie un peu tragique, il est vrai.

— Oui, confessa-t-il, elle est morte l'année dernière, après soixante-deux ans de mariage. Je croyais qu'on vieillirait ensemble.

Oh ! pensa Sophie, *il est mignon. Il croyait qu'ils vieilliraient encore longtemps ensemble, sa femme et lui, alors qu'il a sans doute plus de 80 ans…*

— On venait ici chaque printemps, au Harry's Bar. C'est la première année que je viens seul. Ça me fait drôle. Mais vous savez quoi ? On dirait qu'elle vous a envoyée depuis l'au-delà.

— Hein ?

— Oui, parce que vous lui ressemblez comme deux gouttes d'eau, enfin je veux dire quand elle avait 30 ans.

Sophie prit le compliment avec un grain de sel : les vieux se trompent si souvent sur l'âge des jeunes ! Albert pourtant lui fit une œillade entendue : il avait raison de lui trouver un air de jeunesse surprenant.

— *That's amore !* décréta à nouveau le barman.

Et comme il agissait souvent à titre de disc-jockey, il eut alors l'inspiration de mettre, *That's amore*, interprété par Dean Martin, vénéré par les Italiens, d'autant que son nom de naissance était Dino Paul Crocetti.

Quelques clients se mirent spontanément à chanter, certains offrirent des tournées, quelques-uns même se mirent à danser.

Sophie se tourna avec un demi-sourire en direction d'Albert, comme si elle attendait qu'il lui propose de danser. Mais il ne le fit pas. Il aurait pu le faire si elle avait attendu un peu, car non seulement adorait-il la danse, mais l'idée de serrer Sophie dans ses bras l'exaltait. Et pourtant, elle l'avait paralysé. Il rassembla son courage, mais pas assez vite, car l'octogénaire le devança :

— Comme votre mari a des semelles de plomb, est-ce que je peux vous demander de m'accorder cette danse ?

Et sans avoir entendu sa réponse, il lui tendit une main à peine tremblante. Sophie dirigea ses vertes et perçantes prunelles vers Albert comme pour obtenir sa permission, même s'il n'avait évidemment aucun droit sur elle.

Il tourna la paume de ses mains vers le plafond bien décoré de caissons dorés du Harry's, souleva les sourcils avec l'air de dire : pourquoi pas, *what can I say* ?

Sophie suivit l'octogénaire, non pas sur la piste de danse, car il n'y en avait pas, mais vers un petit bout de parquet libre qui séparait le bar de la salle à manger et où cinq ou six couples s'étaient spontanément mis à danser, riaient, s'amusaient, s'embrassaient.

Albert se dit, en voyant Sophie en duo avec l'élégant vieil homme : *je suis con, j'aurais dû lui demander de danser... elle aurait dit oui car elle a dit oui à ce charmant vieillard. Ça nous aurait rapprochés, peut-être... En plus* That's amore *est une valse. Dans une valse, on virevolte, et parfois, ça fait tourner la tête des danseurs, et ils deviennent amoureux comme malgré eux...*

Tout à son dépit, Albert regarda valser Sophie et l'octogénaire.

Ce dernier, bien que d'un âge avancé, dansait avec tant d'agilité et de grâce que tous les autres danseurs s'immobilisèrent bientôt pour goûter ce spectacle inattendu.

Sophie s'émerveilla elle aussi mais brièvement seulement.

Un souvenir venait de la visiter, qui assombrit sa mine : *That's amore* était la valse qu'elle avait dansée le jour de son mariage !

Ça lui fit drôle de s'en souvenir à ce moment précis, de se revoir au milieu de la piste de danse, dans sa robe blanche de mariée, entourée de tous ses invités. C'était si loin, et en même temps encore si présent.

Elle n'était pas infidèle à son mari, loin de là ! Mais elle se trouvait quand même avec un étranger.

À Venise.

Au Harry's Bar.

Et elle allait l'aider à se trouver une chambre d'hôtel.

Pourquoi son mari n'était-il pas du voyage avec elle, se demandait-elle avec une sorte de colère, qui était peut-être juste sa manière, dont elle n'aurait sans doute pas été dupe si une patiente lui en avait avoué une pareille, de se sentir moins coupable ?

Certes, il détestait Venise, mais n'acceptait-elle pas de l'accompagner à New York qu'elle trouvait sale et bruyant – bien qu'elle adorât Broadway, le MOMA et quelques bons petits restaurants peu connus mais délicieux, et aussi le réputé Elaine's ?

Mais ce n'était peut-être pas ça qui l'affligeait tant.

C'était plutôt ce sentiment obscur, et pourtant troublant, oui, troublant, et même extrêmement troublant, que sa (longue) vie de femme mariée qui avait joyeusement débuté en dansant *That's amore* était peut-être en train de prendre fin, par quelque décret du destin, au son de la même valse…

La vie n'était-elle pas une grande romancière (qu'Albert Duras aurait aimé mettre sous contrat, de son propre aveu, on l'a vu !) qui savait soigner ses chutes ?

À la fin de *That's amore*, l'étonnant octogénaire embrassa longuement la main de Sophie.

Tous les clients, ou presque, du Harry's Bar se mirent à applaudir.

Lorsque Sophie vint retrouver Albert, sa peau légèrement irisée par la sueur, l'œil encore plus clair du bellini ou du plaisir de la danse, Albert la trouva follement désirable.

Elle était un peu essoufflée, respirait fort, et la pointe de ses seins semblait encore plus visible à travers son chemisier blanc.

Il éprouva à nouveau l'envie de faire l'amour avec elle, de lui dire : « On se réfugie dans une chambre, là, et on devient amants pour la vie ? »

Une chambre…

Il se rappela alors, bien prosaïquement, qu'il n'en avait toujours pas trouvé, et que ça commençait à presser…

D'ailleurs, comme s'il y avait un véritable jeu de vases communicants entre Sophie et lui, elle prévint :

— Il est presque 20 heures, il vaudrait peut-être mieux se mettre à la chasse d'une chambre si tu ne veux pas dormir dans une gondole !

— En effet...

— En espérant que ce ne soit pas encore Pearl Harbor place Saint-Marc !

Il sourit : Pearl Harbor... elle avait de ces expressions !

Elle embrassa l'octogénaire sur les deux joues.

— On se revoit le printemps prochain ici même. Promis ?

— Oui, promis.

Ému, il mit la main sur son cœur, en signe de reconnaissance infinie, regarda Sophie comme s'il regardait sa femme, jeune, il va de soi, même s'il ne l'avait jamais vue autrement, malgré les rides, malgré les ans.

Sans attendre l'addition, sûr que le compte y serait, et largement, Albert jeta nonchalamment un billet de 100 euros sur le comptoir. Grand seigneur, il dit au barman, qui s'était hâté de leur apporter l'addition en les voyant se lever, Sophie et lui :

— Gardez tout !

— Euh... c'est que le compte n'y est pas tout à fait..., expliqua le barman, légèrement embarrassé.

Et il poussa en sa direction la soucoupe où se trouvait l'inévitable addition de leur expédition *calle Vallaresso*. Albert la consulta, constata, ahuri, qu'il en coûtait 58 euros pour un seul carpaccio. *Sans même de* parmigiano*!* pensa-t-il. Un chardonnay à 18 euros, et deux bellinis à 16,50 euros chacun. Ça faisait, avec la taxe, 183,70 euros, pourboire non inclus.

Il allongea un autre billet de 100 euros et un de 50, et se dit : *je préfère ne pas savoir ce que ça donne, converti en dollars canadiens, et ce que me dira mon comptable quand il verra cette facture*, mais il fit quand même le calcul : ça revenait à 275 $. Il grimaça et empocha le reçu.

Cher pour un goûter…

Mais il était en bonne compagnie et dans un restaurant mythique…

Carpaccio diem !

De toute manière, il y avait l'urgence de la chambre.

Sophie et lui se mirent à la chasse d'un hôtel.

Pourtant, deux heures plus tard, malgré tous les efforts, toutes les minauderies de Sophie auprès des hôteliers, et l'assurance insistante de sa naissance vénitienne, Albert n'avait toujours pas trouvé une chambre. Il y en avait bien quelques-unes de disponibles mais elles étaient trop minables, trop petites ou trop bruyantes, sans compter celles qui étaient carrément malodorantes.

À force d'errer, ils revinrent sans même s'en rendre compte à leur point de départ, piazza San Marco, que Musset avait appelé le salon du monde : il aurait usé d'un autre vocable à notre époque, sans doute, ou alors aurait ajouté que c'était un salon mal fréquenté.

Après un moment de désappointement, Sophie dit :

— Je pense que je sais où trouver une chambre disponible, et dans un hôtel assez bien tenu.

— Vraiment ?

19

LA SAGESSE DE MADAME SOCRATE

L'hôtel « assez bien tenu » n'était nul autre que le Danieli. Albert s'intrigua :

— Je ne suis pas sûr de comprendre.

— Ma suite est immense, et il y a deux chambres. Tu n'es quand même pas pour dormir dehors comme un chien. Et une gondole, c'est 200 euros de l'heure !

À la réception, Sophie demanda la lourde et belle clé de la suite : l'employé la lui remit. Elle s'informa :

— Avez-vous les bagages de monsieur ? Nous les avions laissés à la réception, un peu plus tôt.

— Oui, un instant, madame Stein.

Sophie regarda Albert avec un sourire timide ou hésitant, il n'aurait su dire exactement, mais il pensa qu'elle regrettait peut-être sa générosité inattendue, et qu'elle allait lui dire que, toute réflexion faite, mieux valait qu'il trouve à se loger ailleurs. En tout cas, elle semblait nerveuse, moins sûre d'elle.

L'employé revint de la consigne à bagages, mais sans les malles d'Albert. Il avait l'air vraiment embarrassé.

— Vous ne les trouvez pas ? demanda Sophie.

— Non, mais je... Laissez-moi une minute.

Il fit signe à un de ses collègues de s'approcher, parlementa avec lui, revint à Sophie :

— Les bagages de Monsieur ont été montés par erreur dans votre chambre. Je les fais redescendre immédiatement. Nous sommes vraiment désolés de ce malentendu.

— Non, non, ça va aller, protesta Sophie.

— Ah ! d'accord, alors bonne nuit, madame Stein ! Monsieur Stein..., ajouta-t-il en s'inclinant devant Albert.

Ni Sophie ni Albert ne crurent bon de le reprendre de cette nouvelle étourderie. Ils échangèrent un petit sourire embarrassé, comme s'ils venaient d'être pris en flagrant délit de quelque crime que, pourtant, ils n'avaient pas commis. Mais peut-être savaient-ils, comme si l'Univers entier y concourait, qu'ils finiraient par le commettre...

Cette chambre qu'ils n'avaient pu trouver pour Albert...

... dont les bagages avaient déjà été montés (par erreur) dans la chambre de Sophie...

Les deux employés échangèrent un sourire entendu en les regardant s'éloigner vers le majestueux escalier de l'hôtel : madame Stein avait non seulement de l'argent, et un ami qui en avait assurément (Giorgio Santini) mais elle avait aussi un amant, et elle cachait bien maladroitement son petit jeu : mais Venise était la ville des amoureux, non, alors qu'est-ce que ça pouvait bien faire ? Il fallait vivre et laisser vivre, surtout les gens qui avaient de l'argent, surtout les gens qui étaient leurs meilleurs clients !

Ça fit drôle à Albert de gravir cet escalier d'hôtel à nul autre pareil avec Sophie, une parfaite étrangère à peine vingt-quatre heures plus tôt, comme s'il montait au ciel avec elle.

Mais ça lui fit encore plus drôle lorsqu'il vit le numéro sur la porte de la suite : c'était le 13.

Car contrairement à ce qui s'était passé devant Harry's Bar à la vue de l'adresse *calle Vallaresso*, 1323, il se rappela alors exactement ce que Madame Socrate lui avait prédit : « Vous allez connaître la sagesse en entrant dans la chambre du destin numéro 13. »

Et voilà qu'il entrait dans une chambre (du destin ou pas) qui portait le numéro 13, avec une femme qui s'appelait Sophie, et, comme chacun sait – ou devait savoir, en tout cas lui le savait, qui y avait pensé immédiatement –, *sophia*, en latin, ça veut dire sagesse…

Il éprouva une sorte de vertige : n'était-il pas en train de devenir carrément fou ?

20

ENFIN SEULS. ENSEMBLE. DANS UNE CHAMBRE.

Il fallait d'abord franchir une première antichambre, puis une seconde, pour enfin accéder à un vaste salon meublé avec faste, et dont le mur principal était orné d'une immense cheminée de marbre dont le linteau était soutenu par deux cariatides.

De part et d'autre de la cheminée, des fenêtres panoramiques offraient, sur la lagune, une vue à couper le souffle, même si c'était la nuit. La pleine lune était de la partie, il faut le dire.

Comme annoncé par le personnel, désolé de sa navrante erreur, les bagages d'Albert étaient là, posés sagement à côté de ceux de Sophie : on aurait dit les banals bagages d'un simple couple en voyage.

Albert le nota avec une certaine joie : les apparences parfois ne finissaient-elles pas par être moins trompeuses qu'on ne dit, et même à être fiables, et même à annoncer l'avenir, avec une précision étonnante ?

Sur une des tables, il y avait un immense bouquet de fleurs et une bouteille du champagne le meilleur.

Avec des flûtes, dont le pied et le col étaient joliment ornés d'un lacis de fils d'or.

Dans un grand éclat de rire spontané, Sophie se précipita vers la table :

— Il est fou !

— Qui est fou ?

— Giorgio !

— Giorgio ?

— Oui, mon patient vénitien. Il me fait le coup chaque fois, même si je lui dis que je ne veux pas. Il est comme ça !

Albert s'approcha, vit la bouteille de champagne, c'était du Dom Pérignon. Il raisonna : *si un bellini coûte 16 euros, il doit bien falloir en allonger 400 pour semblable bouteille, et donc il faut être vraiment riche. Ou fou. Ou amoureux fou de Sophie.*

La beauté d'une femme – ou la richesse de son mari ou petit ami – est la chose qui irrite le plus une autre femme, surtout si elle est seule ou mal mariée.

Ce qui suscite le plus efficacement la jalousie d'un homme, après les notoires infidélités de sa femme, bien sûr, c'est la richesse de son rival, surtout si elle est assortie de célébrité et de pouvoir : alors c'est quasi insupportable.

Pantin malgré lui de ces peu glorieuses ficelles psychologiques, Albert, à son propre étonnement, éprouva une sorte de jalousie, dont il tenta de se défendre.

Car c'était un sentiment qu'il trouvait particulièrement laid, peut-être parce qu'il en était témoin presque quotidiennement à la maison d'édition : presque tous les auteurs s'enviaient les uns les autres, trouvaient tous que leurs collègues n'avaient pas de talent et que, s'ils avaient du succès (et pas eux, crime ultime !), c'était juste dû à la chance ou à quelque putasserie avec les journalistes ou les producteurs de la télé, tous vénaux, comme chacun sait.

De l'alambic de ce spectacle peu édifiant, il avait distillé une définition essentielle et en tout cas utile dans la conduite de ses affaires : tout auteur est un enfant de 3 ans, et le public est sa maman.

Un enfant qui a trop de frères ou de sœurs (tous ceux qui font faute d'écrire des livres, du reste souvent truffés de fautes !) et qui les déteste et veut les éliminer car il ne supporte pas de partager la tendresse maternelle : Freud 101.

Bien entendu, il ne s'était ouvert à aucun de ses auteurs de cette accablante définition de leur condition, car toute vérité n'est pas bonne à dire, et rares sont ceux qui peuvent voir au-delà du miroir de leur propre folie : voilà d'où naissent les haines et les guerres, comme les malheurs, petits ou grands.

Albert se trouva aussitôt stupide d'avoir cédé à ce sentiment si peu noble, pour cause de simple bouteille de champagne coûteuse. Il n'avait aucun droit sur Sophie et, en outre, il ne connaissait même pas son patient vénitien. Il savait juste bien sûr qu'il était immensément riche, vu sa prodigalité à l'endroit de Sophie.

— Incroyable, la suite, dit-il, pour faire diversion à sa bassesse de sentiment. C'est bien, un salon où on peut faire atterrir un 747, non ?

— Surtout s'il a pu décoller à temps.

Ils se sourirent. Ils se plaisaient, de toute évidence, et Albert ne put se défendre contre ses pensées, nourries par son expérience passée avec les femmes : lorsqu'on pouvait parler ainsi avec une femme, rire avec elle, c'est qu'on était déjà en train de faire l'amour avec elle.

Et lorsqu'on ne pouvait pas faire ça avec une femme, même si on se retrouvait dans un lit avec elle, on ne faisait pas l'amour, mais juste semblant, et bien vite l'un ou l'autre des deux comédiens de cette pièce en un seul acte s'en apercevait. Ou les deux. Et l'un ou l'autre s'ennuyait. Ou les deux. Et l'un ou l'autre avait envie de partir. Ou les deux. Mais restait parfois. Par habitude. Ou peur de la solitude. Ou les deux. Ça donne ce qu'on appelle la solitude à deux.

Albert, bien entendu, ne pouvait s'ouvrir de ces réflexions à Sophie. Car c'eût été trop se compromettre, ou alors ça l'aurait embarrassée. De toute manière, Sophie lui proposait :

— Je te montre ta chambre ?

— Euh oui.

— Ensuite, on se tape la bouteille de champagne ? À moins que tu sois trop fatigué. Moi, je ne sais pas, j'ai comme un deuxième souffle.

Et il est vrai que Sophie, l'œil brillant, le sourire léger, semblait fraîche comme une rose, malgré le décalage horaire, la fatigue normale du voyage, mais Venise, c'est connu, donne des ailes, même à ceux qui ne croyaient pas en avoir ou à ceux qui croyaient les avoir perdues à tout jamais.

Albert prit ses bagages, dit :

— Je suis prêt.

— Tu as le choix, il y a la chambre Musset et la chambre Balzac.

L'auteur de *La Comédie humaine* y avait en effet résidé, deux ans après Musset, qui, ironie du sort dans la ville supposée des amoureux, avait perdu au Danieli sa belle, la romancière George Sand, car elle s'était amourachée du médecin venu soigner son illustre amant, valétudinaire depuis des ans.

Albert songea : *pas si mal comme choix !*

— Après mûre réflexion de quatre secondes, je vais opter pour Balzac.

— C'est ce que je pensais. Éditeur, on n'y échappe pas !

Elle le conduisit à la chambre Balzac, ajouta :

— Bon, je te laisse, viens me rejoindre au salon quand tu seras prêt ! Je défais mes bagages et je me prépare pour la nuit.

Je me prépare pour la nuit…, se répéta Albert, infiniment songeur, seul dans la célèbre chambre de Balzac, dont, un peu bizarrement, surtout pour un fou de littérature et de ses idoles, il se moquait comme de sa première chemise en défaisant distraitement ses valises.

Qu'est-ce que ça peut bien vouloir dire ?

Est-ce qu'elle cherche à me provoquer, à m'envoyer un message ?

Pendant un moment, il se dit : *je me mets dans le plus simple appareil, et je l'attends au salon, une coupe de champagne à la main et on verra bien ce que donnera la suite des choses...*

Mais aussitôt après, il se ravisa : *ce serait de la muflerie, j'abuserais de son hospitalité.*

Elle avait juste eu la gentillesse de ne pas le laisser coucher dehors !

Bien sûr, il y avait eu les troublantes prédictions de Madame Socrate, mais qu'est-ce que ça voulait vraiment dire ?

Elle n'était qu'une diseuse de bonne aventure, et il était épuisé, un peu ivre, et désespéré du départ inopiné de sa fille.

Il devait rester l'homme raisonnable qu'il avait toujours été, même s'il avait choisi ce métier si improbable d'éditeur de romans, au lieu de faire n'importe quoi d'autre, comme ses brillants succès scolaires le lui auraient permis.

Il retourna au salon bien avant Sophie, ce qui est normal : une femme prend toujours plus de temps à se préparer, pour une sortie ou pour la nuit.

Il s'intéressa au foyer, aux cariatides.

Il n'en avait jamais vu « en personne », et trouva leur seminudité intéressante.

21
L'EMBARQUEMENT POUR CYTHÈRE

Sophie se lavait.

Dans la douche de marbre de la chambre Alfred de Musset.

Elle moussait ses seins, minuscules mais parfaits, son ventre, plat malgré sa grossesse et son âge, ses cuisses athlétiques, vu ses pratiques gymnastiques et son mode de vie spartiate, son pubis, non pas obscur objet de désir, mais plutôt d'angoissantes réflexions.

N'ayant encore tranché aucune question, existentielle ou autre, elle posa la savonnette jaune dans la coquille de verre soufflé et mordoré qui, encastrée dans le mur, tenait lieu d'original porte-savon.

Et fermant les yeux sous le chaud jet de la douche, la tête inclinée vers l'arrière, elle passait ses longs doigts méditatifs dans son abondante chevelure noire pour la rincer du shampoing qu'elle y avait mis un peu plus tôt et qu'elle avait laissé agir, comme elle laissait agir sa pensée, eût-on dit, avant de poser un geste qui déciderait de toute sa vie. Peut-être.

Elle réfléchissait : *qu'est-ce que je fais, ne suis-je pas sur le point de commettre une folie ?*

Je suis une femme mariée.

Depuis plus de quinze ans.

À un homme que j'aime, et avec qui j'ai une famille, une vie. Et pourtant j'ai invité un parfait inconnu à partager ma chambre.

Bon, d'accord, c'est une suite immense.

Mais quand même, je joue avec le feu…

Et si…

Et si était vraie la prédiction stupide que m'a faite la voyante que Cordélia (c'était une de ses jeunes patientes, celle-là même qui l'avait appelée dans l'avion) *m'a recommandée en insistant pour que je la rencontre la semaine dernière*: « Votre longue solitude est sur le point de prendre fin, c'est le message que me donne pour vous le prophète Daniel… »

Sur le coup, elle s'était dit: *c'est vraiment n'importe quoi, cette femme est complètement folle, elle devrait venir me consulter, c'est du délire pur et simple, elle parle avec un personnage de la Bible comme je parlerais à mon courtier ou à mon boucher! Bientôt, elle me révélera, pour me faire plaisir et me convaincre de ses dons, que je suis la réincarnation de Cléopâtre!*

Elle tenta d'achever de se convaincre de la bêtise infinie de cette voyante, qui portait d'ailleurs un ridicule turban doré orné d'une immense émeraude très certainement fausse:

Et je ne suis pas une femme seule, comme une femme sur deux en notre société et comme huit sur dix de mes patientes…

Mais peut-être que… peut-être que je suis plus seule que je ne pense, peut-être que je suis infiniment seule: je m'y suis juste habituée, j'ai rationalisé, j'ai compensé: chose aisée pour un psychiatre de métier qui sait exactement comment faire.

Au sortir de la douche, elle s'épongea devant le miroir tout embué de la salle de bain.

Pour qu'il fût plus honnête avec elle, elle l'essuya.

Elle s'y regarda, songeuse, indécise.

Puis elle se remit à assécher ses magnifiques cheveux.

Jeta la serviette dans une corbeille réservée à cet effet.

Son pyjama rose, qui, rayé de vert, ressemblait à l'uniforme d'un prisonnier des temps passés, était posé sur le comptoir de marbre de l'évier.

Elle en enfila le bas, puis le haut, mais se ravisa avant de le boutonner.

Elle retira ce vêtement de nuit (ou de soirée vénitienne en compagnie d'un simple ami), se regarda à nouveau dans le miroir, hésitante, nerveuse, visiblement. Elle prit, dans sa petite trousse de voyage, sa bouteille de parfum Boucheron, et, repoussant ses cheveux d'une main, s'en vaporisa le cou.

Elle se dirigea vers la porte des toilettes, mais au moment où elle posa la main sur la poignée, elle fut prise d'une honte affreuse, et se dit : *tu es folle, Sophie ! Qu'est-ce que tu es en train de faire ? Cet homme est trop léger, trop beau, trop beau parleur, c'est un séducteur.*

Et même s'il ne l'était pas, il a une vie compliquée, très compliquée, même, il est bouleversé, il est en chute libre, tu es psychiatre, tu devrais le savoir, pas besoin de le deviner d'ailleurs, il te l'a avoué candidement… Tu vas tromper ton mari avec lui, et ensuite tu ne pourras pas faire, non, jamais tu ne pourras faire que tu ne l'aies pas trompé…

Ce raisonnement était simple, mais il était terrible.

Elle ne pourrait pas défaire ce qu'elle avait fait…

Une fois le Rubicon franchi, elle ne pourrait revenir en arrière.

Son mari ne le saurait peut-être pas, ne le saurait peut-être jamais (même si, en général, tout se sait !), mais elle, oui, elle saurait qu'elle l'avait trompé, elle saurait qu'elle avait trahi sa confiance et leur contrat de mariage : elle serait devenue une femme infidèle et le resterait à tout jamais.

Elle retourna devant l'évier, humecta fébrilement une serviette de main, et tenta d'effacer de son cou, derrière ses oreilles, toute trace de parfum, avec l'énergie que mit Lady Macbeth à se laver les mains de son crime : pourtant elle n'en avait commis aucun.

Ce toilettage accompli, elle remit son pyjama, se regarda dans la glace, nota qu'elle avait négligé d'attacher les deux premiers boutons. Elle corrigea cette erreur, qui aurait pu passer pour de la provocation. Parut satisfaite. Elle était plus décente. Elle était une femme fidèle.

22

CE QUI SE PASSE À VENISE RESTE À VENISE

Albert n'avait jamais touché aux seins d'une cariatide, et il le fit sans doute au pire moment possible.

Il en effleurait un, le gauche, de manière purement esthétique, ou philosophique, si vous préférez, lorsqu'il entendit derrière lui la voix de Sophie.

Il fut doublement pris de court, car non seulement il ne l'avait pas entendue revenir de la chambre Musset au salon, mais… elle était nue !

Oui, complètement nue !

Superbe, imprévisible, insolente.

Nue.

Un fin sourire aux lèvres, elle lui reprocha :

— J'ai déjà une rivale ? Mais si tu veux mon avis, c'est une femme plutôt froide.

Honteux, Albert retira avec empressement sa main du sein marmoréen.

Il ne savait trop quoi faire.

Lui dire qu'elle était magnifique, et surprenante évidemment dans sa tenue d'Ève ?

Se jeter sur elle ?

Se déshabiller, avant, pour ne pas avoir l'air de jouer dans un film américain, où c'est en général seulement la femme qu'on voit nue ?

Sophie devint alors fort sérieuse, grave même, presque tragique à la vérité, et il y eut entre eux un dialogue dont la longueur avait quelque chose de surréaliste, parce qu'elle était tout de même nue, et seule avec Albert dans la plus belle suite de Venise, et elle s'offrait visiblement : qu'y avait-il d'autre à dire ? Pourtant Sophie expliqua :

— Je sais que je fais une erreur. Tu as une vie compliquée. Et je ne suis pas libre, je suis mariée.

— Mais moi non plus je ne suis pas libre…

— Tous les hommes comme toi le sont, voyons, même s'ils affirment le contraire. Vous n'avez pas besoin d'une raison pour coucher avec une autre femme que la vôtre, juste d'une chambre, et comme on est au Danieli…

Il fit un pas en sa direction, il avait juste envie de mettre fin à cette conversation, de l'embrasser, de la serrer dans ses bras, de lui faire l'amour, quoi ! Elle leva la main, impérieuse :

— Non, pas tout de suite, il faut parler. Avant.

Parler, avant ? s'étonna-t-il.

Mais elle était nue devant lui, magnifique, exactement son genre, mieux que son genre, l'incarnation parfaite de son genre de femme, avec ses jambes qui n'en finissaient plus, ses hanches larges, le duvet de son sexe, ni trop ni trop peu abondant (il ne prisait pas le rasage intégral dont la mode avait commencé à sévir récemment) et mis en évidence par cette dépression heureuse entre son mont de Vénus et les os de son bassin, qui étaient apparents, vu sa frugalité, et son parfum, son parfum envoûtant et capiteux, car justement il lui montait à la tête : c'est que Sophie, une fois sa décision finale (?) prise au sujet de la suite des choses, s'était à nouveau vaporisée de Boucheron et avec une coquine générosité.

On aurait dit qu'elle voulait s'assurer de ne pas passer inaperçue, modeste par rapport à sa nudité, bien plus efficace qu'elle aurait jamais pu croire, vu qu'elle n'en avait pas jaugé l'effet depuis plus de quinze ans sur aucun autre homme que son mari, qui ne la voyait plus depuis des lunes, même la nuit.

— Ce qui se passe à Venise reste à Venise ! décréta-t-elle avec nervosité. Et on ne se reverra jamais plus, après.

Pour un homme, négocier avec une femme nue, et superbe, plus que superbe, beaucoup plus que ça, car elle est exactement son genre de femme, la femme de sa vie, même, son âme sœur, sa certitude, son alpha et son oméga, et dans une suite somptueuse au Danieli où elle l'a nonchalamment invité à passer la nuit, même seulement en ami, négocier donc avec une femme nue et brillante et drôle, psychiatre et vénitienne de surcroît, c'est comme négocier avec un terroriste, de la confession religieuse et extrême de votre choix, qui dirige vers vous un AK-47 et qui semble fou : vous avez tendance à être d'accord.

— Si c'est ce que tu veux.

— C'est ce que je pensais ! jeta-t-elle, avec dépit.

Elle tourna les talons, nus, comme ses jambes, comme son dos magnifiques, se dirigea vers la porte de la chambre Musset.

— Qu'est-ce que tu fais ?

— Tu as échoué le test, dit-elle sans même daigner se retourner mais en gesticulant pourtant, italienne jusqu'au bout des doigts. Passe une bonne nuit dans la chambre de Balzac !

Il courut après elle, mit la main sur son épaule, la força à se retourner. Il respira son parfum – il n'avait pas le choix : il respirait fort.

Et elle aussi.

Car elle savait bien pourquoi elle était là.

Et lui aussi.

— Tu es la femme de ma vie.

— Comment peux-tu dire ça ? On se connaît depuis vingt-quatre heures à peine.

— Mais ça fait vingt ans que je t'attends. Et même si on s'est rencontrés seulement hier soir, je ne peux déjà plus me passer de toi, je veux passer le reste de ma stupide vie avec toi, est-ce que tu comprends ce que je te dis, est-ce que tu le comprends ?

— Arrête, arrête de m'assener des idioties et des clichés bon marché que toutes les femmes veulent entendre.

— Je te dis juste la vérité.

— Je ne te crois pas. Je fais une erreur, tu mens !

Il la fit taire en plaquant ses lèvres contre les siennes. Elle se laissa faire.

Comme si elle y pensait depuis vingt-quatre heures.

Depuis vingt-quatre ans, peut-être.

Et peut-être depuis bien plus longtemps.

23

CE QUI SE PASSE ENFIN DANS LA CHAMBRE ALFRED DE MUSSET

— Attends ! l'implora-t-elle.

Car il avait tout de suite voulu entrer en elle.

Dès qu'il avait été nu lui aussi.

Dans la chambre Alfred de Musset.

Car Sophie avait exigé, avec une prudence seulement coquine, et ça le rendait encore plus follement amoureux d'elle : « Je préfère qu'on aille chez moi, au cas où tu serais un fou dangereux. »

Il avait avoué, sincère ou beau parleur : « Je suis un fou, tu es psy, tu aurais dû le deviner, j'ai même été étiqueté : le fou de Sophie. »

Le fou de Sophie : elle avait trouvé l'invention jolie !

Comme tout homme, même dans la force de l'âge, même viril, il craignait le fiasco de la première fois.

Le fiasco, terme que l'on doit à Stendhal qui le connut trop souvent, du moins dans son acception amoureuse, c'est lorsque l'homme n'est pas à la « hauteur » de la situation, ou en tout cas pas assez longtemps pour procéder à la Prise de Troie, ou faudrait-il dire la Prise de… Toi !

Alors puisqu'Albert avait été tout de suite à la hauteur de l'étonnante situation, et qu'on a juste une chance de faire une bonne première impression, il avait sans tarder voulu entrer en Sophie, comme pour se rassurer. Il savait par expérience qu'ensuite tout se passerait bien: il n'avait pas la maladresse, ou l'égoïsme, ou la cruauté, c'est selon, de s'évanouir trop vite de plaisir, de laisser tomber sa compagne.

Pourtant, par cette élégance qu'ont presque tous les hommes, du moins dans les débuts (ensuite parfois leur muflerie, aiguillonnée par la navrante force de l'habitude, reprend ses droits!), il lui obéit: il attendit avant de l'envahir, malgré la folle envie qu'il en avait.

Il prit le chemin qu'il aurait peut-être dû prendre avant, peu subtil, à l'instar de bien des hommes, dans l'art souvent nécessaire des préliminaires, descendit de son ventre à son sexe que, par préméditation, Sophie avait vaporisé de Boucheron, une fois que, dans sa tête, les dés avaient été jetés, qu'elle avait eu décidé de traverser le Rubicon.

D'abord, comme précaution oratoire, ou mise en bouche, si vous préférez, il écarta ses jambes longues et fines et musclées et luisantes, dont la moiteur (des cuisses aux genoux, presque: il n'avait jamais été témoin de semblable trahison de l'émoi d'une femme) était troublante, messagère qu'elle était de sa fragrance, ruse « parfumière » de femme pour le mener à la rose d'elle. Largement. C'est ainsi qu'il écarta ses jambes. Pour avoir l'absolue certitude qu'il n'y avait pas malentendu, erreur sur la personne. Qu'elle se donnait bien à lui.

Elle, malgré son incertitude naturelle de femme mariée et fidèle, se soumettait à cette exigence, s'en émerveillait même, s'en émouvait, comme si elle comprenait où il voulait en venir, comme si elle attendait depuis longtemps, trop longtemps, cette fureur amoureuse.

Il goûtait bientôt la plus délicieuse entrée de sa vie, l'entrée dans sa vie nouvelle: *carpe diem!*

Avec application, pour mieux être la cause, première et dernière, de son ravissement, car il voulait déjà finir sa vie avec elle alors qu'il la commençait à peine, peut-être, avec la délicatesse dont on use pour ouvrir un écrin, après lui avoir écarté les jambes, il écarta ses grandes lèvres.

Pour révéler sa perle.

Qui luisait.

Dans la chambre de Musset.

Qui luisait à la seule lumière de la pleine lune car, pudique, du moins à sa manière (elle avait quand même fait les premiers pas, et nue qui plus est!), Sophie avait condamné le banal éclairage électrique, et n'avait même pas consenti à celui d'un candélabre, charmant vestige d'un temps révolu.

Albert perdait la tête, dans la chambre de Musset.

Entre les deux jambes de Sophie, sa nouvelle religion, sa nouvelle nuit.

Malgré lui, narrateur involontaire de sa vie (assez intime en ce moment, merci!) comme s'il voulait se convaincre de sa chance, il la commentait, ainsi que le ferait quelqu'un qui, justement, n'en revient pas, de sa chance. Il se disait, comme on se répète une mélodie aimée, une incantation: *je suis à Venise, seul dans une chambre, et j'embrasse entre les jambes Sophie Stein, Vénitienne superbe, psychiatre drôle et brillante, elle est peut-être ma chance de vie.*

Nouvelle.

24

HE SAID, SHE SAID

(« IL DIT, ELLE DIT »,
POUR LES CITOYENS DU MONDE DE BILINGUISME INTERDIT)

Demeurant femme de tête malgré son trouble infini, Sophie Stein, accrochée à la blonde chevelure d'Albert Duras comme à une tête de Méduse, se disait, experte comme presque toutes les femmes dans l'art pernicieux de la culpabilité : *qu'est-ce que je fais là, nue dans un lit, avec un étranger qui a une vie compliquée, qui est probablement un banal séducteur ? Je devrais le repousser et lui dire : ça n'a pas de sens, nous deux, c'est une erreur. Tu ne devrais pas être ici. Ici avec moi au Danieli. Dans la suite Alfred de Musset-George Sand, même si c'est un hasard amusant que tu sois éditeur. Pars, va-t'en ! Je suis une femme mariée, de toute manière. Et tout le monde sait bien que le grand amour n'existe pas, sauf au cinéma. Je vais avoir mal, je vais peut-être même mourir d'amour, à cause de toi. Et je vais surtout avoir honte, par ta faute, par ta très grande faute, parce que je vais avoir trompé mon mari, et jamais je ne pourrai faire que je ne l'aie pas trompé…*

Mais en même temps, paradoxale comme il était sans doute normal de l'être en semblables circonstances, elle ne pouvait s'empêcher de se dire, prosaïque, sans user d'une litote du lit, mais elle se parlait à elle-même, ne risquait de choquer personne :

Jamais de toute ma vie un homme ne m'a sucée comme ça. Comme si sa vie en dépendait. Car visiblement, et le mot est faible, il adore ça. Si j'écrivais une autobiographie non censurée, ce serait ma dédicace : à l'homme improbable qui veut et aime follement ma chatte.

Car on dirait qu'il est désespéré, que s'il ne m'embrasse pas comme ça, là, entre les jambes, il mourra, se tuera. Ai-je pu jamais rêver amant plus parfait ?

C'était loin en tout cas du bref désespoir de son mari, de son peu de conviction à lui tenir cette aimable « conversation ». Non seulement s'y livrait-il rarement, mais il ne semblait le faire que pour lui faire plaisir, et pas assez longtemps pour y arriver, au demeurant. Il aurait dû s'en rendre compte, avec le temps, et elle aurait pu le lui expliquer, mais il y a des choses qu'une femme n'ose pas dire à son mari, même si elle devrait, car elle craint les disputes qui ne finissent jamais ou qui finissent par un divorce.

Ces « futilités anatomiques », qui, toute réflexion faite, sont peut-être moins uniquement anatomiques qu'on ne croit, et sont peut-être terriblement sentimentales, n'occupèrent que brièvement son esprit de femme mariée assaillie par un étranger. Elle pensait surtout à Albert, et se disait, se répétait : *je devrais repousser cet étranger. Lui dire : ça suffit, c'est assez !* Pourtant elle retenait l'homme à l'orée de la forêt noire entre ses jambes, véritable pâtisserie pour Albert.

Et qui pourrait changer sa vie, peut-être.

Elle, psychiatre subtile qui le devinait, qui l'espérait, retenait entre ses jambes tremblantes cette tête blonde et sans trop de sottise, sans trop de muflerie apparente : celles-ci n'apparaissent, en convenait-elle selon sa longue expérience avec trop de patientes trop fréquemment déçues des hommes, que trois mois ou trois ans (parfois c'était sept, mais de moins en moins souvent vu l'accélération du temps) après l'éblouissement prévisible des débuts.

Elle gémissait maintenant, et Albert avait le sentiment que, bientôt, elle connaîtrait la volupté. Elle ne pourrait même pas l'éviter, même si elle le voulait, et cette certitude exaltait son zèle, déjà grand.

Pourtant, contre toute attente, elle repoussa sa tête, aimable et habile ouvrière de plaisir.

Médusé, inquiet, Albert pensa que, peut-être, comme s'il pouvait y avoir des hiérarchies dans les degrés d'infidélité, pour elle, jouir dans les bras d'un autre homme était *vraiment* tromper son mari, alors que simplement se trouver nue dans un lit avec un parfait étranger rencontré dans un aéroport, se laisser caresser, se laisser dévorer par lui, ne l'était pas.

Les femmes, parfois…

Ou alors elle avait changé d'idée.

Il ne chercha pas à être fixé.

Il avait eu la délicatesse, il n'y a guère, de lui obéir lorsqu'elle lui avait intimé : « Attends ! »

Mais là, même s'il ne savait pas quelles pouvaient être ses intentions, malgré l'impolitesse, peut-être, de la chose, il entra en elle.

Pour enfin la faire.

La chose.

Dans la chambre de Musset.

Antichambre de sa vie nouvelle.

Peut-être.

25

« JE VAIS ET JE VIENS, ENTRE TES REINS… ET JE ME RETIENS ! »

—SERGE GAINSBOURG

Sophie ne repoussa pas son assaut.

Albert ne regretta pas sa désobéissance.

Et il comprit tout de suite qu'ils étaient un parfait *fit* pour le coït, la conjugaison de leurs cœurs, devrait-on dire de manière plus romantique : elle lui allait comme un gant !

Ravi, émerveillé, reconnaissant envers la Chance ou le Destin, qui peut-être plus souvent qu'on ne le pense vont main dans la main et sont jumeaux ou jumelles, je vous laisse décider, il alla et vint.

Entre ses reins.

Et elle s'accrochait aux siens.

De ses mains encore hésitantes, parce qu'infidèles, et ce n'était pas son credo à elle : la preuve, ça lui coupait les ailes.

Même si elle lui avait ouvert les bras.

Mais à peine trente secondes après le début de cette conversation passionnante, comme elle trouvait qu'Albert poussait déjà des soupirs par trop inquiétants, elle lui cria le même ordre que peu avant :

— Attends !

Obéissant, il s'immobilisa, intrigué : il ignorait que, malgré son long mariage, son expérience de la volupté était… courte : son mari déposait les armes au bout d'une petite minute, parfois moins et chaque fois justifiait cette impatience avec ce compliment qui l'avait flattée, au tout début, mais depuis l'exaspérait : *tu me fais trop d'effet, ma chérie !*

Ensuite, il s'endormait, ou allait se laver, ou allumait la télé. Elle, se sentant plus seule qu'avant, plus prise avec un désir chaque fois inassouvi, et qu'elle aurait bien mieux aimé qu'il laisse endormi, avait envie de manger son oreiller ou de partir en voyage le plus loin possible et avec un billet d'aller simple seulement.

— Mais je…

— Tu ne comprends pas, je sais. Continue, mais retiens-toi ! Retiens-toi le plus longtemps que tu pourras, le plus longtemps. Tu peux faire ça pour moi ? l'implora-t-elle.

Voilà où elle voulait en venir – c'est le cas de le dire !

— Mais oui, évidemment ! Où avais-je la tête ?

— Il y a trente secondes, je sais où tu l'avais, mais là, toi seul le sais ! plaisanta-t-elle.

Ce que Sophie, quant à elle, ignorait, ce qui est normal car elle ne le connaissait pas, c'est que, comme l'un des Vénitiens les plus célèbres, Casanova, Albert pensait toujours au plaisir d'une femme avant de s'occuper du sien, et pouvait se permettre ce luxe, cette élégance, car il savait faire preuve de retenue infinie.

Il reprit son exaltante et excellente et surprenante chevauchée, sentit bientôt les contractions intimes de Sophie, se crut autorisé à la rejoindre au sommet où il l'avait conduite docilement, lui demanda, avec une élégance à laquelle son mari ne l'avait pas habituée, loin de là : « Je peux, maintenant ? »

— Non, attends encore !

— Ce que femme veut…

Il se prêta à ce jeu, à ce ballet, encore six ou sept fois, ce n'était plus très net, dans sa tête très échevelée, maintenant : il n'était pas évident de tenir l'exacte comptabilité des cris et des tremblements des lèvres de Sophie, de toutes ses lèvres, secrètes ou visibles, humbles ou altières. Son front baigné de sueur témoignait de la profondeur de ses efforts de réflexion.

Mais à la fin, il désobéit à nouveau à Sophie, et mourut en elle.

Elle ne lui en tint pas rigueur.

Au bout d'un moment, elle lui dit cependant, reprenant ses esprits et son souffle, et il y avait, on aurait dit, un peu de tristesse dans ses yeux, malgré le ton badin de sa question :

— Qu'est-ce que je vais faire avec toi ?

— J'ai deux ou trois idées.

26

DEUX OU TROIS CHOSES QU'IL FIT AVEC ELLE

La première chose que fit Albert avec Sophie, en ce premier jour, en cette première nuit, fut d'ouvrir le Dom Pérignon.

Elle l'avait suivi sans poser de questions au salon – mais elle le tenait par cette partie généreuse de son être qui l'avait conduite à tant de sommets : il ne s'y était pas opposé, s'en était amusé.

Le champagne, il est vrai, est toujours une bonne raison de suivre quelqu'un, non ? ou de le laisser nous suivre, surtout pour une fête galante…

L'un et l'autre philosophaient, sans se le dire et pourtant ils étaient à l'unisson, nulle note de leur musique nouvelle n'aurait dit à l'autre non : ça fait toujours drôle, la première fois, surtout lorsque, à peine quelques heures avant, on était de parfaits étrangers, de se retrouver nus l'un à côté de l'autre, dans la lumière du jour ou d'une lampe qui peut aussi être un candélabre, une ou deux ou trois chandelles, sans la complicité de la nuit ni l'indulgent clair-obscur du désir.

Sophie avait vite conclu, à tort ou à raison : homme léger ou pas, c'est un véritable Apollon, avec de surcroît un cerveau, ce qui ne nuit pas.

Albert, pour sa part ravi, était tout sauf un homme déçu : il était même ébloui. Sophie, qui avait un corps et une chevelure complètement différents de ceux de sa femme, blonde et pulpeuse, était pourtant, il s'en rendait compte – et ça le tuait – exactement son genre de femme.

Et quand un homme passe ainsi à pareil et terrible et dangereux aveu, il pense évidemment… au corps d'une femme !

Ce qui prouve, s'il en était besoin, combien les hommes sont faciles à comprendre, à séduire ou à éviter, quand une femme a compris comment ils pensaient et penseront toujours : ils notent d'abord, même s'ils ne s'en rendent pas compte, la couleur de la chevelure d'une femme.

Blonde ou brune, voilà les deux catégories générales.

Pour les rousses, il faut se référer à l'addendum des exceptions à la règle, utile vade-mecum pour les voyageurs amoureux qui se sont égarés dans leur splendeur qui vient avec leur caractère : rien n'est parfait, je sais.

Certains hommes sont peu négociables à ce chapitre et répètent *ad infinitum* les mêmes erreurs avec la même femme, mais seulement en des versions différentes : ils regardent aussi les yeux, les seins et les jambes, ce qui complique un peu l'équation, l'arithmétique de leurs émois.

Et si les pensées ne s'accordent pas, malgré l'illusion des corps, tout est à recommencer, car la mésentente des esprits conduit tôt ou tard à la séparation des corps, malgré le charme du début.

La deuxième chose que fit Albert avec Sophie fut de boire le champagne dans une baignoire.

Ni l'un ni l'autre n'aurait su dire si elle se trouvait dans la chambre de Musset ou de Balzac : la suite était si vaste, leurs sens si égarés, qu'ils en avaient un peu perdu le sens de l'orientation. Le désir n'est-il pas le pire des compas, pour établir la géométrie de son avenir ?

— Qu'est-ce que je vais faire avec toi ? se plaignit Sophie, et il aurait été difficile de dire si elle plaisantait ou était sérieuse.

— Ce que tu voudras.

— Tu es un homme facile.

— Facile ?

— Oui. Facile à avoir mais pas facile à congédier.

— Pourquoi voudrais-tu me congédier ?

— Parce que tu es marié, parce que je suis mariée. Et parce que tu as trompé ta femme d'une manière que j'aurai de la difficulté à oublier.

— Tu as trompé ton mari toi aussi.

— Oui, je sais, je sais…

Une petite pause, et elle ajouta :

— Je ne devrais pas te dire ça, et je ne te le dirais pas si je pensais que nous avions un avenir ensemble, parce que les hommes sont vaniteux, et qu'ils deviennent facilement des goujats quand on leur fait des compliments, mais avec toi, j'ai ri plus de fois en trois heures que pendant toutes mes années avec mon mari.

Rire, au lieu de jouir : Albert trouva heureuse cette timidité langagière mais la confession quelque peu déprimante.

— Tu n'as jamais pensé à te séparer ?

— Oui, avant même de me marier.

— Mais pourquoi ne l'as-tu pas fait ?

— Mon mari m'a demandée en mariage le soir même de notre rencontre.

— Oh ! romantique quand même.

— On s'est mariés un mois après. Et je suis tombée enceinte la nuit de mes noces. La hâte est mauvaise conseillère, je sais.

— Mais comment savoir, avant de faire une erreur, si elle sera une erreur ou la meilleure chose qui pouvait nous arriver ?

— Je sais. Et la preuve en est que j'ai accouché de ma fille Elsa. Que j'adore et qui m'adore.

— Je… je vois…

Il pensait à Lisa. Non sans quelque nostalgie.

Il pensait à Lisa, et se disait : *cette femme ressemble à quelqu'un que je connais : moi.*

Cette étrangère qui lui ressemblait, peut-être, car le désir de la première nuit est un déguisement si souvent habile, continua de se mettre à nu, dans cette baignoire, avec cette flûte de champagne que la beauté de sa main, la finesse de ses doigts rendait encore plus troublante, plus poétique. Elle confessa en effet :

— Chaque fois que j'ai voulu partir, que j'ai voulu quitter mon mari, je me suis dit : « Je ne peux pas briser son petit cœur », je veux dire celui d'Elsa, alors j'ai préféré piétiner le mien.

— Oh, je…

Il ne compléta pas sa pensée mais – par déformation professionnelle – pensa que si un jour elle voulait tirer un roman de ce drame banal, elle ferait assurément un succès, car bien des gens s'y reconnaîtraient.

Sophie dit encore, après une nouvelle gorgée de champagne, le cou, les seins visibles et nus, dans le bain romain ou plutôt vénitien mais en marbre, c'était certain :

— Il y a des situations où il y a forcément du malheur, on n'y peut rien, la seule chose qu'on peut parfois, c'est de décider à qui il sera distribué. Le bonheur de deux personnes en échange de son propre malheur, c'est une drôle d'équation, je sais, et en tout cas pas très moderne, mais c'est celle que j'ai choisie. Je ne sais pas si ça fait sens, pour toi, ce que je te dis là…

— Oh oui, tout à fait…

Et il pensa qu'elle aimait sa fille comme il aimait la sienne. Et ça le touchait, et ça le bouleversait.

Ils étaient tellement des créatures semblables !

Il ne put se défendre de penser à la prophétie qu'il avait d'abord trouvée navrante de stupidité de Madame Socrate, avec son turban aussi ridicule que ses prétentions.

Sophie était-elle la femme de sa vie – de sa vie future, s'entend ?

Quitterait-il un jour sa femme pour elle ?

Sophie poursuivait sa confidence :

— J'avais mon métier, mon métier que j'adorais, qui me comblait, et qui me comble encore, je ne vois pas pourquoi j'en parle au passé, je n'ai vraiment pas envie de prendre ma retraite. J'avais mes patients, mes patientes, que j'aimais, que j'aime. Et puis mon mari est un homme bon, et un bon père. Il est devenu un ami avec les années, malgré sa précocité amoureuse qu'il n'a jamais voulu tenter de soigner. Je pense que ça l'aurait trop humilié. D'ailleurs bien vite... bien vite, sans mauvais jeu de mots, ici, bien vite, j'ai fait comme si de rien n'était. C'est incroyable comment on prend vite... vite encore ce foutu mot, oui, comment on prend vite des habitudes dans un couple et ensuite on ne peut pas les défaire. C'est comme un drap qu'on aurait trempé dans du plâtre, même le meilleur fer à repasser du monde ne peut plus rien y faire : le mauvais pli est pris et pour toujours. Voilà, ça résume à peu près le roman de ma vie, mais je ne crois pas que tu réussirais à en tirer un best-seller, si tu le publiais, parce que c'est trop banal.

— Il y a peut-être un dernier chapitre.

— Un dernier chapitre ?

— Oui, un dernier chapitre qui pourrait sauver la mise, faire oublier la banalité du roman.

Elle parut intriguée : elle attendait visiblement la suite étonnante de cette explication. Il ne la lui fournit pas. À la place, ému, plus amoureux que jamais, il retira de la main de Sophie sa flûte de champagne, et la posa au bord de la baignoire, mit la sienne à côté. Ce mystère, cette autorité lui plut, et fleurit discrètement ses lèvres.

Il l'attira vers lui. Il voulait simplement l'étreindre.

Elle plaça naturellement, spontanément, ses jambes sur les siennes, en enserra sa taille. Lui la serra très fort dans ses bras. Longuement. Et ils s'étreignirent ainsi, pendant quelques secondes d'éternité. Ensuite, dans trois jours, ce serait fini, il n'y aurait plus entre eux d'avenir d'amour, sinon malheureux. Et de le savoir déjà rendait cet amour malheureux. Car il était condamné avant même d'avoir commencé. Mais n'est-ce pas le propre de bien des amours, et si on le savait, n'agirait-on pas différemment, ne serait-on pas plus indulgent, plus patient, pour l'autre ?

Albert se mit à embrasser le front de Sophie, puis ses yeux, puis ses joues. Et ensuite ils échangèrent un baiser. Français. Dans leur suite italienne. Ce n'était pas un baiser ordinaire.

C'était un baiser parfait, profond, car leurs bouches semblaient faites l'une pour l'autre, comme si elles étaient nées pour se rencontrer, pour s'embrasser.

En fait sans avoir à se consulter, ils avaient le même sentiment bizarre, inexplicable, mystérieux et quasi religieux de s'embrasser comme des adolescents.

Oui, comme des adolescents, l'un et l'autre encore vierges, et qui, follement épris, aveugles de désir, s'embrassent pour la première fois sur un divan, dans le sous-sol de leurs parents.

Ils ouvraient l'un et l'autre la bouche le plus grand possible comme avec l'espoir, comme avec le désespoir de dévorer l'autre, de l'absorber, de le manger, de communier avec lui peut-être.

Et bientôt, sans que ni l'un ni l'autre eût à faire des manœuvres bien compliquées, sans même vraiment s'en rendre compte, sans que ce fût délibéré, Albert fut en Sophie, comme si c'était, de toutes les choses, la plus naturelle au monde, comme si leurs sexes étaient faits pour être ensemble. Et venaient enfin de se retrouver, car c'était leur destinée.

Et ce qui était singulier, c'est que cette union imprévue, cette intimité profonde ne leur donna même pas l'idée d'un mouvement entre leurs corps, ce qui aurait ressemblé à faire l'amour.

Et pourtant, ils faisaient l'amour.

Déjà.

Et la preuve en est que, bizarrement, au bout d'un moment, Sophie jouit encore. Albert le sut aux serrements frénétiques de son sexe sur le sien, et à ses ongles dans son dos, et au gémissement mystérieux et profond et long qu'elle poussa, à telle enseigne que ce fut pour Albert musique si opératoire que, à son propre étonnement et sans avoir bougé en elle, il la suivit immédiatement dans la volupté.

Ensuite, après s'être extraits tant bien que mal du bain, se supportant l'un l'autre, vu la mollesse de leurs jambes trop ébranlées par leurs excès de plaisir, ils apportèrent ce qui restait du champagne dans la chambre de Musset ou de Balzac, après avoir failli tomber trois fois, mais chaque fois se supportant, se prêtant main-forte, sauf la dernière, car ils tombèrent en riant comme des fous dans le lit, et il fallut toute l'adresse qu'il restait à Albert pour éviter de renverser le précieux élixir blond, d'autant que Sophie tenait son sexe humide et luisant et riait, proclamant : « C'est ce qu'on appelle en avoir plein les mains ! »

Au lit, ayant apaisé leurs rires, leurs fous rires, ils se firent d'autres gentillesses. Ils prenaient, à même la bouteille, une gorgée de mousseux, et, au lieu de la boire, la soufflaient dans la bouche de l'autre. Puis riaient encore. S'étouffaient parfois. Riaient encore plus fort. Échangeaient des baisers. Recommençaient le même manège.

Ensuite ils s'endormirent dans la chambre de Balzac ou de Musset, ni l'un ni l'autre n'aurait su dire.

27

ELLE PASSA (ENFIN) UNE PETITE ROBE DE COTON

Le matin, après qu'Albert l'eut réveillée en « cognant à sa porte », comme un visiteur inattendu mais trop impérieux pour qu'on puisse refuser de lui ouvrir, après qu'il eut remis ça dans la douche, Sophie passa (enfin) une petite robe de coton.

Léger et blanc, comme les pages de leur roman nouveau.

Elle passa aussi des sandales, pour marcher le cœur joyeux et libre (?) dans Venise, sa ville natale.

Son pied était beau, paysan et royal, dans ces sandales de cuir blond, aux fines attaches qui exaltaient la minceur de ses chevilles, la grâce de ses mollets : on l'aurait dite romaine, même si elle était vénitienne, de la tête aux pieds, c'est le cas de le dire.

Des sandales, un collier d'or, qui venait mourir, se poser, rire et briller à la naissance de ses seins, libres comme le vent, et audacieux, dirigés vers la vie devant soi, l'avenir.

Lui portait un pantalon et une veste pâle de lin, d'un couturier italien, et il se trouva que c'était raccord, comme s'ils avaient fait leurs valises ensemble, ils le constatèrent avec amusement, plus qu'amusement, une sorte de contentement en se regardant côte à côte dans un des vastes miroirs muraux du salon.

Puis, les cheveux encore humides, le regard clair, un sourire complice aux lèvres, ils se retrouvèrent assis Terrazza Danieli, la magnifique terrasse au sommet de l'hôtel avec vue imprenable sur la lagune qui, de mi-avril à fin-septembre, offrait un brunch avec Ferrari perlé, un vin de Vénétie qui était en quelque sorte le mousseux maison et qu'on pouvait aussi se faire servir rosé, l'un et l'autre à volonté.

En voyant le nom sur la bouteille, Albert ne put s'empêcher de penser à la course *Roma-Venezia* qu'il avait faite avec le conducteur de la Ferrari, et ce hasard le fit sourire : il avait failli gagner, mais surtout était devenu ami avec cet étranger qu'il ne reverrait jamais : ce qui, tout compte fait, était mieux que d'être ennemi avec quelqu'un qu'on voyait tous les jours.

— Il y a quelque chose qui t'amuse ?

— Non, rien.

Il y a des choses qu'on ne peut pas dire. Elle l'aurait tué si elle avait su qu'il avait poussé l'Alfa Romeo à plus de 200 kilomètres à l'heure, avait coursé avec une Ferrari. Elle ne le questionna pas davantage.

— Mousseux ? demanda le garçon, inquiet de s'immiscer dans une conversation de couple qui tournerait peut-être en dispute : ça s'était vu, même à Venise, même au Danieli, même sur sa prestigieuse terrasse.

— Oui, bien sûr, fit Sophie, mais pourriez-vous aussi m'apporter un double espresso bien tassé ?

— À moi aussi.

— On a une grosse journée devant nous.

— Bien sûr, madame.

Il leur versa le vin, s'inclina, souriant, se retira.

— On a une grosse journée ? s'enquit Albert, curieux et surtout flatté par l'inclusion, volontaire ou pas, enfermée dans ce pronom : on.

Pronom indéfini, mais qui ne semblait peut-être pas si indéfini que ça dans l'esprit de Sophie, qui, au contraire, définissait peut-être ce qu'elle pensait vraiment d'eux. Ou alors il rêvait en couleurs, ce qui est facile à Venise, avec les façades de ses maisons roses, ou jaunes, ou ocre ou bleues, et les fleurs aux fenêtres, et les vases de Murano dans les vitrines, et les masques du Carnaval.

— Oui...

— Ah bon...

— J'ai déjà fait notre horaire.

— Vraiment ? Mais quand ?

— Mais dans la douche, voyons ! Tu sais bien que les femmes pensent toujours à autre chose quand elles font l'amour.

Il éclata de rire. Il tombait de plus en plus amoureux d'elle. Elle était si brillante, si drôle, si belle, si... Il cherchait le mot, dans son vaste dico d'éditeur, il le trouva mais c'était une paraphrase : elle était si... exactement ce qu'il avait toujours recherché dans une femme, sans avoir jamais cru pouvoir le trouver. Oui, c'était ça, une sorte de perfection.

— Alors c'est quoi, cet horaire ?

— Après le brunch, un peu de shopping. Puis, comme on avait dit, si tu veux bien, tu m'accompagnes chez Giorgio pour une visite de son palais.

— Je... je ne voudrais pas m'imposer, c'est pour une consultation, tu m'as dit.

— Oui, mais viens au moins avec moi, tu vas voir, c'est un personnage, toi qui es éditeur, tu vas aimer, après ça, tu feras ce que tu voudras.

— Hum...

— C'est une chance unique de voir Casa Dario, c'est un palais privé auquel il est impossible d'accéder autrement, tu ne le regretteras pas.

— Okay… laisse-moi réfléchir ! Il y avait l'ouverture de mon congrès d'édition à La Fenice aujourd'hui, mais mon incursion sur place peut attendre à demain. Personne ne remarquera mon absence, même pas moi. Alors on suit ton horaire.

Il se disait surtout, mais ne le lui disait pas, qu'il voulait être avec elle, oui, simplement avec elle, que c'était ce qui était le plus précieux, qu'en fait, c'était la seule chose qu'il avait vraiment envie de faire, si être avec quelqu'un est quelque chose qu'on fait : il faut aimer, je crois, pour penser ainsi, comprendre cette simple vérité. Être ensemble. Être à deux.

— Ouiiii…, dit joyeusement Sophie, et elle se pencha vers Albert pour l'embrasser au-dessus de la table.

Ils burent, contemplèrent un temps la lagune. Il faisait un soleil magnifique.

Il y avait, sur l'eau brillante et lisse, des gondoles, dont certaines arrivaient du large, de la basilique *Santa Maria della Salute*, de la Douane de Mer, d'autres qui s'y rendaient, vides ou avec des touristes ; des taxis-bateaux aussi, rapides et beaux, qui allaient ou venaient de Murano, d'autres îles dans le bois verni de leur coque ; un vaporetto, qui s'avançait vers la station suivante.

Sophie mangea comme un ogre.

Fidèle à sa paradoxale diète supposément spartiate de manger peu, sauf lorsqu'elle se trouvait dans un bon restaurant : et elle ne se trouvait pas tous les jours Terrazza Danieli.

Albert se régalait lui aussi, mais au beau milieu du repas, il reçut un texto, puis un autre, puis un troisième, les trois en moins de trente secondes.

Et il pensa, coupable, que nul plaisir n'était parfait, que ce devait être sa femme qui, avec le sixième sens dont sont dotées toutes les femmes, avait deviné ou craint qu'il se trouvât avec une autre femme, ce en quoi elle aurait eu raison, plus que raison, car il avait déjà couché avec ladite femme, et deux ou trois ou quatre fois plutôt qu'une, il n'en tenait plus le compte.

28
ANGOISSE, ANGOISSE, QUAND TU NOUS TIENS...

Nerveux, Albert vérifia l'origine de ces textos à répétition, émit un soupir de soulagement : c'était David !

— Est-ce que tu permets ? C'est mon auteur le plus talentueux mais aussi le plus angoissé. Il n'y a que les gens sans talent qui n'ont pas le trac.

— Je ne saurais dire : je suis psychiatre, pas éditeur.

Elle le taquinait ou quoi ? Il ne savait jamais sur quel pied danser avec Sophie et c'était peut-être pour ça qu'il rêvait depuis le premier instant de danser le tango avec elle, parce qu'il se danse à deux (*It takes two to tango*), contrairement à certaines pantomimes modernes, messagères du solipsisme navrant de notre époque.

Sophie ajouta :

— Pas de souci, joue les psys, je veux dire les éditeurs, je vais en profiter pour prendre mes courriels.

David textait à Albert de l'appeler de toute urgence.

Quelle angoisse nouvelle le tenaillait-elle ? Il l'appela.

— David, c'est toi ?

— Oui, je suis tellement content que tu m'appelles.

— La Fartaulit a pissé son article sur ton livre ?

— Non. Pas encore.

— *No news is good news*, tenta de le consoler Albert, même si c'était tout sauf vrai, car il savait bien que rien ne pouvait mieux tuer un livre que le silence de la critique. Pour les chiffres de vente, je peux tout de suite te dire que je ne les connais pas encore, je suis à Venise, comme tu sais.

— Oui, oui, je sais, je ne t'appelle pas pour ça, c'est parce que j'ai fait une gaffe.

— Une gaffe, encore ?

— Oui. Avec Sylvie Dugravier.

C'était une animatrice-journaliste presque aussi influente que Natacha Fartaulit, malgré sa plume beaucoup moins élégante : son public ne faisait pas la différence, et lui prêtait, vu son petit accent français, une intelligence qu'elle ne remboursait jamais.

— Mais je t'avais dit pourtant de ne jamais contacter aucun journaliste !

— Je ne l'ai pas contactée, je suis tombé par hasard sur elle chez Leméac, et je l'ai félicitée.

— Félicitée ? Mais de quoi ?

— De sa grossesse.

— De sa grossesse ? Elle est enceinte ?

— Non, justement. Et le pire est que j'ai même essayé de deviner le mois : « Quatrième, cinquième mois ? » que j'ai dit, me croyant charmant.

— Ah, merde !

— Je ne pouvais pas savoir qu'elle faisait du ventre, ça ne se voit pas à la télé.

— Évidemment, elle est diva, elle leur interdit les mauvais angles de caméra.

— Elle a dit : « T'es un petit drôle, toi. Mais je te connais, tu es romancier, j'ai reçu ton nouveau roman par service de presse : *Les Amères*, un truc comme ça, qu'elle a persiflé. Non, *Les Âmes Sœurs*, que j'ai rectifié. Ah ! oui *Les Âmes Sœurs*, roman astrologique, qu'elle a ironisé sans même l'avoir lu, je suis sûr. »

— Elle est critique littéraire, tu t'attendais à quoi ?

— Je ne sais pas, à un peu d'honnêteté ou en tout cas d'humanité.

— Tu devrais t'acheter un chat ou un chien.

— Ah, je suis sot, je suis naïf.

— Non, tu es juste jeune et idéaliste.

— Je me déteste.

— Non, laisse les autres faire ça, c'est facile, l'envie est la grande journaliste de leur cœur : tu es beau, tu as du génie.

— Mais personne ne le sait et surtout personne ne le dit.

— Moi je le dis.

— Mais tu ne peux pas acheter mon livre à leur place.

— C'est vrai, j'en ai déjà deux mille en inventaire.

Un silence.

— Ton livre vient à peine de sortir, sois patient ! reprit Albert.

— En tout cas, pour revenir à la Dugravier, elle a dit : « Dors sur tes deux oreilles, même si je ne suis pas enceinte, je vais t'accoucher d'une belle petite critique en deux temps trois contractions. »

Accoucher d'une belle petite critique en deux temps trois contractions, elle a de l'esprit, pensa Albert, qui s'amusait bien malgré lui, parce que ça serait probablement un jeu de massacre, que ne goûterait guère son auteur. Qui poursuivit sa navrante confession :

— Il y avait avec elle un monsieur qui avait l'air gentil et qui avait les cheveux tout gris.

— C'est son mari, Bernard Hammereau, il est journaliste lui aussi.

Merde! déplora silencieusement Albert, *il n'a pas dû se bidonner que David trouve sa femme bedonnante*, ça va être un carnage à quatre mains.

— Ah! ça ne m'étonne pas.

— Qu'il soit journaliste?

— Non, qu'il soit son mari, parce qu'il a dit: « J'ai déjà trouvé le titre de ton article, chérie: *Grande nouvelle: votre belle-sœur a une âme, Michel Tremblay a un nouvel imitateur* ». Et ils sont sortis du resto pliés en deux.

— Ah évidemment...

C'était pire que pire, mais il ne pouvait pas le lui dire. Il coupa plutôt:

— Écoute, j'aimerais te parler plus longtemps mais je suis en réunion.

David dit, soumis, résigné, défait, la mort dans l'âme, sœur ou pas, avec cette toute petite voix que l'on prend lorsqu'on comprend que les choses n'iront pas comme on voulait, comme on pensait, comme on croyait, même si on se croyait grand, brillant, savant des choses de ce monde et du succès, même si on croyait en sa bonne étoile, qui devant nous s'éteint, cessant d'éclairer notre espoir, nous laissant avec seule compagne notre désespoir:

— Ah! je comprends, je m'excuse de t'avoir dérangé, vraiment je suis désolé. Bonne réunion.

Lorsqu'il raccrocha, Albert, pendant trois secondes, eut presque envie de pleurer tant son auteur lui déchirait le cœur, dans la compréhension de sa défaite, ou de ce qui en tout cas s'annonçait comme une défaite, à force de multiplier les faux pas, même involontaires, avec ceux qui justement faisaient ou défaisaient les succès, littéraires ou autres.

Sophie lut son désarroi, même s'il tentait de le dissimuler par quelque sourire maladroit. Il fit un effort de joie, de bienséance en tout cas, tentant de *carpaccio diem*, selon la prescription philo-« sophique » de la sage Sophie : après tout, il était au Danieli, après avoir passé la nuit de sa vie avec cette magique étrangère, plus troublante que toutes les héroïnes de roman, du moins de celles qui peuplaient les manuscrits qui le faisaient bâiller d'ennui.

Sophie…

Qui avait le corps et l'esprit qu'il avait de tout temps espéré trouver en une seule et même femme. Et le miracle semblait être arrivé, pour trois jours seulement, trompetait-elle. Mais faut-il toujours croire ce que les femmes disent, surtout lorsque c'est pour ne pas que les hommes leur brisent trop facilement le cœur, avec leurs belles paroles qui trop souvent ne sont que de belles paroles ?

— Une mauvaise nouvelle ? s'enquit-elle, avec ses lèvres insolemment vermeilles, sans artifice pour en intensifier le rouge, ça le faisait craquer encore plus pour elle, cette nudité insolente de sa bouche, même en public.

— Mon plus jeune auteur, David, aimerait tellement que son nouveau roman marche. Mais neuf romans sur dix ne marchent pas, alors pourquoi le sien ? Il est génial, cependant ça ne compte plus aujourd'hui… il faut passer à la télé.

— David, l'auteur des *Âmes Sœurs* ?

— Oui.

— Le titre est joli et prometteur, pourtant.

— Mais…, fit-il non sans surprise, tu m'as dit que tu ne croyais pas à la science-fiction ?

29

À VENISE, IL FAUT DESCENDRE AU DANIELI : VRAIMENT ?

— Jusqu'à ce qu'un extraterrestre blond s'assoie à côté de moi dans un avion : il n'y a que les idiotes qui ne changent pas d'idée, fit Sophie en réponse à la question d'Albert.

— Tu penses vraiment ce que tu dis ?

— Non, fit-elle avec un laconisme du meilleur effet.

— C'est ce que je croyais, dit-il en laissant son hilarité se déchaîner.

Ils finirent le brunch, le garçon apporta l'addition, qu'il remit spontanément à Albert, parce qu'on la remet toujours à l'homme, en tout cas en cette époque et en Italie, où si le monde appartient aux femmes, les femmes appartiennent aux hommes, selon la brillante boutade de Guitry. Vive comme l'éclair, Sophie fit main basse dessus, à la vue du garçon, qui crut avoir fait un faux pas, ce qu'il n'aimait pas : il attendit nerveusement le verdict, la bouche déjà emplie de toutes les excuses possibles.

— Je vais la mettre sur ma chambre. Giorgio prend toutes mes dépenses en charge.

— Mais pas les miennes. Déjà que tu m'héberges. Je vais finir par me sentir comme un gigolo.

— Entre un homme facile et un gigolo, il n'y a qu'un pas à faire.

— Peut-être mais j'insiste…

— Je te dis, Giorgio s'en fout.

Albert, lui, ne s'en foutait pas, car son « rival » lui tapait de plus en plus sur les nerfs, par sa prodigalité.

— J'insiste. Vraiment.

— Bon, comme tu voudras…, céda-t-elle enfin : elle ne voulait pas faire un drame pour pareille bagatelle.

Elle lui remit l'addition, et à ce moment même reçut un appel :

— Giorgio, s'exclama-t-elle, tout excitée de cette coïncidence (elle avait choisi de lui parler en français, pour ne pas qu'Albert se sente exclu de la conversation : ce qui n'embêtait nullement Giorgio, qui brassait des affaires à travers le monde, et maîtrisait cinq langues), on parlait justement de toi… (question brève de Giorgio) En mal bien entendu. On n'a pas assez d'imagination pour en parler autrement. (rires à l'autre bout du fil du sans-fil sophique) Écoute, je suis avec un ami éditeur, il meurt d'envie de te rencontrer. Ça ne te dérange pas que je l'emmène avec moi ? (réponse de Giorgio.) Génial, alors on arrive vers 16 heures, comme convenu. (mots de Giorgio) Oui, enfin si on oublie que notre avion a eu deux ou trois heures de retard, mais je te raconterai plus tard. *A presto, bello.*

Pendant qu'elle parlait ainsi, l'ami éditeur de Sophie, qui mourait supposément d'envie de rencontrer Giorgio, pâlissait de stupeur en voyant l'addition et se trouva stupide d'avoir tant insisté pour la régler : son orgueil (de mâle) avait un prix !

Exorbitant !

C'est qu'il en coûtait la rondelette somme de 110 euros par personne pour se prévaloir du brunch ! Le Ferrari perlé à volonté était compris, mais pas le café, et il y en avait pour 32 euros pour quatre minuscules tasses d'espresso, doubles et bien tassées, je veux bien, mais quand même : la note s'élevait donc à 252 euros ! Albert n'osa pas demander ou vérifier sur le menu, du reste disparu, si le service était compris (or il l'était !) pour ne pas passer pour plus plouc et plus fauché qu'il n'était en vérité et abandonna en grinçant 300 euros sur la table, ce qui ravit le serveur, qui le crut fort généreux pour ce pourboire inattendu.

Il rejoignit Sophie qui, tout en parlant au téléphone, s'était lentement dirigée vers la sortie.

Il admira comme malgré lui son dos…

Et ça le troubla, lui donna de folles et amoureuses envies.

30

LE DOS DE SOPHIE

Albert s'extasiait devant (ou plutôt derrière) le dos de Sophie, que découvrait aimablement sa petite robe de coton, s'extasiait devant son dos et ses épaules, à la peau luisante, à la peau irisée, à la peau belle comme le plus superbe des vernis sur un tableau, le glacis sur une pâtisserie, tous chefs-d'œuvre confondus, picturaux ou culinaires, ses épaules que séparait la luxuriante et envoûtante forêt de ses longs cheveux bouclés et noirs, dans lesquels il avait oublié son désespoir, pour trois jours peut-être, comme dans la forêt plus manucurée et parfumée entre ses jambes, entre ses jambes, entre ses jambes : ce n'est pas une répétition involontaire, juste la maladroite traduction de son obsession, d'elle, d'elle, d'elle, de lui sur elle, de lui entre ses jambes, de lui sur ses lèvres, ouvrières de beauté et de volupté, chacune à leur manière.

Il faut dire qu'on voyait aussi, ou en tout cas devinait, sous le tissu fin de sa robe, son slip, et qu'il était évident qu'elle ne portait pas de soutien-gorge. Mais ça, il le savait déjà, il l'avait regardée s'habiller, et avait philosophé non sans justesse que regarder une femme s'habiller était peut-être un privilège encore plus grand que la regarder se déshabiller. Car forcément, si elle vous accorde ce privilège, c'est qu'elle s'est d'abord déshabillée devant vous et que vous ne lui avez pas complètement déplu, au point de vous chasser ou de prendre la poudre d'escampette, même nuitamment, pour cause d'urgence, en général fausse et inventée.

Il éprouva une envie violente de la prendre.

De la prendre.

D'entrer en elle.

De se perdre en elle.

D'oublier.

De tout oublier de sa vie.

Dans l'espoir que son sexe serait le commode et inespéré passeport de sa vie nouvelle.

De sa vie avec elle.

Ce désir, cet espoir, ce désespoir l'embarrassèrent.

Pour deux raisons.

Simples.

La première est qu'il venait de la prendre sous la douche (après sa coquine génuflexion devant lui, comment aurait-il pu faire autrement ?) il y avait à peine une heure, sans compter toutes les fois la nuit, toutes les fois, et que ça faisait de lui une sorte d'obsédé de son corps, de son âme, de ce je-ne-sais-quoi qu'elle avait, de ce je-ne-sais-quoi qu'elle lui faisait, comme dans la chanson des Beatles *Something*, dont les paroles résumaient son désir : *something in the way she moves, attracts me like no other lover…*

La seconde raison de son embarras est qu'il était en public, à Venise, sur la terrasse bien fréquentée du Danieli, et comme on annonçait 37,2 degrés non pas le matin, quand même, mais l'aprem (on était loin des navrantes neiges d'avril montréalaises !) il n'avait pas voulu s'embarrasser d'un slip, si bien que son pantalon, d'un tissu fin et italien, laissait deviner sans grand génie une inflation inhabituelle de son être : que faire ?

Il se précipita vers elle, se pressa contre elle, pour cacher son émoi d'elle : mais il augmenta encore plus, et elle le sentit, s'en émut, s'en amusa et dit, ravie, amoureuse femme de lui déjà même si elle était la femme d'un autre, du moins selon les papiers officiels et un semblant de vie à deux, depuis des années :

— Petit coquin ! Tu veux ajouter quelque chose à notre horaire déjà rempli ?

— Non, je ne veux juste pas faire un fou de moi.

— Prends de grandes respirations !

Il en prit, se plaignit :

— C'est pire.

Elle voulut le constater de visu, éclata de rire :

— C'est vrai.

Ils se rendirent alors compte qu'il bloquait le passage à deux couples, ils devaient descendre.

— Marche devant moi ! suggéra Albert.

Elle le fit mais ne put retenir un fou rire (les quatre ou cinq flûtes de Ferrari perlé aidant, évidemment, et la fatigue du voyage, de leur nuit folle, de leur parenthèse matinale dans la douche), un fou rire contagieux qui contamina vite Albert, et ne s'était pas apaisé lorsqu'ils passèrent devant le comptoir de la réception, où ils remirent la lourde clé de leur chambre, on les salua : Madame Stein, monsieur Stein…

Ni l'un ni l'autre n'eut envie de protester de cette erreur tant de fois répétée. En fait, ils se mirent à rire encore plus fort. Le concierge arrondit les yeux : les gens riches, tous alcooliques ou cinglés !

Enfin ils se trouvèrent dehors, face à la lagune, avec un soleil déjà chaud…

Une jeune femme d'à peine 20 ans, qui débordait de sensualité, les vit, vit surtout le persistant gonflement de la braguette d'Albert, fit un clin d'œil élogieux à Sophie : elle avait de la veine !

Sophie visa le pantalon d'Albert, comprit, questionna :

— Ça te passe, maintenant ?

— Non.

— C'est quoi, ton problème ?

— Toi.

Elle sourit : c'était doux d'être le problème d'un homme comme Albert. Même pour seulement trois jours.

Elle le menaça tout de même :

— Je ne peux pas marcher à côté d'un satyre !

Et elle pressa le pas, se distança d'Albert, désolé de cet abandon intempestif.

Il attendit quelques secondes, tenta de se concentrer, mais comment contrôler un réflexe involontaire ?

Il pensa à son comptable, aux dettes sous lesquelles croulait sa maison d'édition.

Pensées qui eurent un immédiat effet déprimant sur la région coupable de son être.

Il courut rejoindre Sophie, se vanta, en ouvrant les mains, tadam ! il n'avait plus de renflement suspect !

— Je sais, je sais, je ne te fais pas d'effet, le taquina-t-elle.

Il la prit par la main, comme font tous les amoureux du monde, surtout le premier matin, surtout le premier matin à Venise, quand ils ont cette rare chance, mais Sophie se hérissa :

— Je ne crois pas que ce soit une bonne idée. Mieux vaut ne pas courir de risque ! Je suis une femme mariée, si je rencontrais quelqu'un que je connais…

Il abandonna sa main, il comprenait.

À peine trente secondes plus tard, juste passé le Pont de Soupirs, Sophie jeta, affolée :

— Merde ! les Johnson !

31

MERDE ! LES JOHNSON !

— Les Johnson ?

— Notre couple d'amis que mon mari aime le plus, je pense que la femme m'a reconnue…

— Ouille. Tu es sûre ?

— Elle me sourit comme une idiote et me fait de grands signes de la main, et… elle s'en vient vers nous, maintenant, acheva-t-elle, atterrée.

— Tu veux que je file à l'anglaise, ou plutôt à l'italienne ?

— Non. Ne dis plus rien jusqu'à ce que je te dise de parler !

— Hein ?

— Sois beau et tais-toi !

Pour être sûre qu'il se tairait, elle se mit à l'embrasser, goulûment. Elle espérait que sa sotte amie n'oserait pas interrompre ce baiser et passerait son chemin, surtout lorsque, arrivée plus près, elle constaterait sa « méprise », puisqu'Albert était blond et son mari, noir ou plutôt grisonnant.

Mais à la place, vraiment curieuse, ce qui est normal, car elle était mauvaise langue, il lui fallait quelque pitance, et là, ça semblait une aubaine, la femme de leur couple préféré embrassant un homme qui n'était pas son mari, elle se planta devant Sophie pour lancer :

— Sophie ! C'est toi ?

Ça avait plus l'air d'une constatation que d'une question.

Pas de réponse de Sophie, qui continuait d'embrasser Albert à bouche que veux-tu. Et son amant vénitien qui se laissait faire, inquiet pour Sophie, plus que vraiment *carpaccio diem*.

Le mari de la pie lui tira sur le bras, dit, entre ses dents :

— Viens, tu vois bien que ce n'est pas elle !

— Mais je te dis que c'est elle ! insista-t-elle.

Sophie pensa, non sans logique : *si je m'obstine à ne pas parler à ma détestable amie, elle pensera peut-être, justement, que j'ai quelque chose à lui cacher, que je fais semblant de ne pas la connaître ou la reconnaître, et elle se mettra à répéter qu'elle m'a aperçue en train d'embrasser un homme blond à Venise, fera des insinuations à notre prochain souper de couples.*

Elle repoussa Albert, et se mit, les yeux arrondis par l'exaspération, à lui parler en allemand, lui demandant :

— Est-ce que je peux vous aider ?

— Hein... Sophie, ce... n'est pas toi ? Je pensais pourtant que...

Elle regarda Albert, et, comme toutes les femmes, ou presque, le trouva plutôt bel homme, même spectaculaire : il lui dit alors un des rares mots allemands qu'il connaissait, à part *Danke* et *Ich liebe dich*, qui, comme chacun sait, veulent dire *Merci* et *Je vous aime* :

— *Achtung !*

Elle crut qu'il lui disait bonjour, alors qu'il disait « Attention ! », et répliqua, déformant le mot : *Achnoune !* vu qu'elle ne savait pas ce qu'elle disait, travers habituel chez elle, et aussi parce qu'Albert intimidait les femmes, surtout la première fois qu'elles le voyaient, ça se manifestait par le rougissement soudain des joues.

Sophie se mordit les lèvres, Albert était gonflé. Elle prononça encore quelques mots en allemand à cette amie, avec un large sourire interrogateur, et un peu ennuyé, qui se traduisait par: « Vous allez me foutre la paix ou quoi ? »

— Je t'ai dit que ce n'était pas elle, maugréa son mari en tirant encore plus fort sur son bras, ça te prend quoi de plus ? Allez, on y va.

Résignée, elle dit à Sophie, *Achtung*, et s'éloigna, pas encore tout à fait certaine qu'il ne s'agissait pas de l'amie de leur couple.

— Merde, il était temps, soupira Sophie.

Elle prit Albert par la taille, il en parut surpris.

— Les chances qu'on rencontre quelqu'un d'autre qu'on connaît à Venise en avril…, expliqua-t-elle.

— Vrai…

Ils marchèrent bras dessus, bras dessous vers piazza San Marco, Albert voulut prendre un *selfie* de Sophie et lui, devant le célèbre Palais des Doges, elle mit sa main pour se cacher le visage, mais il eut le temps d'appuyer sur la touche photographique.

— Pas une bonne idée, je crois, maugréa-t-elle, mais avec sa voix musicale, c'était quand même une joie.

Et comme pour preuve de ce qu'elle venait de dire, elle désigna sur un des murs du rose palais, la célèbre bouche des dénonciations, au faciès effrayant, où les Vénitiens des temps anciens déposaient des lettres ou billets, non pas doux mais fielleux, pour rapporter quelque crime de leurs concitoyens.

Albert trouva que ce hasard était plus ou moins amusant, et en fait plutôt inquiétant, comme si ce masque grimaçant venait lui rappeler son état d'homme non pas marié mais pas libre pour autant et malgré tout infidèle :

— Tout ce qui se passe à Venise reste à Venise, je sais, consentit-il.

Piazza San Marco n'était pas aussi encombrée que la veille par des touristes japonais, mais peu s'en fallait. Contre mauvaise fortune, Sophie et Albert firent bon cœur. Forcés de s'arrêter à tout bout de champ pour laisser passer des hordes nippones, ou être patients témoins de leurs extases photographiques, ils en profitaient pour s'embrasser, comme des adolescents.

Des adolescents que les Japonais photographiaient parfois, car ils semblaient si heureux et ils étaient si spectaculaires ensemble : on aurait dit deux vedettes de cinéma. Un Japonais pensa d'ailleurs que Sophie en était vraiment une : il est vrai qu'elle aurait pu être la sœur jumelle de Jennifer Connelly.

Il lui demanda un autographe. Pour se débarrasser, par moquerie, elle signa *Marilyn Monroe* et dessina un cœur.

C'était une erreur : pas de se faire passer pour la plus célèbre blonde du cinéma américain, d'autant qu'elle était noire, mais de s'être prêtée à ce petit jeu. Albert, qui avait vu la signature, se bidonnait. Sophie était impayable. Elle, riait sous cape. Mais ni l'un ni l'autre ne rit bien longtemps, lorsque le touriste qu'elle avait gratifié de son autographe s'en vanta. Il eut aussitôt des imitateurs, fit des jaloux, certains demandèrent même des autographes à Albert, surtout des femmes, évidemment, parce que le mari d'une vedette a été, est, ou sera un jour ou l'autre une vedette : mieux valait ne pas rater semblable aubaine !

Il signa cavalièrement : *James Bond, bons baisers de Russie.*

Une de ses admiratrices, déchiffrant sa signature, découvrit à son grand étonnement qu'elle était en présence de 007 en personne, même s'il n'avait jamais existé ailleurs que dans l'esprit d'Ian Fleming, et s'évanouit sur-le-champ.

Il leur fallut bien des efforts pour s'extirper de la horde de leurs admirateurs, et heureusement l'un et l'autre étaient dans une forme resplendissante.

Ils rirent de cette aventure, en fait eurent presque un fou rire.

— James Bond, le taquina Sophie, qui avait entendu une jeune femme crier son nom au bord de l'hystérie, en brandissant son plan de Venise qu'il lui avait signé obligeamment. Je comprends maintenant pourquoi tu ne te décoiffes pas même après avoir fait l'amour pendant des heures.

— Normal, tu ne me fais pas d'effet.

— J'ai vu ça à la Terrazza Danieli, répliqua-t-elle en le souffletant affectueusement, et en avisant sa braguette, sagement déprimée.

Ils s'étaient sans préméditation réfugiés vers l'une des *calli* les plus célèbres de la Sérénissime, en tout cas la plus commerciale, sorte de Rodeo Drive vénitien, *Merceria dell'Orlogio* pour ne pas la nommer. Elle porte bien son nom, assurément, car on y accède en passant sous la fameuse Tour de l'Horloge, et son magique cadran qui affiche sans surprise l'heure en 24 chiffres romains, et est orné de magnifiques appliques dorées et artistiques qui représentent les douze signes astrologiques.

Comme malgré lui, en passant sous l'arcade de la tour que domine le lion ailé et doré de Venise, Albert se rappela un fragment du discours non pas amoureux mais délirant, du moins l'avait-il pensé spontanément, de Madame Socrate, lors de la seule consultation qu'elle lui avait offerte.

Dans son souvenir approximatif, elle avait dit, après avoir parlé avec les esprits comme vous parlez à votre mère au téléphone : « Avec la femme de votre destin, et avec qui vous avez partagé plusieurs existences anciennes, vous passerez sous l'horloge où se rassemblent tous les animaux du ciel, qui auront les mêmes couleurs que votre cou. »

Sur le coup, il s'était dit : ce n'est que charabia.

Il avait eu envie de se mettre un doigt dans la gorge pour précipiter ses nécessaires et compréhensibles vomissements.

Mais là, soudain, il se rappelait l'écharpe qu'il portait à l'aéroport, vu la fraîcheur du temps en avril, et qui était bleue et parsemée d'étoiles d'or : exactement comme l'horloge, sous laquelle il venait de passer.

Était-ce simplement un autre hasard ?

Il lui aurait fallu plus de temps qu'il n'en disposait pour y réfléchir, et conclure.

Mais Albert avait le cœur trop léger, l'esprit trop ailleurs, la main trop émue dans la main de Sophie, la femme de sa vie (?), ça le tuait de ne pas déjà le savoir, pour vraiment peser et soupeser les conséquences de cette annonce, de cette coïncidence.

D'ailleurs, il n'eut pas vraiment le temps de trancher la question. C'est que Sophie venait de s'immobiliser, comme hypnotisée, devant la vitrine de JB Guanti, spécialiste des gants, comme on peut le deviner, même si on ne connaît pas l'italien. Il y avait au bas mot cinquante paires de gants différents, exposés sur d'élégants supports de bois identifiés en leur base par le nom de leur glorieux artisan.

Sur une affichette, JB Guanti proclamait sa noble mission, non sans un jeu de mots évident ou facile, dira-t-on : *l'élégance à portée de la main*, et spécifiait, ce qui tombait sous le sens et en tout cas était une minimale exigence : *fait main en Italie.*

Plus vendeur, on en conviendra, que : *fait en usine en Corée ou en Chine* !

Sophie s'extasiait, ne savait plus où donner de la tête.

Elle hésita finalement entre deux paires, une rouge et une noire, un peu coquine, faut-il préciser, avec des *studs*, comme si elle était fan de *Fifty Shades of Grey*. Incapable de se décider, elle demanda à Albert son avis. Il trancha :

— Facile, choisis le rouge et le noir !

— Comme le roman, bien sûr. Ce que tu es prévisible, cher éditeur ! J'aurais dû y penser. Mais je…

— Je t'offre les deux paires, et ce n'est pas négociable.

— Je m'incline.

Comment protester, en effet ?

Au comptoir, il demanda aussi à la vendeuse une paire de gants en léopard, du moins en imitation de léopard, qui avait piqué son attention ou l'avait fait rêver, comment savoir ?

— On va prendre aussi les gants léopard, précisa-t-il.

La vendeuse, de 22 ou 23 ans, était de toute évidence tombée sous son charme qui faisait tant de ravages, même s'il ne faisait aucun effort en ce sens. Rêveuse, comme en transe, battant des cils comme une gamine de 13 ans rencontrant son prince charmant, et se faisant déjà son cinéma (avec Albert), la vendeuse répéta :

— Les gants léopard.

Sophie leva les yeux au plafond : ce qu'il plaisait aux femmes, cet homme à qui elle avait succombé, malgré plus de quinze ans de mariage (pas érotique, mais bon, y a-t-il des mariages si longs qui le sont ?) et ses résolutions de fidélité !

Et elle dit, amusante, comme depuis le premier instant :

— Comme tu voudras, Tarzan !

Elle voulut payer pour les deux paires qu'elle avait choisies, Albert insista pour payer les trois : elle ne se battit pas. La vendeuse n'avait jamais été aussi jalouse de sa vie : non seulement Albert était-il beau comme un dieu, mais il était généreux et follement amoureux !

À la porte de chez JB Guanti, Sophie, ravie, embrassa l'homme qui n'était pas son mari.

Puis illico, elle fouilla dans le sac du premier cadeau de son amant, presque toujours le plus excitant, et enfila aussitôt les gants léopard, parce qu'elle estimait que les rouges et les noirs juraient trop avec sa robe de coton blanc, et n'auraient pas été du meilleur effet. En plus, les gants léopard venaient d'Albert.

Ça lui donnait malgré tout un air un peu bizarre, en tout cas excentrique et original, car après tout, il faisait 37,2 au soleil, et l'humidité se faisait déjà sentir, dans tous les sens du mot. Mais Venise est la ville des bals et des mascarades, et lorsqu'on est amoureux, chaque instant, chaque jour, du moins s'il est à deux, s'il est « ensemble », n'est-il pas une fête ?

Aussi, autant Sophie qu'Albert se foutaient-ils de la bizarrerie de *la femme aux gants, en plein jour à Venise*, car ils étaient tout à la joie d'être ensemble, nourris, exaltés, ravis par ces instants magiques qui reviennent rarement et en tout cas prennent trop souvent congé et rapidement des jeunes amoureux.

Ces premiers matins, ces premiers instants, ces premiers émerveillements, où même les petits cadeaux nous font un grand, nous font un immense plaisir, et prennent toute la place dans notre coffre à trésors de souvenirs !

Ensuite, hélas !, comme les cadeaux suivants, même gros, même immenses passent inaperçus ou alors on le croit surtout si l'autre a, du moins à notre avis, fait une faute et qu'il doit se rattraper : ce n'est plus un cadeau, c'est un simple remboursement !

Ou alors c'est simplement la vilaine sorcière Routine qui nous a jeté de la poudre aux yeux, mais la pire de toutes les poudres, celle de l'habitude : alors on est aveugle, on ne voit plus le simple bonheur d'être à deux, on rêve juste d'être ailleurs.

La vitrine d'une nouvelle boutique retint bientôt l'attention de ce couple clandestin, surtout celle d'Albert, à la vérité.

32
LA BOUCLE VERSACE

Un marchand y exposait une boucle de soirée, noire et diamantée qui, pensa-t-il aussitôt, serait du meilleur effet pour sa première apparition à la Fenice, parmi les éditeurs du monde entier, dont plusieurs étaient des snobs finis.

Sitôt entré, Albert demanda à voir l'original nœud papillon. Le marchand, qui parlait un français exquis, le lui présenta avec fierté, réelle ou vénale. Albert l'examina. Les diamants étaient forcément faux mais leur disposition était vraiment réussie, le tissu, du satin, donnait une impression de grand luxe.

— Tu aimes ? demanda-t-il à Sophie, espérant son approbation, comme si déjà ils étaient mari et femme.

Elle le sentit, et ça la toucha, plus qu'elle aurait pu dire, plus qu'il aurait pu comprendre : une affaire de femmes, quoi !

— J'adore. C'est d'un chic fou. Attends, dernier détail !

Elle s'empara de la boucle, la plaça devant son cou, se fit juge de goût :

— Irrésistible ! décréta-t-elle.

Et elle ajouta, à voix basse, pour ne pas choquer les oreilles du marchand :

— Avec pareille boucle, même moi je serais assez folle pour avoir envie de coucher avec toi !

— Je la prends ! fit-il immédiatement, jouant le jeu. C'est combien ?

— Quatre cents euros. C'est pour un cadeau ? dit le marchand, prêt à l'emballer.

— Quatre cents euros !

Il crut qu'il y avait erreur : ça faisait 600 $ pour une simple boucle, alors qu'il payait souvent moins que ça pour une veste !

— C'est une boucle Versace, se défendit le marchand. C'est un bon prix, vous savez, un très bon prix. La preuve : j'en vends trois par jour, mais celle-ci est ma dernière.

Un très bon prix...

Il en vendait trois par jour...

C'était sa dernière.

Un très bon vendeur en tout cas...

Mais, de toute évidence, ce marchand n'avait pas pour habituels clients des éditeurs littéraires, ça se voyait.

Albert n'eut pas le temps de dire au marchand s'il achèterait la boucle ou pas, Versace ou pas, car son cellulaire sonna.

— Je vais être obligé de prendre l'appel, expliqua-t-il non sans embarras à Sophie, c'est Louise.

Et il fit presque sans s'en rendre compte quelques pas vers la porte, si bien que Sophie comprit qu'il préférait être seul, et elle respectait la chose.

— Pas de souci, il y a des trucs que je voulais regarder... je te rejoins dans deux ou trois minutes. Attention de ne pas te faire enlever par une Vénitienne ou une riche touriste américaine ! plaisanta-t-elle.

Il sourit, mais seulement brièvement, son téléphone sonnait avec insistance.

Il sortit de la boutique, nerveux. Cet appel était une sorte de rappel. À la réalité. Conjugale. Même s'il n'était pas marié.

Mais c'était tout comme. Vivaient tout de même sous son toit une femme, deux jumelles et un ado.

Il répondit enfin, parla à Louise, l'esprit tout occupé de Sophie.

L'infidélité n'est pas un sport aussi facile ou agréable que l'on pense, sauf en ses débuts.

En outre, Albert n'avait aucune expérience dans ce domaine.

Il craignait à chaque phrase de gaffer, de dire « on » au lieu de « je ».

Il répondait par monosyllabes, s'il pouvait, au pire par sentences d'une prudente concision.

— Le vol s'est bien passé ? demanda sa compagne.

— Oui…

— Ta chambre est bien ?

— Oui. Parfaite.

Il n'aurait jamais su mieux dire.

Heureusement, elle ne lui avait pas demandé à quel hôtel il était descendu, croyant que c'était le même que d'habitude, le Gabrielli, sinon il aurait dû mentir : le seul mensonge qu'il tolérait en cet instant était celui par omission, du reste fort utile et fort pratiqué dans les amours adultères.

— Et le congrès ?

— Je vais au cocktail d'ouverture, ce soir…

— Ah, je vois…

Elle voyait surtout qu'il n'avait pas grand-chose à lui dire.

Elle testait ce sentiment par un silence persistant.

Attendait qu'il lui demande des nouvelles d'elle, des enfants, au pire du temps qu'il faisait à Montréal. Il aurait pu aussi lui dire qu'il s'ennuyait déjà d'elle, lui murmurer un petit mot tendre, au moins gentil, quoi ! Mais il s'efforçait surtout de ne pas faire de faux pas, de ne pas dire une phrase qui le trahirait. Chose certaine, il n'était pas loquace.

— Bon, alors, se résigna-t-elle, tu dois sûrement avoir plein de trucs à faire, je te laisse, mon chéri…

Mon chéri…

Elle ne l'appelait jamais ainsi, disait plutôt Bébert, ou Bert (à l'anglaise donc phonétiquement plutôt Burt…) ou bel ami, parfois mon petit mari, même s'il ne l'était pas, situation qu'elle ne désespérait pas de voir changer. Pourquoi choisir cet instant pour lui assener ce « mon chéri » ?

Pourquoi choisir le même mot que Sophie, comme si par quelque mystérieux don de divination, elle savait qu'il n'était pas seul mais avec une autre femme, qui déjà l'appelait « mon chéri », justement… il est si mystérieux, dans un couple, le jeu de vases communicants, même entre deux personnes qui ne s'entendent plus très bien : l'habitude est sage conseillère parfois.

— Je t'aime, dit-elle.

— Moi aussi.

En général, elle se contentait de cette réponse. Pas cette fois-là. On aurait dit qu'elle avait senti quelque chose, et avait besoin d'être rassurée.

— Non, dis-le, dis que tu m'aimes !

— Mais je viens de te dire : moi aussi.

— Dis les vrais mots, dis : « Je t'aime ! »

Après une hésitation, et parce qu'il voulait mettre fin à la conversation, il y consentit, toutefois au pire moment, et de la pire manière possible.

33

IL FAUT TOUT NÉGOCIER

Un petit sac de grand luxe à la main, Sophie sortait d'un pas léger de la boutique, lorsqu'elle entendit Albert dire à Louise, de manière audible, bien trop audible :

— Je t'aime.

Elle n'avait pas besoin d'en entendre davantage.

Cet aveu (même forcé, mais elle l'ignorait) confirmait les craintes qu'elle avait depuis le premier instant, le premier regard : Albert mentait, comme tous les hommes, et encore plus certainement lorsqu'ils étaient beaux.

Elle voulut lui lancer le petit sac au visage, mais visa un peu trop haut, tout en hurlant :

— Salaud, tiens, ton cadeau !

Et elle partit d'un pas vif en direction de piazza San Marco.

— Sophie, attends, voyons, je vais t'expliquer !

Il aurait volontiers couru immédiatement après elle, pour la rattraper, mais il y avait son cadeau.

Il se tourna, le vit, dans la foule de touristes, se hâta d'aller le récupérer, mais un blondinet de 10 ou 12 ans fut plus vite que lui.

— C'est à moi, expliqua Albert, c'est un cadeau de ma femme.

Il dut lui répéter son explication dans son italien approximatif, car visiblement le gamin ne parlait pas français.

Il comprit à moitié, en tout cas assez pour poursuivre la conversation, mais contre toute attente, en anglais.

— *I do not see her.*

(Je ne la vois pas.)

Étonné, Albert dit :

— *Fight, we had a fight. How much do you want ?*

(Une dispute. Nous avons eu une dispute. Combien veux-tu ?)

— *How much do you offer ?*

(Tu offres combien ?)

Il sortit avec agacement un billet de 10 euros de sa poche.

— *More.*

(Plus.)

Albert ajouta un autre billet de 10 euros.

— *More.*

Au lieu de négocier, Albert lui arracha le sac, et, lui ayant placé avec fermeté les deux billets dans la main droite, tourna les talons et partit à la recherche de Sophie.

— *Sir, wait !* cria le gamin.

Albert eut une hésitation, finalement se tourna vers le petit garçon, qui brandissait fièrement la boucle. Albert eut quand même le réflexe stupide de soulever le papier de soie, dans le sac, vit bien qu'il n'y avait pas de boucle Versace. Comme s'il pouvait y en avoir une autre ? Admirant malgré tout la ruse du gamin dont il avait pourtant été la victime, il revint vers lui, et, comprenant que ce ne serait pas gratuit, allongea un autre billet de 10 euros.

Le gamin eut une hésitation mais vit, à l'air ulcéré d'Albert, qu'il n'obtiendrait pas davantage. Il prit le billet, remit la boucle à Albert. Ce dernier la fourra prestement dans le sac vide avant de se mettre à nouveau à la recherche de Sophie.

Il courut vers la piazza San Marco. Ne la vit pas. Pensa : *elle a peut-être décidé de rentrer à l'hôtel.* Mais il l'aperçut, au dernier endroit où il s'attendait de la trouver, en tout cas seule.

34
LA POURSUITE EN GONDOLE

Sophie venait en effet de monter dans une gondole qui s'éloignait vers le large.

— Sophie, attends ! cria-t-il, en gesticulant.

Elle l'entendit, le vit, haussa les épaules, donna instruction au gondolier de se manier.

Albert n'eut d'autre choix que de monter à son tour dans une gondole, payer au plus vite le tarif exigé, et dire :

— Suivez cette gondole !

Comme le gondolier semblait tout sauf pressé, Albert expliqua :

— Il faut rattraper cette gondole.

Le gondolier vit « cette gondole », et, que la chose fût vraie ou pas, expliqua, dans son mauvais français :

— C'est le gondolier le plus rapide de Venise.

— Combien ? répliqua Albert, qui commençait à comprendre les ruses (assez grosses et prévisibles et mercantiles) des Vénitiens, fils de marins et de marchands, ça se voyait.

— Pour vous, seulement cinquante euros.

— Cinquante euros !

Il venait déjà de lui en allonger 150 ! Quelle indécence, dans son exigence ! Pourtant, il préféra ne pas parlementer, car son gondolier semblait inapte à faire deux choses à la fois et avait cessé de ramer, et la gondole de Sophie s'éloignait de manière inquiétante.

Mais même payé, et grassement, le gondolier d'Albert ne faisait pas le poids. Celui de Sophie était un as. Albert le comprit, et cria simplement :

— Sophie, je t'en supplie, attends-moi ! Je t'aime.

Sophie n'eut qu'une brève hésitation avant de rendre les armes, fit un geste vers son gondolier, qui s'immobilisa, docile et amusé par les caprices des amoureux dont il avait eu mille exemples dans sa longue carrière.

Trois minutes plus tard, Albert passait, non sans manquer de perdre l'équilibre et sa réputation d'homme habile, de sa gondole à celle de Sophie.

Il s'assit à côté d'elle. Elle avait un petit air honteux.

— Je suis désolée, je suis stupide, j'ai mal réagi.

— On a eu notre première dispute. On est un vrai couple.

— Oui. Pour trois jours.

— Je sais, fit-il avec résignation.

Et il lui prit la main, la serra.

Ils s'aimaient.

Ils le savaient.

Et savaient aussi que ce n'était que pour trois jours.

Sophie dit :

— Tu aimes ton cadeau ?

— Je l'adore. Tu n'aurais pas dû, elle coûtait les yeux de la tête, cette boucle.

— *It's only money*. Combien de fois tu vas pouvoir acheter un si beau nœud dans ta vie ? En plus c'était le dernier. Comme celui que le marchand a remis dans la vitrine tout de suite après.

Il rit : leur première dispute ne leur avait pas fait perdre leur sens de l'humour.

Et il ajouta :

— Tu as raison : *carpaccio diem.*

Elle rit à son tour.

Puis Sophie se tourna vers le gondolier, et dit :

— Changement de plan. Ca'Dario, l'ami.

— Ca'Dario ? fit le gondolier, en arrondissant les yeux, et on pouvait y lire un mélange d'étonnement et de défiance.

35

LE PALAIS MAUDIT

— Oui, *palazzo Dario*, dit-elle, ce qui n'était qu'un autre nom pour le même palace sur le Grand Canal où habitait depuis un peu plus d'un an son patient et ami Giorgio Santini.

— Si vous voulez. Mais je ne vous attends pas devant.

— Est-ce que je vous ai demandé de nous attendre ?

Albert, qui avait noté le subtil effarement du gondolier, et son refus de les attendre, demanda à Sophie :

— Mais je... pourquoi cette réaction ?

— Tu n'as jamais entendu parler de Ca'Dario ?

— Non, désolé.

— Écoute, c'est une légende, je veux dire pour tous les Vénitiens, *palazzo Dario* est un palais maudit.

— Un palais maudit ?

— Oui, depuis sa construction, à la fin du 15e siècle, par Giovanni Dario, un riche ambassadeur vénitien à Constantinople, tous ses propriétaires ont connu des destins malheureux, mort accidentelle, suicide, meurtre, faillite...

— Pendant plus de 500 ans ?

— Oui, même à notre époque, le gérant des Who's, Kit Lambert, qui l'avait acheté, a été trouvé mort dans sa chambre avec une seringue dans le bras.

— Mais c'est peut-être juste une suite de hasards.

— Ça en fait beaucoup.

— Alors comment tu expliques ça ?

— Il y a des Vénitiens qui disent que c'est à cause de l'inscription devant le palais.

— Une simple inscription ? fit Albert avec scepticisme.

— Attends que je te la montre, tu vas comprendre.

Ils arrivèrent devant Ca'Dario, une construction plus haute que large, comme du reste bien des demeures sur le Grand Canal. Sa façade était ornée de médaillons de marbre polychromes, et son toit de nombreuses cheminées.

Aussitôt après être descendue de la gondole, Sophie montra à Albert l'inscription sur la façade du palais. Elle disait simplement : *URBIS GENIO IOANNES DARIUS.*

— Ben, ça ne dit rien de bien maléfique, objecta Albert qui, s'il parlait plutôt mal l'italien, le lisait avec assez de facilité, assez en tout cas pour pouvoir lire dans le texte les romans italiens dont les droits l'intéressaient.

Il ajouta, traduisant :

— Giovanni Dario, en l'honneur du génie de la ville.

— C'est l'anagramme qui est inquiétante.

— Une anagramme ? Quelle anagramme ?

Il avait froncé ses blonds sourcils en fixant avec insistance la banale inscription, mais ne voyait rien, ce qui le mortifiait, lui qui se croyait habile à ce genre de jeu.

Elle lui montra des lettres, et comme il en avait la mémoire autant que celle des mots, il put composer, non sans ahurissement, l'anagramme suivante, qu'il balbutia, encore sceptique:

— *Sub ruina insidiosa genero…*

Et, pensif, il la traduisit, mais pour lui seul évidemment, en marmonnant:

— Qui vit sous ce toit connaîtra la ruine.

Après un instant, il objecta:

— Mais, quand même, ce ne sont que des mots, difficile à croire qu'ils aient causé la ruine de tant de propriétaires du palais.

Sophie ajouta alors:

— Il y a des Vénitiens qui disent que le palais est maudit parce qu'il a été construit sur un cimetière templier.

À ces mots, Albert devint blanc comme un drap.

Sophie le nota, s'en inquiéta aussitôt, comme s'il était son mari, comme si elle était sa femme.

— Mais qu'est-ce que tu as?

— Rien, je n'ai rien…

Mais il avait quelque chose.

Elle le sentait bien.

Pourtant elle n'insista pas, malgré une certaine déception, comme si elle savait qu'il ne lui disait pas tout. Ou peut-être se faisait-elle simplement des idées.

Elle ne se faisait pas d'idées à la vérité.

C'est qu'en entendant cette légende au sujet de la construction du palais, Albert s'était rappelé un autre des segments de la prédiction de Madame Socrate.

« Vous visiterez un cimetière, et votre destin avec cette femme dépendra de son gardien. »

Albert raisonna que les prédictions de Madame Socrate, à plusieurs reprises, avait annoncé son avenir avec une saisissante justesse, mais qu'elles se présentaient sous la forme de cadeaux emballés avec, comment dire, un peu de poésie et de mystère, ce qui n'enlevait rien à leur véracité : il fallait juste un certain talent d'interprète.

Il pensa aussi que le gardien du cimetière était forcément le richissime Giorgio, et ça souleva en lui un relent de la jalousie ressentie quand il avait vu la bouteille de champagne, l'immense bouquet de roses : si son destin avec Sophie dépendait de lui, c'est peut-être qu'il était son rival, et qu'il triompherait.

Lorsque Sophie le lui présenta, quelques instants plus tard, ça n'apaisa en rien sa jalousie, bien au contraire !

36
LE MYSTÈRE S'ÉPAISSIT

C'est que Giorgio était un homme d'une beauté extraordinaire, avec de grands yeux bleus et clairs, que faisaient ressortir ses cheveux noirs et gominés, son teint basané, son sourire ravageur illuminé par ses dents éclatantes de carnassier du monde des affaires. En plus, il était grand, mince, athlétique, avait 29 ans, était immensément riche, avait un charme fou, était amusant et extravagant : pas une mauvaise combinaison, quoi !

Ce n'est pas lui qui leur avait ouvert la porte, bien entendu, mais une domestique, une Vénitienne quinquagénaire à l'air suspicieux, car elle se méfiait de tous les visiteurs qui approchaient son patron dont elle était éperdument amoureuse.

Pour accéder à cette porte, il leur avait fallu gravir l'escalier du rez-de-chaussée qui, comme celui de la plupart des résidences vénitiennes, n'est pas habité, vu les inondations hivernales trop fréquentes, et l'humidité intolérable.

Albert éprouva tout de suite une sensation étrange, un inconfort. Était-ce en raison de tout ce que Sophie lui avait dit au sujet de Ca'Dario ?

C'était d'un luxe insolent, bien entendu, avec des marbres, des tableaux, des fresques, des meubles achetés chez les plus grands antiquaires, chez Harrod's de Londres, à Milan, dans le *Quadrilatero d'Oro*, à Paris, à New York, mais l'ensemble dégageait le sentiment que le palais n'était pas habité, ou alors habité par de mauvais esprits, des démons, tout le contraire de la joie de vivre, ça dégageait la tristesse de mourir. L'argent n'achète pas tout, beaucoup s'en faudrait.

La rencontre d'Albert et de Giorgio fut brève.

Brève mais mystérieuse.

Elle débuta par un Giorgio ravi de revoir sa psy et amie Sophie. Et qui pendant trente (interminables) secondes ignora complètement Albert, comme s'il n'était pas de la partie.

— Sophie, merveilleuse Sophie ! dit-il en lui prenant les mains, qu'il embrassa longuement, et en l'admirant avec calme et volupté, dans ce décor de luxe.

Il s'était immédiatement levé de l'immense table de la salle à manger où il était assis, et dégustait un café tout en lisant ses journaux matinaux.

Sorte de Hugh Hefner vénitien, malgré l'heure avancée du jour, il portait une robe de chambre de satin rouge et noire. Noire comme les pensées qui avaient tout de suite envahi l'esprit d'Albert, qui s'était toujours cru imperméable à la jalousie.

— Quel immense plaisir de te revoir ! Tu as fait bon voyage ?

— Oui…

— Tu as l'air dans une forme splendide.

— Tu connais mon régime spartiate.

Et comme elle commençait à trouver embarrassant le fait que Giorgio ignorât Albert, elle dit :

— Je te présente mon ami Albert, éditeur de profession.

— Ah ! Albert, enchanté de vous accueillir dans ma modeste chaumière vénitienne.

— Tout le plaisir est pour moi, répliqua ce dernier.

En lui serrant la main, Giorgio s'intrigua :

— Mais on se connaît, non ?

— Euh, je ne crois pas.

— Oui, oui, je suis certain, je vous ai déjà vu à Montréal.

— Je vis à Montréal, je m'en confesse, mais je…

— Restaurant Leméac, le printemps passé, le coupa Giorgio, sûr de son fait.

— Euh, oui, peut-être, je suis un régulier de Leméac, c'est même ma cafétéria, si je peux dire, j'y fais presque toutes mes rencontres d'affaires. Pourtant, je ne crois pas avoir eu l'immense plaisir de…

Il ne termina pas sa phrase, et ses yeux s'arrondirent, comme s'il hallucinait tout à coup : sa compagne Louise venait de faire son apparition dans le salon pour se joindre à eux !

37

CULPABILITÉ, CULPABILITÉ, QUAND TU NOUS TIENS...

Albert eut un mouvement de recul.

Et son cœur se mit à battre très fort, comme si la panique la plus puissante s'était emparée de lui.

Comment sa femme, avec qui il avait parlé il y a à peine une heure, pouvait-elle se trouver à Ca'Dario ?

Peut-être parce que ses amours clandestines avec Sophie Stein étaient maudites, et lui porteraient malchance.

Mais bien vite il se remit de son émotion, du moins en partie.

Car il constatait sa méprise.

La magnifique blonde pulpeuse de 27 ou 28 ans, *dressed to kill*, ou si vous voulez sexy à souhait, dans un pantalon de cuir rose et un top noir dont le décolleté peu subtil faisait une tapageuse publicité du charme de ses seins, n'était pas sa femme, mais elle aurait pu être sa sœur, non seulement sa sœur mais sa jumelle.

Une autre coïncidence singulière se produisit lorsque Giorgio présenta la bombe de sexe qui lui tenait lieu de compagne ou de trophée ou d'amie ou de confidente ou d'infirmière ou de masseuse ou de lectrice, comment savoir avec les hommes qui achètent tous les gens, tous leurs silences ? Il dit, et on ne pouvait jamais savoir s'il était sérieux ou s'il plaisantait et ça tuait toutes les femmes de sa vie, ou pour mieux dire celles qui auraient aimé être les femmes de sa vie :

— Sophie, Albert, je vous présente ma fiancée, Valérie. Qui a survécu à sa naissance dans une famille d'aristocrates français. Je fais affaire avec son père. Comme disait John F. Kennedy, je ne vois rien de répréhensible avec le népotisme, en autant que ça reste dans la famille.

— Parfaitement d'accord, répliqua avec assurance Albert. Et pour y aller d'une autre citation célèbre, comme disait Woody Allen : « La richesse vaut mieux que la pauvreté, ne serait-ce que pour des raisons financières. »

— Vrai, approuva Giorgio, qui avait éclaté de rire, à l'unisson avec Sophie : seule Valérie était demeurée imperturbable, incapable de se débarrasser de son faciès de marbre, semblable en ceci à tous les planchers de Ca'Dario.

Sophie se dit enchantée, tendit la main à Valérie, qui parut hésiter à la lui serrer, mais le fit enfin, fort brièvement : elle avait senti immédiatement l'attirance de Giorgio pour la magnifique psychiatre, et ce n'était pas pour lui plaire.

Albert, un peu bizarrement, ne tendit pas la main vers Valérie, enfin pas tout de suite. Sophie se tourna vers lui, cherchant à comprendre sa réticence, qui était un manque de tact. Elle vit son embarras, et, par un malentendu fréquent en amour, l'attribua à la mauvaise raison.

Elle crut qu'il était troublé par la beauté de Valérie. Submergée de jalousie, elle pesta intérieurement : *elle est jeune, elle est blonde, elle a des seins ! Et alors forcément elle plaît aux hommes, qui sont tous si prévisibles, si banalement prévisibles ! Et moi, je suis une conne, la dernière des connes, je me suis laissé enguirlander comme une adolescente par Albert, qui m'a étourdie avec ses ridicules idées d'âme sœur ! S'il avait à choisir entre elle et moi, il n'hésiterait pas une seconde ! Et dire que j'ai trompé mon mari avec cet homme volage et banal, qui aime les blondes à gros seins ! Je me dégoûte, j'ai envie de me jeter dans la Lagune.*

— Bon, fit Albert, je vous laisse.

— Déjà ? s'étonna avec raison Giorgio. Vous ne restez même pas pour un café ou une coupe de champagne ?

— Non, je ne suis que le taxi de Sophie.

— Le taxi de Sophie. Un métier enviable..., philosopha-t-il.

Cette remarque, sérieuse ou pas, ne sembla pas plaire à sa fiancée, qui se rembrunit, même si elle était blonde, et eut envie de crever les yeux de Sophie. Ou de son petit ami, qui n'était pas son fiancé.

— Et je suis déjà en retard pour mon congrès à La Fenice.

— Je vous en félicite. Seuls les *losers* arrivent à l'heure !

— J'en prends bonne note, fit Albert.

— J'espère qu'on se reverra, ici ou à Montréal.

— Dans un cas comme dans l'autre, ce sera avec grand plaisir, et je ferai tout mon possible pour être en retard.

Giorgio goûta le mot et dit à Sophie :

— Je commence à aimer ton ami, il s'appelle comment, tu m'as dit ?

— Albert Camus. Tu as d'autres angoisses philosophiques ?

Et, ayant émis ce sarcasme qui fit rire Giorgio (il avait des lettres, même s'il avait abandonné les ennuyants bancs d'école à 15 ans, déjà trop occupé à faire de l'argent), elle lui donna une petite tape sur la joue, et à nouveau sa fiancée eut envie de lui arracher les yeux.

Albert, lui, était ravi, et souriait, malgré ce bizarre rappel de la vie du fait qu'il trompait sa compagne, car il goûtait une fois de plus l'esprit de Sophie, et en plus elle avait fait allusion à l'un de ses auteurs favoris.

38

JE NE PEUX PLUS VIVRE SANS TOI

Albert marcha d'un pas vif et angoissé le long du Grand Canal, puis dans les petites ruelles de Venise, comme un homme qui voulait fuir son passé – ou se défiait de son avenir.

Marcha vers La Fenice.

Dans le quartier San Marco, ce théâtre, presque égal en renommée à la Scala de Milan ou à Carnegie Hall, à New York, avait accueilli des opéras de Rossini et de Verdi comme *La Traviata*, et aussi des ballets ou des concerts de Prokofiev et de Stravinsky.

On peut dire qu'il portait bien son nom, car *fenice* veut dire phénix, cet oiseau légendaire qui renaît de ses cendres, et que l'édifice avait justement été incendié trois fois, dont la dernière fois criminellement à la fin du 20e siècle. À partir de 2001, il avait, selon la volonté bien arrêtée des édiles de la Sérénissime, été reconstruit à l'identique, *com'era et dov'era*, ce qui signifie : comme il était, où il était, c'est-à-dire, 1965, Campo San Fantin, dans le quartier San Marco, avec, entre autres, ses cinq étages de loges décorées en rouge et or, glorieuse marque de commerce de l'illustre théâtre.

Pourtant, malgré cette munificence, malgré des collègues éditeurs du monde entier, dont plusieurs le connaissaient et venaient le saluer avec bonheur ; lui demander de ses nouvelles ; s'informer de ses plus récents bons et mauvais coups (éditoriaux), des grandeurs et misères du marché du livre dans son coin de l'Univers, à peine entré dans ce lieu mythique et magique, Albert, mortellement ennuyé, se remémora des passages des lettres de Diderot au grand amour de sa vie, Sophie Volland, qu'il avait lues en volant. De Montréal à Rome.

« Tout ce qui m'environne me lasse, m'attriste et me déplaît. Mais qu'on me promette ici mon amie, qu'elle s'y montre et tout à sa présence s'embellira subitement. (...) On me trouve sérieux, fatigué, rêveur, inattentif, distrait. Pas un être qui m'arrête ; jamais un mot qui m'intéresse ; c'est une indifférence, un dédain qui n'excepte rien. »

Tout ce qui m'environne me lasse et m'attriste...

Albert aurait pu dire la même chose après Diderot.

Il éprouvait un vide, une difficulté d'être... sans Sophie !

Un manque l'envahissait : celui de cette étrangère qui lui était déjà si familière !

Sophie lui manquait d'autant plus qu'elle avait été claire, qu'elle avait été formelle au sujet de leur aventure. (Aventure : le mot déjà le hérissait, le heurtait, le faisait souffrir, pire encore le tuait.)

Ils ne seraient ensemble que le temps de leur séjour vénitien, donc trois jours.

Après, chacun retournerait à sa vie, à son ennui.

Passer trois heures sans un être avec qui vous vivrez vingt ans, ce n'est pas dramatique, c'est banal.

Mais passer trois heures sans l'être que vous aimez follement et avec qui vous ne pouvez passer que trois jours, par quelque décret du destin, ou par vous ou par l'autre formulé, c'est une angoisse qui vous fait suffoquer, c'est même une sorte de fin du monde.

Cette sorte de fin du monde fut du reste augmentée pour Albert par la vue d'une petite fille de 7 ans, qu'un éditeur divorcé avait emmenée avec lui, car il ne pouvait la voir qu'un week-end sur deux, donc quatre jours par mois, donc quarante-huit jours par année, et comme il l'aimait comme la prunelle de ses yeux, il profitait sagement de chaque instant de bonheur avec elle, l'emmenait partout, du moins quand c'était son week-end, leur week-end.

Albert pensa à sa fille Lisa.

Lisa, la joie de sa vie, le chagrin de sa vie, la plus grande douceur, la plus grande douleur selon ce que dit de l'amour le beau et le bel Euripide, depuis qu'elle était partie. Vivre avec son petit ami.

Lisa qu'il emmenait partout quand elle était enfant.

Lisa qui était partie parce qu'elle n'était plus une enfant.

Lisa qui lui avait brisé le cœur car elle était encore son enfant – et le serait à tout jamais.

Lisa qu'il n'avait pas emmenée avec lui à Venise.

(Elle lui aurait dit non sans doute, vu son petit ami, vu sa nouvelle vie.)

Mais ça lui avait permis de rencontrer Sophie.

Avec qui il passerait trois jours.

Mais il lui manquait des heures.

Des heures avec Sophie.

Le grand vide de sa vie.

Depuis qu'il la connaissait.

Il dit à l'éditeur qui le bombardait de questions :

— Je vais aller fumer une cigarette !

— Je ne savais pas que tu fumais.

— Moi non plus ! Incroyable comme coïncidence, quand même !

— Oui, c'est vrai, fit l'éditeur, qui ne réalisait pas qu'Albert se payait sa tête, et se la gratta en le voyant s'éloigner.

Seul à la porte de La Fenice, enfin libéré de la foule de ses collègues qui le déprimaient, malgré leur gentillesse, malgré leurs drames à eux aussi et l'absurdité de leur vie, Albert texta à Sophie :

« Si tu n'as rien d'autre à faire, et avec personne d'autre que moi, on se voit piazza San Marco au café Florian à 20 h. Tu me manques déjà. Vraiment. Est-ce une erreur fatale de te montrer la chambre la plus secrète de mon cœur, chère âme sœur, du moins selon la logique de Madame Socrate ? »

Elle lui répondit, après cinq petites minutes qui lui parurent pourtant comme cinq longues heures :

« Mon patient est un tyran. Je vois si je peux lui échapper à temps. La jalousie de sa fiancée est de notre côté. Sinon on se voit plus tard dans la chambre de Balzac ou de Musset. Si ça ne te lasse pas trop que je te supplie toujours : Attends ! »

Il trouva son texto charmant et amusant. Mais ce n'était pas le message qu'il aurait aimé recevoir.

Il aurait aimé qu'elle lui avoue, qu'elle lui crie son désespoir.

De le voir.

Qu'elle se confesse qu'elle n'en avait rien à cirer de ce patient extravagant, d'autant qu'il vivait dans un palais maudit, supposément !

Il retourna au Danieli.

On lui remit la clé de la suite en lui disant : « Avec plaisir, monsieur Stein » : il ne pensa pas à rectifier cette erreur, toujours la même, ça devenait lassant ou ridicule, à la fin !, répondit aux 100 et quelques courriels qu'il avait reçus depuis la veille, lut quelques autres lettres de Diderot à sa maîtresse, pensa à sa fille en allée, lui envoya un texto : « *Miss you, love you*, de peuuupa de Venise », puis partit vers le café Florian avec au moins vingt minutes d'avance, comme s'il espérait secrètement que Sophie serait elle aussi à l'avance, même si elle l'avait prévenu que peut-être elle ne pourrait pas le rencontrer.

Il voulait la voir le plus vite possible.

Car chaque minute sans elle lui semblait une minute vide.

Et perdue.

Et absurde.

Vide et perdue et absurde.

Ce n'est pas une répétition involontaire, d'un auteur distrait ou surmené : juste une manière.

De tenter de vous faire comprendre la misère.

De ce pauvre Albert.

Même s'il était à Venise, qu'il vénérait, de même que le mont de Vénus de Sophie, depuis peu, son nouveau refuge, sa nouvelle vie, la forêt enchantée et merveilleuse où il voulait désormais passer toutes ses vacances, toutes ses errances.

Mais à 19 h 45, Sophie n'était pas là.

Ni à 20 h.

Ni même à 20 h 15.

Il en conclut, mortifié, que sa hâte était solitaire.

À 20 h 30, il eut la (déprimante) certitude que Sophie ne viendrait pas.

Ça éteignit sa joie.

Il se commanda un scotch.

— Un scotch, oui, monsieur, fit le serveur, un vieux Vénitien de souche de 70 ans, qui avait vu des millions d'amoureux, certains heureux, certains malheureux.

— Double, précisa Albert.

Subtil, le serveur, qui comprenait la raison du désespoir éthylique de son client, suggéra :

— Je retire le deuxième couvert ?

Optimiste, Albert lui avait demandé d'en mettre deux.

Car il attendait (désespérément) quelqu'un qui visiblement ne viendrait pas, ne viendrait plus.

Il tendit au serveur un billet de 10 euros, lui demanda de prier l'orchestre de quatre musiciens qui égayait le café de jouer à leur manière, italienne ou américaine, *Strangers in the Night*.

Le serveur prit le billet, s'inclina et se retira avec le deuxième couvert inutile.

Mais au même moment, Albert entendit derrière lui une voix qui disait :

— On vous a posé un lapin ? Est-ce que je peux vous servir de prix de consolation ?

39
PARCE QUE C'ÉTAIT ELLE...

C'était elle.

ELLE.

E-L-L-E.

Sophie.

Qui lui donnait depuis peu des ailes.

Qui lui démontrait par A + B ce que ce pouvait être de rencontrer une femme qui était… ELLE.

Celle qu'on attendait.

Sans vraiment y croire.

Celle qui donnait un sens à sa vie, comme une philosophe subtile et profonde.

Elle.

Retardataire, mais qui n'avait quand même pas manqué à l'appel.

De lui à elle.

Il s'était retourné, s'était aussitôt levé, l'avait serrée dans ses bras, longuement, tendrement, désespérément, comme s'il avait été séparé d'elle depuis un an, depuis cent ans, ou qu'il savait trop qu'il serait séparé d'elle, d'eux, de leur couple de trois jours, dans un ou deux jours et pour toujours.

— Je ne pensais plus que tu viendrais.

— C'était ça ou je me faisais étriper par la fiancée de Giorgio. Je peux ?

Elle désignait une des quatre chaises à dossier de rotin entourant la ronde table nappée de jaune du café Florian qui avait accueilli tant d'amants, depuis sa fondation en 1720, par Floriano Francesconi, qui lui avait donné son nom.

— Non.

— Non ?

Car le garçon de table avait remis les 10 euros au petit orchestre, qui déjà avait entamé *Strangers in the Night*, et Albert avait envie de danser, avait surtout envie de serrer Sophie. Dans ses bras. Comme si c'était la première fois. Comme si c'était la dernière fois.

La serrer dans ses bras, sentir son parfum, avoir sa joue contre sa joue, respirer son parfum, ses cheveux, avoir ses jambes mêlées à ses jambes, la serrer comme s'il n'avait encore jamais couché avec elle, et pourtant déjà il ne pouvait plus compter les fois.

Il y avait tant d'autorité dans sa voix, tant de décision, tant de désespoir qu'elle ne put dire non : d'ailleurs elle adorait danser, et comme ce n'était pas le truc de son mari, elle avait vingt ans à rattraper.

Ils dansèrent comme s'ils avaient commencé à danser ensemble il y a dix ans.

Ensuite, de retour à table, ils parlèrent : le serveur s'était empressé de rapporter le deuxième couvert, avait décoché un clin d'œil complice à Albert.

— Ça s'est bien passé avec ton patient ?

— Oui… grosso modo.

— Sa fiancée n'a pas l'air de te porter dans son cœur…

— Non. Mais je ne le prends pas personnellement, elle est jalouse de toutes les femmes.

— Pourtant, elle est plutôt…

Il allait dire sexy, ou canon, ou appétissante. Heureusement, il se retint.

— N'aie pas peur de le dire, elle est belle, elle est jeune, elle est taillée au couteau. Le cauchemar de toutes les femmes, quoi ! J'ai vu l'effet qu'elle te faisait.

— Elle ne me l'a pas fait pour les raisons que tu penses.

— Pour quelle raison, alors ?

— Parce qu'elle pourrait être la sœur jumelle de ma conjointe.

— Vraiment ?

— Oui, au début pendant quelques secondes, j'ai même pensé que c'était elle, même si c'était absolument impossible.

Le serveur leur apporta des pâtes. Parfaites, quoique simples.

— Giorgio, il doit bien connaître la réputation de Ca'Dario, fit l'éditeur, esquivant le sujet.

— Oui, évidemment. D'ailleurs, je lui ai vivement déconseillé de l'acheter, quand il est venu la dernière fois à Montréal, en avril dernier, et qu'il m'a dit qu'il voulait s'en porter acquéreur. Mais il ne croit pas à toutes ces légendes de suicide et de faillite. D'ailleurs il m'a dit qu'il avait fait 350 millions depuis qu'il l'avait acheté.

— Et sauf erreur, il ne s'est pas suicidé, en tout cas pas avec succès, plaisanta Albert.

— Non, mais…

— Mais quoi ?

— Je ne devrais pas te dire ça, à cause du secret professionnel, mais depuis que Giorgio a acheté le Palazzo Dario, il fait fiasco avec les femmes. Tu sais ce que ça veut dire, faire fiasco ?

— Euh... oui. J'ai lu Stendhal.

— Et pourtant ça ne fait même pas un an qu'il sort avec Valérie. Il l'a rencontrée quelques semaines après son retour de Montréal. Et normalement, au début, dans un couple, c'est plutôt le feu d'artifice.

— C'est pour ça qu'elle est jalouse ?

— Oui. Évidemment. En plus, elle doit penser qu'il la trompe. Parce qu'un homme de son âge qui ne peut pas honorer une femme...

— Mais pourquoi ne le quitte-t-elle pas ?

— Elle doit l'aimer.

— Ou aimer l'argent.

— Son père est archi-riche.

Albert n'eut pas le temps de poursuivre cette conversation pour le moins étonnante, même s'il était habitué aux paradoxes amoureux, aux bizarreries sentimentales, car le cellulaire de Sophie sonna. Elle vérifia la provenance de l'appel.

— Mon mari... Je vais le prendre..., expliqua-t-elle, contrariée, ou inquiète, il n'était pas facile de trancher.

Elle se leva et s'éloigna de quelques pas, et bien entendu Albert ne protesta pas.

Lorsqu'elle revint à la table, à peine une minute ou deux plus tard, elle semblait catastrophée.

— Une mauvaise nouvelle ? s'enquit Albert, le plus naturellement du monde.

— Non. Oui. Mon mari a fait un cauchemar dans lequel un homme blond dévalisait notre maison, et me volait ma bague de mariage… Un homme blond, pourquoi a-t-il dit un homme blond, c'est assez précis, non ?

— Oui, Freud n'était pas complètement con.

Comme si elle n'avait pas entendu sa réflexion, ou, trop troublée, était incapable d'en tenir compte, Sophie poursuivit ainsi :

— Il dit qu'il s'est réveillé en sueur, qu'il avait un mauvais pressentiment, qu'il pensait qu'il m'était arrivé quelque chose.

« Je l'ai rassuré, je lui ai répondu qu'il ne m'était rien arrivé. »

Et disant cela, elle fixait Albert, comme si elle espérait qu'il lui rétorque qu'il lui était arrivé quelque chose.

D'important.

De décisif.

De définitif.

Comme le grand amour.

Albert ne dit rien. Car il songeait, catastrophé : *elle aime vraiment son mari, et jamais elle ne se séparera de lui.*

Ce que Sophie mentionna ensuite le renforça dans ce déprimant sentiment :

— Il ne m'appelle jamais quand je suis en voyage, jamais. Je me sens si ordinaire.

— Ordinaire ?

— Oui, c'est tellement facile de tromper son mari quand il n'est pas là.

— On ne peut quand même pas le tromper quand il est là…

— Tu es con, je veux dire le tromper quand on est en voyage.

— Je sais…

— Je me sens coupable, tellement coupable. Je ne me suis jamais sentie aussi mal. Aide-moi, Albert, aide-moi !

— J'ai peut-être une idée.

40

AIMER, C'EST QUOI ?

Dans la suite Alfred de Musset-George Sand, Sophie, complètement nue et voisine d'une cariatide, s'appuyait à deux mains contre une des vastes fenêtres, comme si elle cherchait à ne pas perdre l'équilibre, à ne pas perdre la tête, même si elle la perdait. Parfois elle fermait les yeux, peut-être pour oublier pour un temps son horrible sentiment de culpabilité, parfois elle les ouvrait, et alors elle voyait la lagune.

Albert aussi pouvait voir la lagune, car il se trouvait derrière Sophie, tout contre elle et la prenait sauvagement, la prenait désespérément, la prenait passionnément.

Dans l'espoir, peut-être, de lui faire oublier son mari.

Dans l'espoir, peut-être, d'oublier sa compagne, que la fiancée de Giorgio lui avait brutalement rappelée.

Ce couple qui n'avait pas de passé apparent, sauf dans les étoiles peut-être et la nuit des temps ou alors dans la boule de cristal de Madame Socrate, donnait une surprenante et originale illustration de la formule fameuse de Saint-Exupéry : « Aimer, ce n'est pas se regarder l'un l'autre, c'est regarder ensemble dans la même direction. »

41

CE QUI SE PASSE À VENISE NE RESTERA PAS À VENISE

Le dernier soir, coquin, débuta dans les rires.

Ils étaient rentrés se rafraîchir et en fait se changer à l'hôtel, avant un dernier souper, lorsque Sophie se plaignit :

— Finalement je ne t'aurai jamais vu dans ta boucle Versace. À croire que tu ne l'aimes pas !

— Mais je pensais que tu voulais aller manger dans une petite pizzeria près du Rialto.

— Ils n'ont pas de règlement qui interdise d'être élégant.

— Touché. Donne-moi deux minutes !

Il disparut dans la salle de bain.

Il avait eu la même idée qu'elle.

Car lorsqu'il revint au salon, il ne portait que la boucle Versace, qui avait coûté les yeux de la tête à Sophie, et la lui fit perdre à nouveau : elle, assise, les (longues et fines et athlétiques) jambes croisées sur un fauteuil de velours rouge, était dans la tenue d'Ève, si on excepte les gants de léopard qu'il lui avait offerts !

Le dernier soir, coquin, s'acheva dans les pleurs.

Sophie jouit encore plus que la première fois.

Parce qu'elle savait que c'était la dernière fois.

On aurait dit qu'elle voulait prendre des provisions de volupté avant de retourner à son mari.

Mais après la dernière fois, où elle faillit du reste s'évanouir tant elle était allée loin, tant elle s'était perdue, dans une région qui jusque-là lui avait été inconnue, mais qu'elle découvrait avec plaisir, c'est le cas de le dire, elle se mit à pleurer.

— Qu'est-ce que tu as, ma chérie ?

— Je ne pense pas que c'était une bonne idée...

— De faire l'amour avant d'aller manger ?

— Non, l'idée de dire : « Ce qui se passe à Venise reste à Venise. »

Et ayant dit cela, elle s'essuya les yeux de ses mains gantées de léopard. Elle commenta son geste :

— Je suis en train de ruiner les beaux gants que tu m'as donnés.

— Ce ne sont que des gants, ce qui compte, c'est l'état de ton cœur.

— Si c'est ce qui est important, dis-moi, toi, tu es d'accord avec cette idée ?

— Du secret vénitien ?

— Oui. Tu vas pouvoir te passer de moi, mon chéri ?

— Oui.

— Oui ?

— Le jour de ma mort.

— Oh, tu es sûr que tu es seulement éditeur, pas auteur de romans à l'eau de rose ?

— Tu me fais réfléchir : j'ai peut-être passé à côté de ma véritable vocation. Comme trois personnes sur quatre.

— Je sais, j'en reçois toutes les semaines dans mon cabinet, mais…

— Mais quoi ?

Elle ne lui répondit pas tout de suite. Elle hésitait.

Enfin elle s'ouvrit :

— Il y a quelque chose que je ne t'ai pas dit, et qui a un peu rapport avec notre stupide pacte vénitien, enfin je crois, mais je me fais peut-être juste des idées, tu me diras. La veille de mon départ pour Rome, j'ai rencontré une voyante.

— Une voyante ? Ce n'est pas ton genre, il me semble.

— Tu as raison. Mais j'avais une patiente qui tenait absolument à ce que je la voie.

Albert trouva tout de suite que ça ressemblait étrangement à l'insistance de son comptable à lui faire rencontrer Madame Socrate, supposée auteure d'un futur best-seller : un refrain qu'il avait entendu si souvent, il n'avait qu'à y penser trois secondes pour avoir envie de rire ou de bâiller.

— Au début, je trouvais qu'elle disait des conneries, elle m'a dit que j'étais une femme très seule depuis des années. Je suis mariée depuis dix-sept ans. J'ai pensé : elle dit n'importe quoi, elle est mûre pour un poste de ministre.

— De premier ministre même.

— Vrai. Puis je me suis dit, c'est vrai, je suis une femme seule, au fond, même si j'ai un mari, une fille, des patients. Je suis seule parce que, sans ma fille, je serais infiniment seule, et je sais bien qu'elle va partir un jour ou l'autre, elle a un petit ami, ils sont follement amoureux. Je vis sur du temps ou pour mieux dire sur du bonheur emprunté. Oui, au début, je me disais, elle déconne, cette voyante de mes fesses, elle parle à travers son chapeau, ou plutôt son turban…

— Son turban ? demanda Albert, qui eut des frissons sur tout le corps.

Car quelles étaient les chances que cette femme fût une autre voyante que celle qu'il avait rencontrée, sceptique, dans son bureau ?

— Oui, elle portait cinquante-six bracelets et un turban avec une grosse émeraude, probablement fausse : c'est payant, sa fumisterie, probablement plus que la mienne, railla la belle, autodérisoire au sujet de son métier de psychiatre, du grand art.

Albert fut un instant hilare, puis, redevenu sérieux, il demanda :

— Elle s'appelait Madame Socrate ?

— Comment as-tu fait pour deviner ? demanda-t-elle avec le plus grand étonnement.

— Parce que je l'ai rencontrée moi aussi, il y a trois semaines. Et elle m'a parlé de toi.

— De moi ? Mais elle ne savait même pas qui j'étais ! riposta-t-elle.

— Elle m'a dit que tu travaillais avec les esprits. Tu es psy, non ?

— Oui et Madame Socrate m'a aussi parlé de toi. Elle m'a dit que je rencontrerais un homme blond, et qu'il vivait dans une maison dont les murs étaient des livres. Ça te ressemble un peu, non ? Alors… peut-être que ce n'est pas une bonne idée de dire que ce qui s'est passé à Venise restera à Venise.

— Non, ce n'est peut-être pas une bonne idée.

Ils en convinrent qu'ils ne pourraient jamais cesser de se voir.

Pour les ennuis que ça leur causerait, ils s'arrangeraient : la fin ne justifie-t-elle pas les moyens ?

Mais la certitude de leur pacte ne tarda pas à être ébranlée le lendemain après-midi vers 17 heures, à l'aéroport de Montréal.

42

CE QUI S'EST PASSÉ À VENISE RESTERA (FINALEMENT) À VENISE

Ils avaient franchi les douanes, et marchaient vers la sortie, un peu nerveux, et un peu tristes, mais avec la consolation qu'ils se reverraient sous peu, lorsque Sophie s'immobilisa, interdite. Albert s'arrêta, se tourna vers elle, lui demanda :

— Mais qu'est-ce que tu fais ?

— Tes jumelles, elles ont environ 6 ou 7 ans ?

— Euh oui, je… Pourquoi me demandes-tu ça ?

— Parce qu'il y a une femme qui ressemble comme deux gouttes d'eau à la fiancée de Giorgio et qui t'attend avec deux adorables petites filles blondes à la sortie !

— Hein ?

Albert se retourna, scruta la foule des gens qui formaient pour ainsi dire le comité d'accueil, aperçut effectivement une femme qui ressemblait comme deux gouttes d'eau à la fiancée de Giorgio, parut atterré : c'était effectivement sa compagne avec les jumelles.

— Je ne comprends pas, elle ne vient jamais me chercher… Je… Elle doit se…

Il n'acheva pas. Il voulait dire : *elle doit se douter de quelque chose, sinon pourquoi cette surprise ?*

Il se retourna à nouveau vers Sophie.

C'est elle qui, cette fois-ci, paraissait atterrée.

Car elle venait de voir un homme très distingué, très beau, très grand, avec des cheveux abondants mais tout gris qu'il ne teignait pas, des yeux bleus que rendaient encore plus sévères ses lunettes à grosse monture noire : c'était son mari !

Elle le dit entre ses dents à Albert, comme si son mari pouvait l'entendre.

— Mon mari est venu me chercher, lui qui n'a pas fait ça depuis une éternité. Et comme si la vie voulait nous envoyer un gros message en trois copies, en tout cas en deux copies, il est juste à côté d'elle, et tiens, c'est un comble, il lui parle !

Elle alla plus loin dans sa réflexion : son mari faisait du plat à la femme d'Albert !

Une vague de jalousie aussi soudaine qu'inattendue monta en elle, même si elle venait de tromper son mari pendant trois jours ! Elle fut la première à s'en surprendre. Malgré toute sa logique, elle n'était pas à l'abri des contradictions du cœur.

— On ne pourra plus se voir, Albert, je suis vraiment désolée. Finalement, ce qui s'est passé à Venise restera à Venise.

— On ne peut pas en discuter une autre fois ?

— Non… je vais marcher devant toi. Fais semblant de chercher quelque chose dans ton sac.

Il eut une hésitation, puis obéit.

Elle partit devant lui.

Juste avant de retrouver son mari, Sophie fit semblant d'avoir un problème avec un de ses bagages, se tourna vers Albert, qui marchait un peu derrière : il lui sembla qu'il avait espéré qu'elle se tournât ainsi vers lui, car il avait l'air désespéré.

43

LA PREMIÈRE NUIT SANS LUI

Le soir, avant de se mettre au lit, Sophie enfila son pyjama le plus chaste, le moins érotique, sans doute le meilleur messager de ses intentions intimes. Parsemé de minuscules étoiles, il était noir et de coton épais, et plus hivernal que printanier.

Elle en attacha tous les boutons, du premier au dernier, bâilla trois fois, ajouta, en se massant les tempes avec ostentation : « La migraine que je me tape, ça doit être le décalage horaire ! »

C'était plutôt le « décalage d'homme » : une femme ne passe pas si aisément qu'elle le pense d'un fuseau horaire amoureux à l'autre, de son amant, même délibérément congédié, à son mari retrouvé !

Ce pyjama aussi chaud qu'était froid son cœur constituait sa manière de dire non avant d'entendre la question qui brûlait les lèvres de son mari. Qui lui glissa :

— Tu m'as vraiment manqué, ma chérie…

— Toi aussi.

— J'avais vraiment hâte que tu reviennes.

— C'est gentil…

— Je t'aime.

— Moi aussi.

Quand son mari lui distribuait semblables gentillesses, elle comprenait où il voulait en venir. Elle ne s'en faisait pas une fête. Car elle savait depuis longtemps qu'avec un homme, du moins avec son mari, il fallait en général moins de temps pour faire l'amour que pour lui exposer pourquoi on n'avait pas envie de le faire.

Et puis elle s'avisa que, peut-être, bénéfice supplémentaire, sa complaisance étoufferait les soupçons que son mari pouvait entretenir au sujet de sa fidélité vénitienne, et qui expliquaient son appel au sujet de ce rêve un peu étrange, d'autant plus curieux qu'il ne croyait pas à leur sens.

Sans faire ni une ni deux, elle retira son pyjama, et sourit à son mari, en tentant d'extraire de son expression toute ironie, tout ennui.

Elle s'allongea sur le lit.

Ouvrit les jambes.

Ferma (à tout jamais) son esprit.

Ou plutôt le vit s'enfuir, comme un oiseau hors de sa cage, comme un voleur en cavale, en Vénétie.

Au Danieli.

44
LA PREMIÈRE NUIT SANS ELLE

Le soir, désireuse de vérifier, anxieuse, s'il s'était ennuyé d'elle, la compagne d'Albert revêtit, avant de se mettre au lit, une petite tenue sexy. Il sourit, tenta de jouer le jeu.

Mais le « thermomètre » de sa passion ne s'y prêta pas, il faisait vraiment froid : en (triste) conséquence de quoi, il connut le fiasco.

Il ne s'en sentit pas humilié, après tout ce n'était pas comme si ça avait été leur première nuit.

Juste embarrassé, ennuyé.

Et surtout soucieux que sa mollesse ne fît germer dans l'esprit de Louise des doutes au sujet de sa fidélité vénitienne.

En plus, distrait par overdose amoureuse, il ne lui avait pas acheté de cadeaux, alors qu'il le faisait invariablement lorsqu'il partait en voyage :

Il dit seulement : « Désolé, ma chérie, le vol a pris une éternité, je suis claqué. »

Avec un sourire d'une tristesse infinie, elle répondit : « Je comprends. »

C'était la première fois que ça arrivait à son mari, ou plutôt à l'homme qui n'était pas encore son mari, et peut-être ne le serait jamais. Car comme ça faisait trois ans qu'ils étaient ensemble et qu'il ne lui avait toujours pas fait la grande demande, pourquoi la lui ferait-il un jour ? Elle était jeune peut-être, et blonde et pulpeuse, ce qui lui valait bien des quolibets, le plus souvent de femmes moins jeunes et moins belles qu'elle, et très certainement moins pulpeuses, mais elle n'était pas pour autant sotte, beaucoup s'en serait fallu ; elle avait même fini deuxième de sa faculté, lorsqu'elle avait étudié le droit.

Le lendemain soir, le premier soin de l'inquiète Louise fut de remettre ça, osera-t-on dire, même si, à proprement parler, ils ne s'étaient pas « mis ».

Albert put entrer en elle, cette fois-ci.

Pourtant, au beau milieu de sa visite, Louise l'arrêta pour lui demander :

— Tu es où, là ?

Il protesta, jouant (mal) le jeu :

— Eh bien, ici, avec toi, ma chérie… Je ne comprends pas.

Mais il était toujours au Danieli, et pouvait mal s'en cacher, même s'il était dans un autre lit.

45

« … UN MOUVEMENT DE L'ÂME QUI NE S'INTERROMPT PAS… »

THOMAS MANN

Dans *La Mort à Venise*, Thomas Mann écrit : « L'écrivain n'avait pu, même après déjeuner, arrêter en lui l'élan du mécanisme créateur, de ce *motus animi continuus* (mouvement de l'âme qui ne s'interrompt pas) par lequel Cicéron définit l'éloquence… »

C'était tout à fait ce qui arrivait à Albert Duras, même s'il n'était pas écrivain mais simple éditeur.

Il ne pouvait arrêter en lui ce mouvement de l'âme qui ne s'interrompt pas, en un mot comme en mille, il ne pouvait s'arrêter de penser à Sophie Stein.

Et un passage d'une lettre de Diderot à Sophie Volland lui revenait constamment à l'esprit, qui décrivait tout à fait son état : « Je sens à tout moment qu'il me manque quelque chose ; et quand j'appuie là-dessus, je trouve que c'est vous. »

Cinq fois, dix fois, cent fois par jour, lui prenait l'envie de l'appeler ou au moins de lui envoyer un texto, mais il résistait.

Ce n'était pas ce qu'elle voulait.

Elle avait été formelle : ce qui s'était passé à Venise resterait à Venise !

L'ennui est que ce qui s'était passé à Venise restait... dans l'esprit d'Albert!

Comme une douleur.

Comme une prière.

Que, par quelque miracle du Ciel, ce n'était pas vraiment fini, que, par quelque miracle du Ciel, ça reprendrait.

La folle course en Alfa Romeo de Rome jusqu'à la Sérénissime...

Sur le vaporetto, les premières photos.

D'elle.

De lui avec elle.

De leur couple qui n'était pas encore un couple, mais allait sous peu le devenir, mais juste pour trois jours...

Au Harry's Bar...

Où elle l'avait enchanté en lui faisant découvrir le carpaccio original, (pour le bellini, ça avait été moins réussi!) et aussi sa nouvelle expression « *carpaccio diem* »!

Ensuite au Danieli, parce qu'il n'avait plus trouvé le Gabrielli...

Dans le vaste salon de la suite Alfred de Musset-George Sand, lorsqu'elle l'avait surpris, lorsqu'elle l'avait ravi, revenant, nue, de la salle de bain...

Elle avait visiblement envie de lui.

Ensuite, leur première nuit.

Sa supplique: « Attends! »

Alors qu'il était déjà en elle.

Dans la chambre de Balzac ou de Musset, il ne savait plus...

Au café Florian, danser au clair de lune avec vue sur la lagune, sur la musique vieille et nouvelle, ancienne et éternelle, de *Strangers in the Night*...

La poursuite en gondole…

Et encore Sophie, avec pour seule tenue ses gants de léopard…

Il pensa à la réflexion de Stendhal dans *Rome, Naples et Florence*, où le célèbre auteur du roman *Le Rouge et le Noir* prend la licence de parler de Milan. Il y avoue : « Je sors de la Scala. Ma foi, mon admiration ne tombe point. J'appelle la Scala le premier théâtre du monde, parce que c'est celui qui fait voir le plus de plaisir par la musique. Il n'y a pas une lampe dans la salle ; elle n'est éclairée que par la lumière réfléchie par les décorations. Impossible même d'imaginer quelque chose de plus grand, de plus magnifique, de plus imposant, de plus neuf, que tout ce qui est architecture.

Il y a eu ce soir onze changements de décorations. Me voilà condamné à un dégoût éternel pour nos théâtres : c'est le véritable inconvénient d'un voyage en Italie. »

Albert se disait un peu la même chose : Sophie Stein était sa « Scala ».

Toutes les autres femmes ne lui inspiraient pas un dégoût éternel – le mot aurait été fort, certes, et en tout cas ne se serait pas appliqué à sa compagne des trois dernières années, qui n'avait jamais démérité –, mais Sophie était le véritable « inconvénient » de son dernier voyage en Italie !

46
L'APPUNTAMENTO

Sur le récamier rarement utilisé de sa chambre, Sophie lisait – ou plutôt relisait car, jeune, elle l'avait lu au lycée – *Madame Bovary*, de Flaubert, comme pour se rappeler, ou se convaincre tout à fait, que l'infidélité la conduirait à sa perte, ainsi que ça avait été le cas pour cette pauvre Emma, qui avait plutôt mal fini, ce qui est peu dire, puisqu'elle s'était suicidée par désespoir d'amour.

En plus, le mari de Sophie n'était pas aussi mortellement ennuyeux que ce Charles Bovary, dont la conversation, raconte Flaubert, était plate comme un trottoir de rue.

Et puis, elle avait tant de fois recueilli, dans son cabinet de psychiatre, les confidences de patientes qui avaient quitté leur mari pour leur amant, et n'avaient pas trouvé le bonheur pour autant.

Alors pourquoi ferait-elle exception ?

N'y avait-il pas une mathématique du malheur, un calcul des probabilités de la déception ?

De toute manière, Albert ne l'avait jamais suppliée de quitter son mari.

Il avait accepté sa décision à l'aéroport et elle n'avait plus jamais eu de nouvelles de lui : ça semblait une affaire entendue.

Aurait-il été aussi obéissant, aussi complaisant, s'il l'avait vraiment aimée ?

Poser la question n'était-il pas y répondre ?

Elle n'avait été qu'une aventure de voyage, une passade : il avait déjà tourné la page !

À quoi s'attendait-elle avec un éditeur qui avait une gueule d'acteur et qui vivait avec une femme de dix ans sa cadette ?

Elle se sentait anéantie.

Comme tant de ses patientes à qui elle répétait qu'il fallait se relever, se prendre en main, qu'un homme ne valait pas la peine qu'on lui sacrifie son destin…

Cordonnier, ou cordonnière assez mal chaussée.

Mais…

C'était sans doute mieux ainsi : une des clés du bonheur est de rationaliser son malheur, de lui donner congé.

C'est ce qu'elle avait déjà commencé à se dire le premier matin de son retour montréalais, lorsqu'elle avait déjeuné avec sa fille Elsa et son mari.

Elsa, qui était encore la petite fille à papa, malgré ses 16 ans, son ou ses amants : elle ne disait pas tout à sa maman.

Elsa qui adorait son père ; si Sophie le quittait, elle lui briserait le cœur, détruirait toute l'idée qu'elle se faisait d'une famille unie et heureuse.

Chaque état avait ses avantages et ses inconvénients, tout simplement : c'était un signe de maturité, de sagesse, de l'accepter.

Sophie se faisait ces réflexions entre deux pages du célèbre roman de Flaubert. Elle le lisait en pyjama, les mains gantées de léopard, comme si elle ne réussissait pas à s'arracher à la pensée de Venise, à la pensée du Danieli, et de toutes les folies, et d'Albert entre ses jambes, Albert qui la buvait, Albert qui la chevauchait et, chaque fois qu'elle l'avait supplié: « Attends, mon amour ! » il avait obéi, ou presque, et elle avait « ri », comme jamais dans sa vie, comme jamais dans ses nuits.

Elle écoutait *L'Appuntamento*, « le rendez-vous », chanson si belle, chanson trop belle de simplicité et de sentimentalité qui rendit célèbre Ornella Vanoni, l'écoutait en italien bien entendu, et que je vous traduis de mon mieux:

Je me suis déjà trompée tant de fois
Que je le sais déjà
Qu'il est quasiment certain qu'aujourd'hui
Je me trompe sur toi
Mais une nouvelle fois
Qu'est-ce qui peut changer dans ma vie
Accepter cet étrange rendez-vous
A été une folie

Sophie ne s'était pas trompée tant de fois dans sa vie, car elle était mariée et fidèle depuis plus de quinze ans.

Elle n'avait pas accepté de rendez-vous, mais c'était tout comme: elle s'était déshabillée devant un homme.

Qu'elle ne connaissait pas vingt-quatre heures avant.

Et elle sentait que c'était une folie.

Elle n'avait plus de vie.

Ornella poursuivait sa complainte:

Amour, dépêche-toi
Je ne résiste pas
Si tu n'arrives pas
Je n'existe pas
Je n'existe pas, je n'existe pas

Comme Albert, anéanti par les réflexions de Stendhal, elle s'accrochait aux paroles de *L'Appuntamento* qui l'anéantissaient, mais en même temps, paradoxe déconcertant pour une psychiatre, la faisaient le plus rêver, lui donnaient plus envie de pleurer, parce qu'elles lui rappelaient trop bien comment elle avait « ri » :

Voitures, vitrines, rues
Tout se mélange dans ma tête

Il n'y avait pas de voiture dans la Sérénissime, mais personne ne s'en plaignait, car il y avait des vaporettos, des bateaux-taxis, des gondoles.

Des rues, des ruelles et des vitrines…

Comme celle où son amant de passage avait repéré ses gants de léopard, qu'elle portait toujours même si ce n'était pas toujours à ses mains : son cœur en avait tant besoin.

Ses gants d'ailleurs, du moins le gauche, qui tenait *Madame Bovary*, tandis que le droit en tournait les pages, allaient subir un sort inattendu.

Son mari, qu'elle n'attendait pas (il y avait longtemps qu'elle ne lui demandait plus à quelle heure il arriverait le soir, comme font les jeunes couples), entra dans la chambre sans qu'elle s'en aperçût (elle était trop absorbée dans ses rêveries, en Vénétie), la vit dans son pyjama, les mains coquinement gantées de léopard. Et en cette sorte de malentendu conjugal si fréquent, il crut qu'elle l'attendait, que, même, elle voulait le provoquer, parce qu'elle s'était ennuyée de lui pendant son voyage.

Il revint avec deux verres de rouge, se plaça derrière elle, dit :

— Je suis là, ma femme.

Elle sursauta, se tourna vers lui brusquement, et *Madame Bovary* (le livre) frappa une des coupes de vin, qui éclaboussa le gant félin.

— Merde! pesta Sophie, abandonnant *Madame Bovary* et ignorant son mari.

Et elle se précipita dans la salle de bain, retira son gant droit et tenta de nettoyer son gant gauche.

Mais le vin rouge tache.

Désolé de sa gaffe, son mari l'avait suivie, l'observait, tentait de se montrer utile.

Puis bientôt s'étonnait de la voir si acharnée sur cette tache, à cette tâche qui lui paraissait futile.

Parce qu'elle avait beau s'échiner, avec de l'eau chaude, du savon, une serviette de main, la tache résistait, pâlissait à peine.

Pourtant, elle la frottait avec le surprenant acharnement que met Lady Macbeth à tenter de se laver les mains du sang de son crime, du sang qui ne partait pas.

Elle comprit bientôt que c'était peine perdue, et, continuant à ignorer son mari, elle s'assit, découragée, sur le bol de toilette: elle avait visiblement envie de pleurer.

— Je suis désolé, ma chérie, vraiment désolé, je…

Elle ne répondait pas, regardait dans le vide, regardait dans sa mémoire en ce moment précieux et précis où son amant lui avait offert ces gants.

Et elle comprenait que, malgré son métier, son mariage, sa fille, si Albert ne revenait pas, comme dans *L'Appuntamento*, elle n'existait pas, n'existait pas, n'existait pas…

— Tu as l'air vraiment découragée.

— Oui, répondit-elle laconiquement, et il y avait une sorte d'agacement, d'ironie dans son ton.

— Bien, je vais t'en acheter une autre paire.

— Ils ne se trouvent pas ailleurs qu'à Venise.

— Je veux bien, mais tu ne trouves pas que tu en exagères l'importance ? Ce n'est qu'une paire de gants.

— Mais je les aimais…

— D'accord, mais est-ce si grave ?

Elle jeta le gant sur le plancher, sortit de la salle de bain en disant :

— Tu ne comprends rien ! Tu m'agaces à la fin !

Il resta un instant dans la salle de bain, médusé, intrigué, comme tout mari peut l'être même après vingt ans de mariage : on croit connaître sa femme, mais on ne sait pas à quel point trois jours à Venise peuvent l'avoir changée ; alors on parle sans le savoir à une étrangère.

Il retourna dans la chambre à coucher, l'air blême, dit, alors qu'elle s'était rassise sur son récamier et avait repris son livre, qu'elle faisait semblant de lire :

— Je pense plutôt que je commence à comprendre.

— À comprendre quoi ?

— Pourquoi ça te chagrine tant qu'il y ait du vin sur ton gant.

— Je viens de te le dire. Je les aimais, ces gants, je ne peux quand même pas porter un seul gant à la fois, je ne m'appelle pas Michael Jackson.

— Tu es furieuse parce que c'est Giorgio qui te les a offerts, ces gants !

Elle pensa, à la vitesse prodigieuse que donne l'infidélité à l'esprit d'une femme : *il se trompe, mais il ne se trompe pas tant que ça, comme ça arrive souvent quand on est jaloux : on a raison de l'être, mais on ne soupçonne tout simplement pas la bonne personne !*

— Mais qu'est-ce que tu racontes là ? Ce n'est pas Giorgio qui me les a offerts. Et même si c'était lui, qu'est-ce que ça pourrait bien faire ?

— Alors tu l'admets, c'est lui !

— Non, je ne l'admets pas, parce que c'est faux. Ce n'est pas lui qui me les a achetés ! Tu ne me feras quand même pas mentir pour satisfaire ta jalousie.

— Moi, jaloux ? Je veux juste connaître la vérité. Avoue qu'il est amoureux de toi !

— C'est un Italien, il est amoureux de toutes les femmes. Mais je ne crois pas qu'il soit intéressé à coucher avec une femme qui pourrait être sa mère.

— Être sa mère ?

— Il a 29 ans…

— Ah, tu ne m'avais pas dit.

— Oui, je te l'ai déjà dit, mais tu n'écoutais pas. En plus, sa fiancée est le véritable sosie…

Elle n'acheva pas sa phrase. Elle allait dire le sosie de la femme d'Albert…

— Le sosie de qui ?

— De Scarlett Johansson. Et elle a 22 ans.

— Oui, évidemment…

Il y avait quelque chose de désobligeant pour Sophie dans ce « oui, évidemment… », comme si elle ne pouvait pas, mais alors là pas du tout faire concurrence à une jeune femme de 22 ans, surtout si elle ressemblait à une bombe comme la star de cinéma précitée : bien sûr, elle ne le lui reprocha pas.

— Bon, est-ce que tu es content, maintenant ? Est-ce que je peux me remettre à lire tranquillement mon livre ?

Il dit oui, et il ne lui demanda pas s'ils feraient l'amour, ce soir-là : elle dirait non, de toute manière, il en avait la certitude.

Elle, faisait semblant de lire, se disait : *j'ai beau résister, sans lui, je n'existe pas, je n'existe pas, je n'existe pas.*

Il y a des chansons qu'on ne devrait jamais écouter, car elles sont un miroir trop fidèle de notre vérité.

Mais que faire ?

Sophie devait trouver une idée.

Ou oublier.

Oui, oublier.

Pourtant lorsque, avant de se mettre au lit, vers minuit, elle retourna à la salle de bain se démaquiller, elle ramassa le gant taché, l'embrassa, le serra contre son sein puis le rangea, avec le second gant laissé sur le comptoir, dans un de ses tiroirs que son mari n'ouvrait jamais, car il ne contenait, comme son cœur, que des choses de femme.

47
LA VIE SANS ELLE

Le jeune romancier David Béjart entra en catastrophe dans le bureau d'Albert sans s'annoncer. Il tenait dans sa main tremblante deux articles de journaux: l'un de Natacha Fartaulit, l'autre de Sylvie Dugravier, les deux parus le même jour, et les deux disant à peu près la même chose des *Âmes Sœurs*, comme si elles s'étaient consultées avant de pondre leur aimable critique.

— Est-ce que tu les as lus?

— Euh non, je tentais d'éplucher le courrier d'hier... Je suis si débordé, depuis mon retour de Venise...

Il lut en diagonale l'article de Natacha Fartaulit tout en continuant de siroter son troisième café matinal. C'était un véritable carnage. Sorte de psychiatre avec ses auteurs, ou de père spirituel, Albert tenta de dissimuler sa contrariété, pour ne pas attiser le désarroi de David, anéantir son ego déjà fragile.

La vérité est qu'il avait été amusé, comme malgré lui, par les formules assassines de la Fartaulit, même si c'était son auteur qu'elle exécutait en deux temps, trois paragraphes, ou peut-être quatre: intelligente (et vindicative à dessein vu les insultes dont l'avait abreuvée David Béjart), elle savait que même une critique incendiaire, si elle était longue, pouvait servir l'auteur. Un entrefilet, même dithyrambique, n'avait pas le même effet, à moins évidemment de dire : « Chef-d'œuvre, à lire absolument ! », ce qui, au fond, malgré sa concision, était la critique idéale, rêve de tout auteur, même médiocre.

— Écoute, c'est... ce n'est pas si mal... Même que c'est vendeur !

— Mais tu te moques de moi ou quoi ? Tu dis ça pour ne pas que je me tire une balle dans la tête !

David était resté debout, comme si son agitation intérieure ne lui permettait pas de s'asseoir. Son éditeur l'invita à le faire.

— Mais non, je te dis, c'est vendeur, même très vendeur, protesta Albert, qui joua la comédie que sont si souvent obligés de jouer les éditeurs.

Parfois aussi ils sont obligés de servir de larges portions de vérité (éditoriale) à leurs auteurs, presque toujours déçus, même s'ils ont connu le succès : ils auraient pu en avoir plus, beaucoup plus, si... s'il y avait eu plus de publicité, si le livre avait été mieux distribué et qu'il n'était pas venu à manquer dans telle ou telle librairie, si Walmart ou Costco avaient accepté de le vendre, si tel critique en avait parlé, s'ils avaient passé à la télé, surtout à *Tout le monde en parle* – mais comme personne n'en avait parlé, comment blâmer Guy A. Lepage ou ses acolytes d'avoir boudé un auteur que le public et la critique avaient ignoré, unanimes !

— J'ai bien hâte de t'entendre m'expliquer pourquoi, fit David, à qui la colère donnait une gueule encore plus spectaculaire, avec ses yeux immenses, son abondante chevelure tout ébouriffée qu'il ne s'était pas donné la peine de coiffer, le matin, dans son désarroi d'auteur écorché par la critique.

— Bien, la Fartaulit dit que tu vis à une autre époque, que tu crois encore au grand amour, alors, que de nos jours, la chose est connue, l'amour ne dure pas trois ans, comme Beigbeder l'avait dit, même pas trois mois, et souvent seulement trois jours. Mais c'est justement ça que les lecteurs, enfin les lectrices recherchent, l'amour qui dure.

— Je crois que ce que les lecteurs vont surtout retenir, c'est la fin de son article.

Il le lut, comme s'il lisait son propre arrêt de mort :

— « Le prochain roman de notre jeune "prodige de la littérature-prête-à-jeter-avant-même-de-la-lire" va probablement s'intituler *Comment j'ai fait l'amour en soucoupe volante*. Mais je ne retiendrai pas mon souffle en attendant qu'il en accouche, entre deux rots nauséabonds et trois creux de phrases vomies sans style et sans substance, la quintessence de tout ce que la littérature ne devrait pas être. Et vous ne devriez pas, mais alors là vraiment pas, perdre votre temps ou votre argent à lire *Les Âmes Sœurs*. Allez plutôt les donner à une âme en peine ! »

Bien que la Fartaulit irritât souvent Albert, comme bien des éditeurs du reste, sauf si, évidemment, elle encensait leurs auteurs, ce qui arrivait parfois, car elle avait ses coups de cœur, il devait admettre silencieusement que son article n'était pas mal fagoté, et tout cas il était amusant, même s'il n'était pas tendre.

— Évidemment, fit Albert, laconique.

— Et regarde l'article de Sylvie Dugravier !

Albert avait entendu la chronique radiophonique de son mari Bernard Hammereau, la veille, mais avait préféré ne pas en parler à son jeune auteur, dans l'espoir qu'il ne l'ait pas entendue : ce n'était pas spécialement gentil, et plutôt injuste. Il était évident que Bernard Hammereau n'avait pas lu le roman.

Il le survola. Le style bâclé de Sylvie Dugravier, pinacle du degré zéro de l'écriture, ne valait pas la peine de s'y user longtemps les yeux. Albert haussa les sourcils, stupéfait, mais au fond peut-être pas tant que ça.

Sa critique était de la même farine, en fait presque identique à la vomissure radiophonique de son mari. Un petit couple de grands intellectuels qui se tenait, quoi!

— Mais comme je t'ai déjà dit: qu'on en parle en bien ou en mal…

— Je suis mort, elle a tué mon livre!

Et il sortit du bureau sans qu'Albert eût le temps de le rattraper.

Il prit une longue gorgée de café, tout en dodelinant de la tête, avec une sorte de découragement et de tristesse aussi pour son auteur qui était un peu comme le fils qu'il n'avait jamais eu: comme son métier était ingrat parfois, presque autant que celui de romancier!

Sans enthousiasme, il se remit à éplucher son courrier.

Il tomba bientôt sur une lettre inattendue, et son cœur se mit à battre très fort, car à l'instant même où il l'avait ouverte, il en avait deviné l'évidente provenance: elle était parfumée de Boucheron!

48

« IL N'Y A QU'UN SEUL PROBLÈME PHILOSOPHIQUE VRAIMENT SÉRIEUX »

ALBERT CAMUS

La lettre tenait en une seule page, pliée en trois.

Mais elle ne contenait pas trois mots : même pas un seul !

Ce n'était qu'une feuille blanche et froide, et froide parce que blanche et même pas signée, et vide de toute note de son « auteure », et qui renfermait un chèque, qui ressemblait à un arrêt de mort. Amoureuse.

Un chèque de 25 $.

Qui disait ou en tout cas semblait dire : « On n'a pas d'avenir ensemble, je ferme les comptes une fois pour toutes. »

Un chèque avec en bas, à gauche (côté cœur d'un chèque, si tant est qu'il en ait un, car argent et sentiment font rarement bon ménage !) le justificatif suivant, écrit de la belle main de Sophie Stein (cette même menotte qui lui avait tapé la joue, qu'il avait vue, ému, vêtue des gants de JB Guanti, et tutti quanti) : « Pour le roman *Les Âmes Sœurs* ».

Albert pensa à l'entente improvisée et badine qu'ils avaient conclue, au tabac de l'aéroport. Il ne se souvenait plus vraiment quelle en était l'exacte teneur : lui rembourserait-elle le livre si elle l'avait aimé, alors que dans le cas contraire, ce serait à lui de payer le prix (modeste heureusement) de son enthousiasme surfait pour cet auteur que personne ne connaissait ?

Le trouble d'Albert Duras était si grand que même sa mémoire prodigieuse ne pouvait pas le renseigner avec certitude à ce sujet pourtant capital : car l'équilibre compromis de son cœur en dépendait.

En dépendait…

Cette simple lettre qui n'en était pas une, ce chèque dérisoire plongèrent Albert dans un abîme de réflexion.

L'incipit du célèbre essai de Camus, *Le mythe de Sisyphe*, se lit comme suit : « Il n'y a qu'un problème philosophique vraiment sérieux : c'est le suicide. »

Et le suave auteur de *L'Étranger*, trop vite en allé, poursuit ainsi : « Juger que la vie vaut ou ne vaut pas la peine d'être vécue, c'est répondre à la question fondamentale de la philosophie. »

Pour Albert Duras, répondre à la question fondamentale de la philosophie, en ce moment précis de sa vie, consistait à deviner si oui on non il devait répondre à cette lettre qui n'en était pas une.

Il raisonnait de la sorte, si du moins un homme pouvait raisonner dans ce nouvel (et inhabituel) état de désordre amoureux qui sévissait en lui : si Sophie avait vraiment tenu à ce que tout ce qui s'était passé à Venise reste à Venise, pourquoi lui avait-elle fait parvenir cette lettre, pourquoi lui avait-elle envoyé ce chèque dont elle savait bien qu'il ne voulait rien dire pour lui ? Même un éditeur désargenté n'échappera pas à la faillite avec un chèque de 25 $!

Mais à l'opposé, elle lui envoyait peut-être ce chèque pour mettre un point final à leur aventure de trois jours, pour lui enlever tout espoir de la revoir…

Mais alors pourquoi l'avait-elle – ou semblait-elle l'avoir – parfumé de Boucheron ?

Quelles étaient ses véritables intentions ?

Comment savoir ?

Et surtout… que faire ?

49

JE T'AIME... MOI NON PLUS

Oui, que faire ?

Ils le firent dans la chambre de l'hôtel où ils s'étaient donné rendez-vous, le Moulin Rose, qui se targuait, dans sa publicité Internet (c'est ce qui avait retenu la nerveuse attention d'Albert) d'avoir une porte cochère qui donnait accès à une cour intérieure et un parking qu'on ne pouvait voir de la rue. Avantage utile aux couples clandestins.

Et il semblait y en avoir beaucoup, du reste, qui s'y donnaient rendez-vous, si on en jugeait par le va-et-vient dans les corridors et les regards obliques des clients, qui craignaient d'être surpris, reconnus, mais aussi les gloussements, les gémissements, les murmures qu'on entendait à travers les cloisons trop fragiles des murs, les algarades pour des tractations vénales – car au nombre des hôtes, il y avait sans doute des professionnelles, ou si vous préférez des escortes, qui accueillaient commodément leur clientèle.

Dès que Sophie était entrée dans la chambre numéro 13 (le même numéro que la suite au Danieli, mais un peu moins prestigieuse, dira-t-on), Albert, qui était arrivé à l'avance, avait refermé la porte derrière elle, l'avait aussitôt plaquée contre le mur, s'était mis à l'embrasser comme un fou.

Le fou de Sophie.

Qui avait été privé d'elle depuis trop longtemps : le temps passe si lentement sans celui qu'on aime et si lentement aussi avec celui qu'on n'aime pas, qu'on n'aime plus.

Ne s'embarrassant pas de longs préambules, Albert avait relevé la jupe de fin cuir noir de Sophie.

Avait pu voir, entre ses jambes, le rouge et le noir de ses ténèbres.

Elle avait protesté, seulement pour la forme sans doute : « Tu m'avais dit que tu voulais juste parler. »

Mais elle ne portait pas de slip, et tout le haut de ses cuisses était déjà humide : ça disait tout, quoi !

Après, les lèvres brûlées de ses baisers, le front humide, le cœur qui battait presque aussi vite qu'avait filé l'Alfa Romeo sur la route *Roma-Venezia* (si elle avait su, la belle non pas au bois mais sur l'autoroute dormant !), elle dit à Albert, reprenant son souffle, affalée à ses côtés dans le lit :

— Qu'est-ce qu'on va faire, nous deux ? Je ne peux pas quitter mon mari.

— Moi non plus, je ne peux pas quitter ma compagne à cause des enfants…

— Mais je ne peux pas m'empêcher de te voir…

— Moi non plus, je pense tout le temps à toi.

En somme, ils se disaient : « Je t'aime… moi non plus. »

Mais c'était moins simplement érotique que dans le célèbre film de Gainsbourg : c'était bien plus compliqué.

Au moins ils se voyaient, et même non seulement se voyaient-ils, mais ils se voyaient nus.

Dans un lit.

Même un lit du minable Moulin Rose.

Ça faisait toujours ça de pris, toujours ça d'arraché à l'ennui.

Du reste de leur vie.

Du reste de leur vie l'un sans l'autre.

Ce qui était une grande désolation.

Ce qui était une grande punition.

D'un crime qu'ils n'avaient pourtant pas l'impression d'avoir commis.

— Alors on fait quoi ?

— Je ne peux pas vivre sans toi, mais je ne peux pas quitter mon mari. Alors on fait ce qu'on fait là, on s'invente une double vie, même si je n'aurais jamais cru faire ça un jour.

— Moi non plus.

— Et peut-être un jour il va se passer quelque chose, un miracle, et on va pouvoir être vraiment ensemble. Mais en attendant, il ne faut pas qu'on tombe en amour, parce qu'alors on va faire des bêtises...

— Mais tu viens de me dire que tu...

Elle mit le doigt sur ses lèvres.

— Il ne faut plus le dire, il ne faut plus le penser. À partir d'aujourd'hui, on est juste des amants, on n'est pas un couple.

— D'habitude, ce sont les hommes qui proposent ce genre de pacte aux femmes.

— Je sais, mais là, c'est moi. On a un *deal* ?

Et elle lui tendait la main. Comme une femme d'affaires. Il la lui serra. Comme un homme d'affaires.

— C'est la seule manière qu'on soit heureux.

— Oui, dit-il, même s'il était plus que sceptique.

D'abord, Sophie sourit de ce pacte conclu selon ses termes.

Puis elle se mit à pleurer.

Il lui embrassa les yeux, tout en lui caressant les cheveux.

Émue, troublée, déjà ailleurs, elle renversa sa flûte de champagne : il avait apporté une bouteille de Dom Pérignon, en souvenir de Venise, et leur en avait servi des verres tandis qu'ils discutaient.

Il le prit, le jeta au pied du lit, puis il la prit, elle.

Une nouvelle fois.

Mais avec autant de fougue que si c'était la première fois.

Dans le lit de cet hôtel, qui ne ressemblait guère au Danieli.

Pourtant, d'une manière, ils y étaient, car l'amour vrai est un tapis volant.

Qui transporte où ils le veulent bien les amants.

Ainsi débuta véritablement la double vie d'Albert Duras et de Sophie Stein.

Mais comme ils n'avaient ni l'un ni l'autre d'expérience en la matière, ils ne tardèrent pas à faire de petites erreurs, qui auraient peut-être de grandes conséquences sur leur vie.

50

L'AMOUR EST UN JEU DANGEREUX

La première (petite) erreur, bien involontaire comme la plupart des erreurs, se produisit le jour même, et eut des conséquences (ou presque) le soir même.

L'amour, le champagne, la bonne compagnie ouvrent l'appétit, la chose est connue.

— J'ai faim, décréta Sophie non sans surprise.

Ils étaient arrivés dans des voitures séparées, forcément. Pourtant, même s'il y avait un certain danger d'être vus ensemble dans la même voiture, ils n'en prirent qu'une seule, celle d'Albert, pour aller manger.

Ils voulaient, la chose tombe sous le sens, être ensemble le plus longtemps possible.

Ensemble.

Juste ensemble.

Ne pas perdre une seule seconde de cette trop courte parenthèse dans la banalité du reste de leur vie.

Alors lunch il y avait eu.

Puis, le soir venu, Louise avait tenu absolument à aller voir un film, le nouveau Woody Allen, *Minuit à Paris.*

Elle voulait passer du temps avec Albert, car elle le sentait distant, absent, et elle avait raison, il l'était, en fait infiniment plus qu'elle ne le pensait.

Minuit à Paris, réfléchissait le compagnon, et il rougissait de ce hasard ou alors de l'interprétation qu'il en faisait, sa culpabilité étant une fort inventive romancière, alors qu'il avait passé l'après-midi dans les bras d'une autre femme…

Avec qui, en Vénétie, il avait passé trois nuits folles…

Avec qui, en pensée, il passait chaque minute ou presque de ses journées, entre deux rendez-vous qui l'ennuyaient mortellement…

Aussi, peut-être Louise avait-elle senti, dans le sens le plus fort du mot, ou le premier, qu'il fleurait trop bon, trop le frais savon, lorsqu'il était entré à la maison.

Car de retour au bancal Moulin Rose, Sophie et Albert avaient pensé d'un commun accord qu'il serait plus sage en tout cas plus prudent de prendre une douche, mais la chose n'avait pas tourné comme ils avaient d'abord pensé.

Dans la douche, en lui savonnant le dos, Albert n'avait pu faire autrement que de voir les fesses de Sophie : trop ému, il l'avait prise une fois de plus (il ne les comptait plus) et elle s'était laissé faire. Il lui mordait le cou, prenait sa noire crinière de cheveux, tournait sa tête vers la sienne, l'embrassait comme un fou, venait en elle comme un fou, juste quelques secondes après qu'elle était venue comme une folle.

De lui.

D'eux.

Louise, en accueillant Albert à la maison vers 18 h 30, avait trouvé qu'il avait l'air (inquiétant pour elle) d'un homme fraîchement douché.

Ses cheveux sentaient le shampoing.

Ses yeux étaient clairs, presque brillants, comme lorsqu'on a bu ou fait l'amour, et parfois les deux forcément.

Il ne sentait pas la transpiration, comme après une journée normale, même s'il ne travaillait pas de ses mains, sauf pour les faire courir sur un clavier.

Et il ne sentait plus du tout l'eau de toilette dont il se parfumait chaque matin : voilà tout ce que lui avait révélé un simple baiser, du reste plutôt fraternel et très peu conjugal, à moins bien entendu que baiser conjugal et baiser fraternel ne soient synonymes, une fois mariés.

Après le film, elle lui avait demandé : « Est-ce que tu as aimé ? »

Comme, malgré toute son admiration pour le génie de Woody Allen, il avait dormi presque la moitié du film, vu que Sophie avait abusé de lui, et trois fois plutôt qu'une, il dit : « Oui. »

Mais devant ce « oui » guère convaincant, elle avait insisté :

— Qu'est-ce que tu as le plus aimé ?

— Euh… la fin, je dirais.

Même s'il ne se souvenait plus du tout comment ça avait fini, probablement bien, puisque c'était une comédie, et que tout genre a ses lois et ne s'en écarte pas.

Mais tous ces mensonges, ou, soyons indulgents, ces demi-vérités, ne faisaient qu'alimenter la suspicion de Louise.

Car lorsqu'elle l'avait rejoint dans sa voiture, pour se diriger vers le cinéma, elle l'avait vu se pencher non sans nervosité vers le siège du passager et s'était demandé pourquoi.

C'est que, in extremis, Albert avait repéré un long cheveu de femme sur le tapis devant celui-ci, et ce cheveu était noir et ne pouvait appartenir à sa femme : il était à Sophie.

Il l'avait immédiatement rejeté sous le siège.

Mais en se penchant pour ouvrir la portière à sa femme, il avait fait une autre découverte, encore plus horrible et plus compromettante : une des boucles d'oreilles de sa maîtresse, qu'elle avait probablement mal fixée en s'habillant à la hâte !

Il s'en empara.

Louise le remarqua, demanda :

— Tu tiens quoi dans ta main ?

Il avait la main droite étrangement crispée.

— Mais rien, voyons, protesta-t-il.

— Mais alors veux-tu desserrer le poing ? insista-t-elle, car elle avait le sentiment qu'il lui cachait quelque chose.

Une diversion le sauva. Une bande de jeunes gens en goguette qui, en passant près d'eux, les klaxonna bruyamment, sans véritable raison. Albert en profita pour se tourner vers eux, se pencha vers son poing fermé et… avala discrètement la boucle d'oreille compromettante.

Il mit ensuite les deux mains sur le volant, et Louise n'insista pas.

Pourtant, ses soupçons ne diminuaient pas vraiment.

Le soir, après le film, elle eut envie de lui, ou plutôt lui dit qu'elle avait envie de lui : elle avait surtout envie de vérifier s'il l'avait trompée comme elle le pensait, même si elle ne pouvait pas s'imaginer avec qui ni quand ni comment.

Il dit, jouant le jeu du mieux qu'il pouvait :

— Oh ! j'en ai vraiment envie moi aussi, mais je suis si fatigué, on dirait que je ne me suis pas encore remis du décalage horaire.

— Alors laisse-toi faire, mon chéri !

Laisse-toi faire, mon chéri, c'était une sorte de code entre eux qui voulait dire qu'elle le prendrait dans sa bouche. Quand il était trop fatigué, et qu'elle avait trop envie de lui pour accepter cette excuse trop facile. Et ensuite, elle verrait. Si elle avait du succès, si elle l'émouvait, il lui ferait l'amour, comme récompense de sa vaillance.

Sa proposition n'était pas négociable.

Ses efforts, pourtant savants, et précis, et généralement infaillibles, restèrent inutiles.

Lorsqu'elle renonça, le front en sueur, elle avait envie de pleurer. Albert dit :

— Je suis vraiment désolé…

Il l'était. D'une manière. Il se sentait coupable. Mais comment pouvait-il empêcher son cœur d'être ailleurs, dans les bras de Sophie, qui était sa nouvelle vie ?

Il laissa Louise seule dans le lit.

Seule comme elle y était entrée.

Emplie de soupçons qui ne l'avaient pas quittée : Albert ne l'aimait plus, ou alors il aimait une autre femme.

Il dit :

— Je ne m'endors plus, je vais aller travailler un peu.

Elle ne protesta pas.

Elle préférait pleurer sans témoin.

Il venait à peine de s'asseoir à son ordi qu'il reçut un texto de Sophie : « J'ai perdu une boucle d'oreille en or, je me demandais si tu ne l'avais pas retrouvée. Je ne t'aime pas. *Buona notte.* S. »

Il fit l'erreur de répondre : « Oui. »

Se rendit compte une fraction de seconde après avoir pressé *Envoyer* qu'il venait de se créer une obligation pas très agréable.

Le lendemain, il dut examiner ses selles, retrouva la boucle d'oreille qu'il en retira avec dégoût. Et la lava du mieux qu'il put : l'amour a un prix !

La compagne d'Albert, elle, examina attentivement son slip, le lendemain matin, dans l'espoir d'y découvrir quelque trace suspecte, quelque albâtre écoulement qui aurait pu être la preuve de ses égarements. Mais elle ne trouva rien.

Homère a dit : « On se lasse de tout sauf de comprendre. »

On pourrait dire, en une sorte de corollaire de cette vérité : « Rien n'est plus épuisant que… de ne pas comprendre ! »

C'est en tout cas l'émotion qui habitait Louise.

Elle sentait bien que quelque chose clochait, que quelque chose était différent entre elle et Albert depuis son retour de Venise, mais elle ne pouvait pas le prouver.

Les semaines passaient, et c'était toujours de la part d'Albert la même indifférence, la même lassitude supposée lorsque venait le temps d'accomplir son devoir conjugal.

Il faut dire que Sophie et Albert, même s'ils étaient des néophytes en affaires extraconjugales, avaient choisi le meilleur moment de la journée pour coucher ensemble et endormir les soupçons de leur partenaire officiel respectif : le jour.

Aussi pouvaient-ils toujours rentrer à la maison à l'heure habituelle, n'arrivaient jamais tard le soir (ce qui met presque invariablement la puce à l'oreille de l'autre), ne se voyaient jamais les week-ends, agissaient en bref comme si de rien n'était : le contraire aurait pu éveiller des soupçons ou en tout cas susciter des questions, pour ne pas dire des interrogations, pour ne pas dire des interrogatoires.

Prudence supplémentaire, l'un et l'autre s'étaient acheté un deuxième cellulaire, et pouvaient ainsi se texter sans ambages les messages les plus clairs, les plus explicites, les plus romantiques et les plus licencieux, comme, de Sophie à Albert :

« Je n'ai pas le temps de te parler, trop *busy*, mais je peux quand même te dire que j'ai envie de toi, là. Tout de suite. En moi. Partout où bon te semblera. Tu fais quoi entre midi et 14 heures ? »

Il répondait :

« Rien, je n'ai rien à faire. Que d'être présent à cette réunion que tu me suggères. D'être omniprésent en toi. Je suis à toi, fais de moi ce que tu voudras. »

Et elle le faisait.

Au Moulin Rose.

Cette habile et astucieuse prudence pourtant ne suffisait pas à étouffer tous les soupçons de Louise : même si on n'a pas de preuve de l'infidélité de l'autre, on la devine, on la sent, et elle nous ronge, elle nous tue.

Louise avait trouvé une astuce pour éplucher les comptes de carte de crédit d'Albert : son fer à vapeur.

Grâce à lui, elle les ouvrait, les examinait, les refermait, sans qu'il y paraisse.

Mais elle ne trouvait rien : ni nom de bijouterie, de lingerie fine ou d'hôtel : prudent, Albert payait tout comptant.

Louise en venait à se demander si elle n'était pas en train de devenir folle : la tiédeur d'Albert n'était peut-être due qu'à son épuisement, et au fait que ses affaires ne roulaient pas sur l'or.

Et puis, après trois ans, l'amour ne pouvait être aussi passionné que dans les débuts : il aurait fallu être une adolescente pour le croire.

Un soir, poussant encore plus loin ses précautions, Albert lui apporta un flacon de parfum Boucheron, le même que celui que portait Sophie : Louise était ravie, et se mit tout de suite à le porter. Comme le cadeau ne venait marquer aucun événement précis, c'était peut-être sa manière de lui dire qu'il l'aimait, qu'il tenait à elle : joli malentendu, ou « erreur de lecture » si fréquents, hélas !, en amour. Albert se réjouissait de son enthousiasme au sujet de son perfide cadeau : elle ne respirerait plus sur lui le parfum d'une autre femme, puisque les deux femmes de sa vie porteraient désormais le même.

Mais il se sentait comme le pire des hypocrites du monde en même temps : elle lui avait sauté au cou, enchantée de ce cadeau inattendu, alors que ce n'était qu'une manière d'étouffer ses soupçons.

Et il poussa la comédie jusqu'à lui faire l'amour avec fougue, ce soir-là, même si constamment il pensait à Sophie, même à l'instant sublime, ce qui lui donna l'envie de pleurer : sa vie était un mensonge.

51
LES CHOSES QUE L'AMOUR NOUS FAIT FAIRE

Sophie, de son côté, et même si elle ne disait jamais non à son mari (elle pouvait toujours trouver 30 secondes dans son horaire pour satisfaire ce « Lucky Luke » de l'amour qui tirait son coup plus vite que son ombre), semblait avoir moins de succès à endormir ses soupçons.

Un samedi après-midi où la tension était particulièrement grande entre eux – elle ne cessait de penser à son amant, se disait que ce serait long, infiniment long avant de le revoir : ils avaient fixé leur *appuntamento* au Moulin Rose pour le mercredi suivant –, où la tension était grande, oui, malgré la gentillesse de Sophie, sa politesse quelque peu froide, absente, elle sentit que son mari allait exploser, qu'il la confronterait, qu'il lui dirait : « Je sais tout, avoue que tu me trompes, ou alors explique-moi ce qui se passe, tu n'es plus la même. »

Il était entré dans son bureau où elle révisait distraitement le dossier d'une patiente suicidaire, et il avait l'œil noir, un air tendu qu'elle ne lui connaissait guère. Mais elle joua de lui comme d'un Stradivarius, se pencha vers lui, défit sa ceinture sans lui demander son avis, le prit dans sa bouche, et trente secondes après, ne se retira pas, le laissa déverser sa colère au fond de sa gorge. Puis, le repoussant, relevant la tête, elle lui sourit, lui dit, coquine à dessein, en se relevant enfin :

— C'est bien ce que tu voulais, hein, mon lapin ?

Il aurait été mal avisé de dire la vérité. De dire qu'il était entré dans son bureau pour avoir avec elle une explication décisive. Parce que la tension, le climat étaient devenus insupportables dans leur jolie maison d'Outremont. S'il avait été aussi fin psychologue qu'il se croyait l'être, car après tout il était psychiatre et excellait dans son métier, il aurait pensé que ça faisait des années qu'elle ne l'avait pas sucé et encore plus longtemps qu'elle n'avait accepté qu'il lui vienne dans la bouche. Parce que ce sont des choses qu'on fait dans les débuts, dans la passion de la découverte. Ou pour prouver à l'autre qu'on a de l'invention, pas de restrictions, et qu'on l'aime. Ensuite, si ces pratiques ne font pas partie du menu de nos plats favoris, on se garde une petite gêne.

Le mari de Sophie lui répondit donc :

— Oui. Et… et je voulais aussi te demander si tu avais envie d'aller au resto ce soir.

— Oui, génial. Je n'avais rien préparé.

— Leméac ?

Pourquoi lui proposait-il Leméac ?

Une table qu'Albert fréquentait… À preuve, c'était bien là que Giorgio l'avait vu lors de son dernier passage à Montréal…

Pas que ce ne fût pas un bon resto. À une époque, quand ils sortaient plus souvent, ils y allaient au moins une fois par mois, parfois plus. Mais l'idée de tomber par hasard sur Albert, de revoir sa ravissante compagne insolente de jeunesse à qui elle tentait de ne jamais penser, ne lui souriait pas particulièrement.

— J'aurais plus envie de manger italien.

Elle avait la nostalgie de Venise, du Danieli.

— Buonanotte, alors ? suggéra son mari.

Elle ne raffolait pas de ce restaurant : les serveuses étaient trop jeunes, trop grandes, trop décolletées. Pourtant, elle dit :

— Oui, pourquoi pas ?

Il sourit, heureux qu'elle ne proteste pas, comme souvent, lorsqu'il lui proposait ce choix, qui n'était pas sa tasse de thé ; il savait pertinemment que c'était un resto de gars, vu les filles qui le hantaient, moyennant salaire et pourboires. Et quant aux célébrités qui allaient souvent s'y montrer, s'y faire voir, ça ne disait rien non plus à la belle intellectuelle avec laquelle il partageait sa vie. L'homme croyait qu'il marquait des points, qu'il reprenait son empire sur sa femme, alors qu'elle était entrée dans les limbes de la vie conjugale, pire que le purgatoire, car l'indifférence y règne, et elle est plus froide que la Sibérie.

Sans sa fille, Sophie serait partie : mais sa fille était là. Elle avait au demeurant déjà décliné à Albert cette surprenante équation du bonheur : elle avait joué à une sorte de « qui perd gagne », mais ne le regrettait pas. Elle était depuis sa naissance et resterait jusqu'à son départ sa gardienne, même si, pour ce faire, elle devait piétiner son cœur, et c'est ce qu'elle faisait. Mais depuis sa rencontre avec Albert, ce sacrifice auquel elle s'était habituée avec le temps lui était une douleur plus grande, infiniment plus grande qu'elle n'aurait jamais pu imaginer avant. Son amour de son mari s'étant assoupi depuis longtemps, elle ne voyait pas autant le prix de son sacrifice : sa passion nouvelle le rendait lourd tout à coup.

À peine trente secondes après ce bref et banal échange sur le choix d'un resto, Sophie eut une autre occasion d'étouffer les inquiétudes qui pouvaient rester à son mari. Son cellulaire sonna, mais elle l'avait laissé sur la crédence à l'entrée de son bureau, qui se trouvait plus près de lui que d'elle.

— Est-ce que tu peux répondre pour moi, mon chéri ? Et si c'est une patiente, je ne suis pas là. Dis-lui que je la rappellerai !

— Ah ! d'accord.

Il s'épatait de cette confiance nouvelle. En général, elle ne le laissait pas répondre à son cellulaire. Il le fit, ravi, ou plutôt tenta de le faire : il était verrouillé.

— Il est barré, dit-il et il lui tendait l'appareil.

Elle dit sans hésitation, avec une nonchalance parfaite :

— Six, six, six, six.

Il en conclut, à tort, qu'il s'en faisait vraiment pour rien. Elle ne le trompait pas. Elle n'avait rien à lui cacher. Elle était encore folle de lui, malgré parfois des tensions entre eux, des ennuis, des froideurs, des silences : mais après plus de quinze ans de mariage, il fallait s'attendre à quoi ?

L'appel, qu'il prit, venait bien d'une patiente : il lui dit, docile, que sa femme la rappellerait. Cette dernière, avant même la fin de l'appel, comme pour prouver à son mari qu'elle lui faisait vraiment confiance (en fait, elle le manipulait comme une simple et sotte marionnette) se retira dans la toilette attenante à son bureau, mise à la disposition des patients lors des consultations qu'elle faisait parfois à la maison.

Tombant dans le piège qu'elle lui avait habilement tendu, il ne put résister à la tentation de vérifier ses derniers textos (elle avait effacé prudemment tous ceux échangés à Venise avec Albert et n'utilisait plus avec lui que son cellulaire secret, dont elle recevait la facture au bureau), ses courriels, mais rien.

Il en conclut une fois de plus qu'il s'était inquiété inutilement.

Elle, au petit coin, prenait tout son temps.

Pour que son mari ait bien le temps de faire ce qu'elle avait deviné qu'il ferait irrésistiblement : fouiner à volonté dans son cellulaire !

Elle triomphait, mais modestement, et visitée d'un paradoxe douloureux. Tout en se brossant les dents, en se rinçant la bouche, elle se trouvait abjecte, et n'aimait pas l'image que lui renvoyait son miroir. Bizarrement, elle se sentait un peu comme une prostituée. Le mot était fort sans doute, exagéré. Personne ne l'avait payée, et elle venait d'accorder une faveur inhabituelle à son mari, pas à un étranger. Et à la vérité, elle l'avait consentie par amour: mais pour un autre homme. D'où la certaine confusion de ses sentiments. En plus, duper son mari ne la réjouissait pas, loin de là.

Ses habiles subterfuges, ses rencontres amoureuses dépassant rarement l'hebdomadaire, alors qu'elle aurait eu envie de voir Albert tous les jours, toutes les nuits, ne lui « achetèrent » pas la paix bien longtemps.

Il faut dire que, même si elle tentait de jouer le jeu - de la femme mariée et heureuse - elle ne mangeait guère, perdait du poids, tentait de s'étourdir de travail, et à au moins trois reprises, son mari l'avait surprise, le soir, comme à son retour de Venise, à écouter *L'Appuntamento*, et chaque fois, elle l'avait l'œil humide.

Et en plus elle buvait du vin, seule, ce qu'il l'avait rarement vue faire.

Elle avait selon toute apparence les symptômes d'une femme dépressive. Ou amoureuse. D'un autre homme que lui.

Il lui proposa un voyage romantique: deux semaines au soleil lui feraient le plus grand bien. Elle protesta qu'elle avait trop de travail.

— Justement, dit-il, tu travailles trop.

— J'adorerais, mentit-elle, mais je ne peux pas, pas en ce moment.

Il y avait quelque chose de catégorique, dans son ton. Et la raison en était simple: partir deux semaines en vacances avec son mari voudrait dire qu'elle ne verrait pas son amant pendant… quatorze jours! Déjà que ça lui était pénible de ne pas le voir pendant cinq ou six jours d'affilée et parfois plus, vu qu'ils avaient l'un et l'autre des horaires plutôt encombrés. Son mari ne devina pas le véritable motif de son refus, mais n'insista guère.

Pourtant un soir, alors qu'il la surprenait encore une fois à écouter *L'Appuntamento*, avec à la main un verre de vin qui ne semblait pas être son premier, vu l'éclat un peu vitreux de ses yeux, il osa lui demander, à brûle-pourpoint :

— Il s'appelle comment ?

— Qui ?

— Ton amant ?

— Humphrey Bogart !

— Très drôle !

Elle avait répondu du tac au tac, sans doute. N'empêche, elle était troublée. Elle ne cachait pas son jeu aussi bien qu'elle le pensait.

— Est-ce que je t'ai déjà dit non ? surenchérit-elle.

— Euh non…

Mais pendant les trente secondes qu'ils faisaient l'amour, il la sentait encore plus loin de lui que d'habitude.

Elle était encore plus loin qu'il ne pensait : elle était au Danieli, elle était dans une autre galaxie, dans les bras de son amant, ou alors au Moulin Rose, dans les mêmes bras, il n'y en aurait jamais plus d'autres pour elle : elle le savait et c'est ce qui la tuait.

Et lui permettait de vivre.

Son mari paraissait sceptique.

Elle se défendit encore plus :

— Tu fais semblant de me soupçonner pour que je ne t'accuse pas de voir ton étudiante ?

— Mon étudiante ?

Elle l'avait déstabilisé. Elle marquait un point, qui, l'espérait-elle, la débarrasserait pour un temps de ses insinuations.

Elle était habile, car c'était lui maintenant qui était au banc des accusés.

— Oui, ton étudiante…

— Mais je ne vois pas de qui tu veux parler.

— Je vais te donner des indices. Elle est blonde, elle a environ 26 ans, elle étudie pour devenir psychiatre, elle te voit dans sa soupe, et son prénom commence par la lettre A.

— La lettre A ?

— Ah ! ça suffit, fulmina Sophie en quittant la pièce, vraiment ravie de la tournure de la conversation.

C'était maintenant à son mari de se défendre, alors qu'elle était très certainement coupable, et que ses propres vagues soupçons ne la mortifiaient pas tant.

Il la suivit, la questionna :

— Tu veux dire Audrey Simon ?

— Oui.

— Elle n'est plus mon étudiante, elle est psychiatre, et elle est fiancée. À un jeune courtier immobilier très brillant, d'ailleurs.

— Fascinant. Tant mieux pour elle.

La conversation avait pris un nouveau tour. Il n'était plus question du possible amant de Sophie, qui applaudissait. Un peu vite.

Car le surlendemain se produisit un événement qui lui fit comprendre qu'elle était loin d'avoir endormi les inquiétudes de son mari.

52

CHASSE À... LA FEMME !

Sophie se rendait avec impatience au Moulin Rose.

Il n'y avait que cinq jours qu'elle n'avait pas vu Albert, mais il lui semblait que ça faisait cinq semaines, cinq mois, cinq ans. Et il y avait trois jours qu'elle ne mangeait pour ainsi dire plus, malgré sa force intérieure, l'amour de son métier, de ses patients, à qui souvent elle recommandait de bien s'alimenter. Sans Albert, elle perdait goût à la vie.

Elle eut soudain le sentiment qu'un homme la suivait. Ou en tout cas une voiture. Aux vitres teintées. Qui tournait chaque fois qu'elle tournait. Ce ne pouvait être un simple hasard, à la fin.

Cette impression la frappa juste avant d'entrer dans la cour intérieure du Moulin Rose.

Ç'aurait été un immense faux pas.

Si du moins elle était effectivement suivie.

Car comment expliquer un rendez-vous en cet établissement de réputation douteuse, quasiment un hôtel de passe ?

Elle poursuivit prudemment sa route, se félicitant de n'avoir pas activé son clignotant, s'empressa d'appeler Albert, lui demanda :

— Tu es où ? Déjà sur place ?

Comme si elle craignait d'être sous écoute, électronique ou autre, elle ne disait jamais: «à l'hôtel» ou «au Moulin Rose». Et ni l'un ni l'autre ne disait: «Je suis à la chambre 127 ou 212», mais juste, laconiquement: «127» ou «212». En général par un simple texto. Et toujours, sans exception, au moyen de leur cellulaire secret, messager exclusif de leurs amours clandestines. Deux précautions valent mieux qu'une!

— Je suis un peu en retard, désolé. C'est quoi le numéro?

— Je crois que je suis suivie.

— Par un psychiatre? plaisanta-t-il.

— Non, répliqua-t-elle assez sèchement. Par quelqu'un engagé par mon mari.

— Hein? C'est vrai?

Il était suprêmement étonné, même si, à la réflexion, se faire suivre par un mari jaloux, ça n'arrive pas seulement dans les films, mais aussi dans la vraie vie, d'autant que Sophie n'avait pas manqué de lui dire que son mari semblait avoir des doutes, lui posait des questions. Albert lui avait fait le même aveu au sujet de Louise lorsqu'il lui avait remis la boucle d'oreille perdue, mais sans évidemment oser lui raconter par quel chemin elle était passée pour revenir dans ses mains.

— On se reparle.

— On ne se voit pas?

— Non, enfin je ne sais pas, je te rappelle plus tard. Il faut que je règle cette histoire, et une fois pour toutes. J'ai eu de la chance, mais si je m'étais rendue jusqu'au…

Elle allait dire: «Moulin Rose.» Mais elle se reprit à temps:

— Jusqu'à la place… je te laisse. Il faut que je réfléchisse.

Elle raccrocha.

Albert était infiniment déçu. Car il avait infiniment envie de la voir. Nue et habillée. De la voir habillée, toujours élégante, et de la déshabiller pour la voir nue. Pour voir ses dessous. Souvent coquins. Et achetés, il le savait bien, juste pour lui, juste pour eux, et ça le touchait, ces petites attentions, cette dépense amoureuse, même si, la plupart du temps, dans sa fougue impatiente, il ne se faisait guère contemplatif des ornements de sa nudité, les lui arrachait presque.

Il était déçu.

Car depuis cinq jours, il ne pensait qu'à ça.

Il se sentait nulle part, lorsqu'il n'était pas en elle.

Le plus vite et le plus longtemps possible.

Ça lui était une angoisse, de ne pas l'être.

Être en elle et qu'elle gémisse, être en elle et qu'elle soupire son nom, comme une incantation, et parfois, par erreur, enfreignant leur convention, qu'elle lui crie: «Je t'aime!» Être en elle, avoir ses jambes autour de ses reins, pour pouvoir dire: «Je vais et je viens, entre tes reins, et je me retiens.»

Sophie aussi était infiniment déçue, mais son esprit était occupé autrement, de plus graves matières. Elle pensait à la manière, non pas de semer l'homme qui la suivait, ce qui n'aurait réglé son problème que pour un jour, mais de faire en sorte qu'il ne la suive plus.

Un léger sourire fleurit ses lèvres: elle venait d'avoir une idée. Peut-être bonne.

53
COMMENT SE DÉBARRASSER D'UN DÉTECTIVE PRIVÉ

Dans un état second, et pourtant pensant à toute vitesse, si bien qu'elle brûla deux feux rouges et faillit provoquer un accident, Sophie roula jusqu'au centre-ville, s'arrêta devant le Sheraton, boulevard René-Lévesque, remit ses clés au valet.

Puis elle entra mais resta dans le lobby, une vaste et magnifique verrière, et se posta de manière à voir si la banale Honda Civic (dont il était un peu curieux que les vitres fussent teintées, car c'était tout sauf une voiture de luxe ou de fonction) s'arrêterait devant la porte. Elle le fit. En sortit un individu de sexe mâle, plutôt petit, assez quelconque, qui portait des lunettes fumées, un chapeau et un porte-documents noir : tout pour passer pour un simple homme d'affaires que personne ne remarquerait, quoi ! Sophie sourit. Elle était vraiment suivie. Comme elle l'avait deviné.

Elle alla s'asseoir à une table du bar qui était bien visible, et que l'homme qui la talonnait, très certainement un détective, pourrait aisément surveiller peu importe où il déciderait de s'installer. Il en choisit une prudemment séparée de celle de Sophie par trois ou quatre autres tables, mais s'assit de manière à la voir sans difficulté. Il avait posé sa mallette sur la table, l'avait ouverte, en avait extrait un journal qui pourrait lui servir de paravent au cas où Sophie jetterait en sa direction des regards inquisiteurs. Mais la mallette contenait surtout un appareil-photo, dont la lentille était placée de telle manière qu'elle pouvait atteindre sa cible à travers une ouverture commodément pratiquée dans le rabat.

Le garçon vint trouver Sophie, elle lui commanda distraitement un verre de petit-chablis (le mieux qu'elle avait trouvé au menu) et pensa comme malgré elle au premier verre de (mauvais) vin blanc qu'elle avait pris avec Albert à La Rose des Vents. Et elle ne put se défendre contre cette réflexion que bien des choses s'étaient passées dans sa vie depuis cet instant aussi inattendu que magique.

Elle retira son imper. Elle portait un chemisier blanc assez sexy, la même jupe de cuir noire qui lui avait valu un beau succès lors de leurs retrouvailles, et sous laquelle, comme cette fois-là, elle avait oublié à dessein de mettre un slip : elle se rendait initialement rencontrer son amant, il ne fallait pas l'oublier, et aimait lui faciliter les choses : *smooth operator*. Elle avait une petite idée derrière la tête, entre les jambes, entre les deux oreilles : dans son cœur de femme follement amoureuse.

Elle défit coquinement le premier bouton de son chemisier, puis, après une hésitation feinte, les deux boutons suivants. On pouvait voir son soutien-gorge noir, la naissance de ses seins délicats.

À trois ou quatre tables d'elle, le détective privé se frottait les mains, et surtout prenait des clichés, grâce à son ingénieux dispositif. Il était évident que cette femme attendait un homme : son client applaudirait.

Sophie, elle, regardait vers le hall d'entrée, attendait une circonstance particulière, qui serait favorable à l'exécution de son plan. Elle se produisit enfin. Un homme d'affaires, dans un sombre costume parfaitement coupé et illuminé par une cravate de soie claire, venait d'entrer, qui avait visiblement rendez-vous avec quelqu'un, car il jetait des regards à la ronde. Inutilement. Il consulta sa montre. Il était sans doute en avance, ou la personne qu'il devait rencontrer, en retard.

Sophie s'empara de son cellulaire, en fait de l'un de ses deux cellulaires, mais se rendit compte aussitôt que ce n'était pas le bon : c'était celui qu'elle réservait exclusivement à ses amours clandestines. Il lui fallait l'autre, celui qu'on pourrait appeler conjugal. Elle le trouva sans peine, se leva et marcha d'un pas décidé vers le détective privé.

Il parut éberlué de la voir s'avancer vers lui, pensa qu'elle avait des doutes au sujet de sa profession, pire encore, qu'elle avait deviné ce qu'il faisait pour gagner sa vie, et venait lui dire sa manière de penser. Il s'empressa tout naturellement de refermer sa serviette, attendit nerveusement la suite des choses.

— Il faut que vous m'aidiez, le supplia-t-elle.

— Vous aider ? Mais je…

Il la trouvait encore plus sexy de proche, en fait avait de la difficulté à avaler sa salive.

— Ce type que vous voyez là-bas (elle indiquait du doigt l'homme d'affaires, qui attendait toujours dans le lobby), c'est mon ex-mari. Il est fou.

— Il est fou ?

— Oui, fou furieux. Il m'a dit qu'il ne me laisserait pas en paix tant qu'il ne me verrait pas avec un autre homme.

— C'est… c'est un peu bizarre.

— Je sais mais il est fou ! Qu'est-ce que vous voulez que je vous dise ?

Et sans lui demander la permission, comme si elle tenait pour acquis qu'il l'aiderait, elle s'assit sur la chaise voisine de la sienne, et prit aussitôt soin de l'en rapprocher le plus possible.

— Mais qu'est-ce que vous faites ?

Elle lui avait dit que son ex était fou. Il était peut-être jaloux, ces deux travers allant souvent main dans la main.

— Faites semblant qu'on est ensemble !

Elle ne lui donna ni le temps de protester ni celui de se lever, se pencha vers lui, mit un de ses bras autour de son cou, et, de sa main libre, se mit à prendre des *selfies* d'eux.

— Embrassez-moi maintenant !

— Vous embrasser ?

À nouveau, elle prit les choses en main, ou plutôt la tête du détective, qu'elle attira vers sa joue, comme s'il l'embrassait, et elle multipliait les *selfies*, avec une vitesse et une précision parfaites. Elle poussa l'audace jusqu'à prendre une de ses mains et la mettre dans l'échancrure de son chemisier. Et elle continuait d'immortaliser ces instants aussi surprenants que disgracieux, du moins dans un endroit public comme le lobby d'un hôtel du centre-ville.

Le détective privé était complètement affolé, et surtout trop surpris de la tournure des événements pour réagir. Il voulait protester, mais en même temps, avoir la main sur les seins de cette véritable déesse, alors qu'il était célibataire depuis dix ans et devait se contenter des poupées virtuelles que lui offrait la porno sur le Net, se griser du parfum Boucheron dont elle s'était vaporisée généreusement en quittant son bureau supposément pour un lunch, ce n'était pas des choses qui lui arrivaient souvent, dans sa vie de détective privée, ou dans sa vie privée.

Lorsqu'elle fut bien certaine qu'elle disposait de suffisamment de *selfies* compromettants, Sophie s'arrêta, se rassit de manière plus convenable : d'ailleurs elle venait d'entendre les toussotements embarrassés du garçon, qui venait les prévenir qu'ils se trouvaient dans un endroit public, à midi trente et que, par conséquent, la décence…

— Est-ce que vous voulez que je vous apporte votre vin blanc ici ? demanda-t-il à Sophie, en désignant sa table où il l'avait apporté avant de se rendre compte qu'elle avait déménagé, et qu'elle semblait bien s'amuser.

— Euh non. Je suis un peu pressée, je vous dois combien ?

— Treize cinquante-cinq.

Elle lui tendit un billet de 20 $, dit :

— Gardez tout !

Puis elle retourna à sa table, vida son verre d'un seul trait, comme si elle avait besoin de courage pour la suite des choses, rattacha les boutons de son chemisier, mit son imper et quitta l'hôtel.

Autant le serveur que le détective privé étaient complètement sidérés.

— Est-ce que… est-ce que vous étiez ensemble ? demanda le garçon.

— Euh non. Elle… Son ex est fou, et il la suit, et elle m'a expliqué qu'il ne lui foutrait la paix que lorsqu'elle sortirait avec quelqu'un, et c'est pour ça qu'elle m'a demandé de l'embrasser…

— Mais est-ce que vous sortez ensemble ou pas ?

— Non. Mais il est dans le hall.

— Qui est dans le hall ?

— Son ex-mari.

Il ne devait pas être très intelligent, car l'explication que lui avait donnée Sophie était cousue de fil blanc, pour ne pas dire carrément extravagante.

Il le montrait du doigt.

Son supposé ex-mari.

Lequel était effectivement là, mais une ravissante rouquine venait de le retrouver, il l'embrassait et la faisait tourbillonner romantiquement.

— Ah ! bon, fit le garçon, et il préféra ne pas insister, ne pas poser davantage de questions : ce client était sans doute aussi bizarroïde que la belle grande brune avec une jupe de cuir plutôt sexy qui venait de quitter l'hôtel après lui avoir laissé un sympathique pourboire.

— Vous allez prendre quelque chose ?

— Euh oui, un scotch. Double.

54

LA DÉSINFORMATION D'UN MARI

— Le docteur Bergmann est en rendez-vous, docteur Stein, la prévint inutilement sa secrétaire.

Sophie l'ignora, entra dans le bureau de son mari, qui, effectivement, n'était pas seul.

Mais il n'était pas en train de donner une consultation à une patiente : il se trouvait avec sa petite protégée, la ravissante Audrey Simon, et ni l'un ni l'autre ne semblaient s'ennuyer, car ils rigolaient.

En outre, il y avait sur le coin du bureau, tout près de la jeune psychiatre, une boîte de chocolats ouverte, des Leonidas. Malgré son émoi (qui du reste était surtout feint, même si la découverte que son mari la faisait suivre l'avait passablement bouleversée), elle la remarqua, sourcilla. Depuis la quinzaine d'années qu'ils étaient mariés, elle ne lui avait jamais connu ce goût, et se doutait encore moins qu'il en gardât dans son bureau…

Le docteur Bergmann remarqua le malaise (contenu) de sa femme, et s'empressa de dire, comme s'il se sentait coupable et lui devait très certainement une explication :

— Tu connais le docteur Simon ? Vous vous êtes déjà rencontrées, je crois.

— Non, je n'ai pas eu cette chance…

Le (ou la, c'est selon) docteur Simon s'était levée, un peu embarrassée. Sophie lui serra la main. De manière si expéditive que ça confinait à l'impolitesse. La jeune psychiatre en resta aussi surprise qu'embarrassée.

— Le docteur Simon vient de dénicher un poste à l'hôpital, et j'ai pensé lui offrir des chocolats pour marquer l'événement.

— Des Leonidas. Quel choix excellent ! J'aurais fait exactement la même chose, fit Sophie, avec un faux sourire ravi. Et félicitations pour votre poste, en passant, je suis sûre que c'est largement mérité.

Elle disait ça, mais il était évident qu'elle pensait exactement le contraire. Même si Sophie était infidèle, qu'elle était par conséquent mal placée pour faire des reproches à son mari au sujet de ce qu'il pouvait vivre ou non avec une autre femme, ça la troublait. À le trouver en train de rire et d'offrir des chocolats fins à une jeune collègue, peu importe la raison, même innocente, elle fut envahie par un élan de jalousie.

— Ah ! c'est gentil, fit la psychiatre ennemie, qui souriait avec un certain embarras, car elle avait senti l'ironie de Sophie.

Il y eut un silence et un nouveau malaise.

Mais Sophie mit fin à l'un et à l'autre en reprenant la parole :

— Il vient de m'arriver quelque chose de très grave.

Autant son mari que sa protégée comprirent alors la raison de sa visite inopinée. Ce n'était pas celle d'une femme jalouse qui présumait son mari coupable de quelque tromperie. Audrey Simon s'empressa de dire :

— Oh ! alors je vous laisse.

— Non, non, vous pouvez rester, insista Sophie. Même que je préférerais, parce que j'aimerais avoir votre avis. Vraiment.

— Mon avis ? Ah ! bon. Je suis flattée, fit la jeune psychiatre.

Et, ce disant, elle posa la main droite sur sa poitrine, dont son sarrau ne cachait pas l'ampleur, un détail qu'avait tout de suite remarqué Sophie, et qui l'avait, comment dire, irritée, car elle avait toujours pensé que son mari aurait préféré qu'elle ait une poitrine plus forte. En même temps, elle ne pouvait s'empêcher de songer simultanément que ç'aurait sans doute été encore plus catastrophique ou bref : elle lui faisait déjà assez d'effet comme ça, comme il lui en servait souvent l'excuse pour expliquer son incurable précocité.

— L'avis d'Au... (il allait dire Audrey, car c'est ainsi qu'il s'adressait généralement à elle, mais il craignit que sa femme ne prît ombrage de cette familiarité, en plus, il y avait la boîte de Leonidas, il était peut-être dans une merde noire ou brune selon la couleur du chocolat !)... du docteur Simon ? Mais à quel sujet ? demanda assez nerveusement son mari.

— De Giorgio Santini.

— Giorgio Santini ? dit Audrey Simon, mais je ne le connais pas.

— C'est un de mes patients vénitiens, dit Sophie. Un milliardaire excentrique qui me fait venir à Venise deux ou trois fois par année.

— Il la loge au Danieli et la paye 25 000 $ pour sa consultation, ajouta le docteur Bergmann.

— Vingt-cinq mille dollars ! s'étonna la jeune psychiatre, qui arrondissait les yeux.

— Mais enfin, je... je ne vois pas le lien entre Giorgio Santini et ta... ta présence ici, fit le mari de Sophie, qui allait de surprise en surprise.

— Tu vas comprendre. Depuis que je suis revenue de Venise, il n'arrête pas de m'envoyer des messages, de m'appeler pour me demander si je peux retourner le voir. Je lui ai expliqué que je ne pouvais pas, que je suis trop occupée ici, avec mes patients, mes conférences (elle en donnait en effet plusieurs par mois). Et il faut aussi que je m'occupe de mon mari.

— Un travail à temps plein, crut bon de plaisanter ce dernier, mais les deux femmes ne le trouvèrent pas drôle, pour des raisons différentes, qu'il est aisé de deviner.

— Comme c'est un *control freak*, qu'il n'accepte pas de se faire dire non, savez-vous ce qu'il a fait ? poursuivit Sophie.

Le mari de Sophie et Audrey se regardèrent, et il était évident qu'ils n'avaient aucune idée de ce qu'avait pu faire ce peu banal patient vénitien.

— Euh, non, dit le mari de Sophie.

— Il me fait suivre.

— Hein, il te fait suivre ?

Le docteur Bergmann ne s'attendait pas, mais alors là pas du tout à cette autre scène de la vie conjugale, même s'il en était responsable. La jeune psychiatre trouvait ça étonnant et fou, elle aussi, quoique, avec l'amour, les choses étonnantes et folles étaient monnaie courante : elle était, de par son métier, bien placée pour le savoir.

— Oui, regarde !

Sophie tira son cellulaire de son sac à main, et montra à son mari les *selfies* pris juste avant au Sheraton Montréal. La jeune psychiatre s'approcha, pour mieux voir les photos, et Sophie remarqua alors (et ce ne fut pas sans la troubler) qu'elle portait le même parfum qu'elle, du Boucheron, et elle trouva que la coïncidence était surprenante : était-ce, pensa-t-elle à la vitesse vertigineuse que donne la jalousie à l'esprit d'une femme, même infidèle à son mari, un cadeau de ce dernier pour qu'elle ne puisse sentir sur lui le parfum (autre) d'une autre femme ? Ruse identique, le cas échéant, à celle utilisée par Albert avec sa femme : mais ça, elle ne le savait pas, car il ne s'en était pas vanté à elle, craignant sans doute que, s'il lui prouvait à quel point il pouvait être manipulateur avec Louise, elle craindrait aussitôt qu'il pourrait l'être avec elle.

— Mais c'est un malade, ce type ! fulmina le mari de Sophie, qui avait reconnu le (stupide et maladroit et impertinent) détective privé.

Il n'en revenait tout simplement pas de sa conduite : il avait embrassé sa femme, avait tenté de lui tripoter les seins, alors qu'il n'avait reçu pour seul mandat que de la suivre, de la photographier, de voir si elle avait une liaison adultérine, comme il l'en soupçonnait. Et en plus, il lui avait demandé le gros prix pour ça, en tout cas un dépôt de 5000 $! Ensuite ce serait 200 $ de l'heure : la jalousie avait un prix, surtout quand c'était celle d'un médecin spécialiste et anxieux, car le détective privé, en bon marchand, lui avait demandé ce qu'il faisait dans la vie pour savoir ce qu'il pourrait lui demander comme tarif.

— Je n'en reviens pas ! s'horrifia aussitôt Audrey.

Une pause, et le docteur Bergmann demanda :

— Oui, mais, es-tu vraiment certaine que c'est Santini qui te fait suivre ?

Lui était certain que non, évidemment.

Mercantile malgré lui, il pensait aux 25 000 $ que versait à sa femme cet excentrique Italien, et aux folies qu'elle lui offrait ensuite, riche de cette somme inattendue que, de surcroît, il lui payait comptant : une fois une Rolex de 10 000 $, une autre fois une suite pendant trois jours au Plaza Hotel, sur Fifth Avenue, à New York, pendant le week-end de Pâques, ou mieux encore, un voyage en première sur Paris, au Plaza Athénée, avenue

Montaigne et tutti quanti. Comme il aurait été dommage de devoir y renoncer… Et surtout, oui, surtout, le mari de Sophie savait bien que Giorgio Santini n'était coupable de rien.

— Qui d'autre pourrait perdre son temps et son argent à me faire suivre ? fit Sophie.

— En effet, admit son mari, qui faisait mine de chercher une explication plausible, mais ne cessait de penser à ce stupide et grossier détective privé qui avait mis la main sur les seins de sa femme : s'il l'avait eu devant lui, en cet instant, il n'aurait pu s'empêcher de lui donner un coup de poing au visage.

— Mais, tenta la jeune psychiatre, c'est peut-être un autre de vos patients qui vous suit. Moi, ça m'est déjà arrivé, pendant que je faisais mon internat. Il y avait un type, l'hiver dernier, qui était obsédé par moi. Il pensait qu'on avait été mariés dans une autre vie, il m'envoyait des fleurs tous les jours, et des lettres d'amour enflammées avec chaque fois un billet d'un dollar dedans, comme pour me prouver qu'il était riche et était prêt à tout me donner. Il me le disait d'ailleurs : « Je vous donne tout ce que j'ai. »

— Bizarre…, fit le mari de Sophie.

— Oui, en effet, fit Audrey.

Sophie, apparemment éclairée par les remarques d'Audrey Simon, examina à nouveau les photos du détective privé, et comédienne de talent par amour pour Albert, admit :

— C'est vrai, si je lui mets une barbe et une moustache, il pourrait ressembler à un patient que je voyais le printemps dernier, et qui, effectivement, avait une fixation sur moi.

— Ça me semble plus plausible, s'empressa de dire son mari, soulagé par le tour inespéré que prenait la discussion.

— Oui, en effet, concéda aussitôt Sophie.

Et elle ajouta :

— Bon, je vous laisse à vos chocolats ! J'ai un patient dans une demi-heure. Si jamais je revois le type, je pense que je vais faire un signalement à la police.

Et se tournant vers la jeune psychiatre :

— Encore une fois bravo, pour votre poste. Et en passant, on a des goûts en commun.

— Des goûts en commun ? demanda Audrey Simon, intriguée, et peut-être inquiète, car ce goût en commun n'était-il pas pour les hommes, et plus précisément pour le mari de Sophie ?

— Oui, on porte le même parfum. Boucheron.

— Ah, je n'avais pas remarqué.

— Moi oui.

Puis, sans attendre la réaction ou la réplique de sa potentielle rivale, Sophie se tourna vers son mari et dit, avec une langueur faussement tendancieuse :

— À ce soir, mon chéri !

Et elle ressortit du bureau aussi brusquement qu'elle y était entrée.

55
LA DEUXIÈME ET DERNIÈRE (?) DISPUTE

— Est-ce que ton mari t'a crue, tu penses ? demanda Albert, après que Sophie lui eut fait la plutôt abracadabrante narration de ce qui s'était passé la veille : du reste, il n'en revenait pas de son invention et de son sang-froid, et ne l'en admirait, ne l'en aimait qu'encore plus pour ça.

— Je l'espère.

Elle disait : « Je l'espère », mais elle avait plutôt l'air… désespérée !

Inquiète en tout cas.

Elle avait raconté ces choses à son amant au Moulin Rose.

Dans un bain de marbre, qui ne ressemblait guère à celui ou plutôt à ceux de la suite Alfred de Musset-George Sand, au Danieli.

Après avoir fait l'amour.

Il regardait son délicat visage, il regardait ses seins, minuscules et beaux, qui émergeaient coquinement de l'eau.

— En tout cas, s'il a engagé un détective privé, ça veut dire qu'il se doute de quelque chose.

— Comme Louise.

— C'est si bizarre, cette situation, je ne pensais jamais que je vivrais ça un jour. Moi qui déteste le mensonge. Mais…

— Mais quoi ?

— Je ne suis peut-être pas la seule à mentir…

— Je ne suis pas certain de te suivre.

— Écoute, ce sont sans doute juste des idées que je me fais mais lorsque je suis entrée dans le bureau de mon mari pour lui montrer les *selfies* et tout lui raconter au sujet du détective privé, lui et une jeune collègue semblaient s'amuser comme des fous en mangeant du chocolat.

— Tu penses que ton mari a une aventure ?

— Je ne sais pas. Je sais juste que la petite chipie a 26 ou 27 ans, qu'elle est belle comme un ange, mince comme une liane et si ça ne suffisait pas à donner des cauchemars à toutes les femmes de mon âge, elle a les lèvres botoxées et les seins refaits, et son chirurgien n'a pas lésiné sur le silicone. En plus, et tu me diras que c'est juste une coïncidence, elle porte le même parfum que moi. Je suis persuadée que c'est mon mari qui le lui a acheté pour brouiller les pistes. C'est vraiment dégueulasse, tu ne trouves pas ?

— Euh oui, dégueulasse, fit Albert, qui se sentait embarrassé.

Sophie dit encore, réfléchissant à voix haute :

— En même temps, s'il me trompe, pourquoi me fait-il suivre par un détective privé comme ferait un mari jaloux ?

— Il veut peut-être avoir une excuse pour te quitter et refaire sa vie avec cette psychiatre.

— Oh, évidemment, c'est un peu tordu. Mais il est psychiatre après tout. Remarque, je te dis ça et, en même temps, je suis nue dans un bain avec un autre homme que lui.

— Est-ce que j'ai l'air de me plaindre ?

— Non…

— Même que…

— Même que quoi ?

— Si on y pense, ce serait une aubaine pour nous deux, non ?

— Une aubaine ?

— Oui, je veux dire ce serait moins compliqué pour nous voir.

— Parce que ça deviendrait une équation à une inconnue, au lieu de deux ? fit-elle en haussant le ton.

— Une équation à une inconnue ?

— Oui, un ménage à trois au lieu d'un ménage à quatre !

Et comme pour être bien certaine qu'il avait compris, elle précisa :

— Parce que je deviendrais la maîtresse libre d'un homme qui ne l'est pas.

— Mais Sophie, pourquoi dis-tu ça ?

— Est-ce que tu te séparerais si mon mari me quittait ?

— Bien je… je crois que…

— Je crois que tu hésites alors ça veut dire non.

Furieuse, sûre de son fait, elle sortit du bain, se sécha à toute vitesse et mal mais elle s'en foutait, se rhabilla.

— Mais Sophie, voyons, ne pars pas comme ça !

Elle l'ignora.

— Sophie, voyons, les choses finissent toujours par s'arranger.

— Oui, mais mal !

Il pensa : *c'est notre deuxième dispute* (il y avait eu, celle, inénarrable, qui avait précédé la poursuite en gondole !), *mais peut-être celle-là sera-t-elle la dernière.*

Cette épiphanie soudaine le fit suffoquer d'angoisse.

Il s'empressa de téléphoner à Sophie. Il lui fallut trois essais pour qu'elle daignât enfin répondre. Elle écouta silencieusement ses représentations qui se résumaient grosso modo à ceci : ils ne pouvaient se quitter ainsi sur pareil malentendu.

Après un silence qu'il trouva interminable, Sophie dit enfin :

— Mon mari ne me quittera pas, et tu ne quitteras pas ta compagne, mais j'ai un plan.

— Un plan ?

— Laisse-moi faire…

56

LE PLAN

Le soir même, Sophie, après avoir répété seule dans sa chambre sa petite comédie, et vérifié dans son miroir qu'elle n'avait pas trop l'air (coupable) d'une femme trop savante dans l'art de mentir à son mari, dit à ce dernier, du ton le plus nonchalant possible :

— J'ai reçu une proposition d'un éditeur.

— Une proposition ?

— Oui, il veut que j'écrive un livre.

— Il a entendu parler de toi comment ? demanda-t-il avec ce qui sembla à Sophie une sorte de méfiance, en tout cas de scepticisme.

Elle n'avait pas prévu cette question, dut penser vite pour pouvoir répondre :

— Une de mes patientes qui est aussi une de ses auteures.

Il ne lui demanda pas son nom, heureusement, se contenta de dire :

— Ah ! je vois.

La jalousie inconsciente de son mari s'apaisait. Il avait « acheté » ce mensonge. Encouragée, même si elle détestait sa propre duplicité, Sophie ajouta :

— C'est un drôle de hasard. Tu sais que ça fait des années que j'y pensais. Il y a tellement de gens qui sont souffrants, qui ont besoin de conseils psychiatriques. Une personne sur quatre a ou aura des problèmes de santé mentale dans sa vie : ça fait un large public. C'est ce qu'il m'a dit pour me vendre sa salade.

— Il a raison. Tu devrais aller de l'avant. Il n'y a pas de hasard.

— Je sais, mais il y a quelque chose dans ce type qui ne me paraît pas parfaitement net. Je ne suis pas sûre qu'il soit honnête.

— Tu l'as rencontré ?

— Non, mentit-elle, mais c'est dans sa voix, je ne sais pas... Il est trop mielleux. Est-ce que ça te dérangerait de venir à son bureau avec moi ? J'aimerais ça avoir ton avis sur lui. Tu es si bon juge des gens.

Depuis qu'elle l'avait surpris dans son tête-à-tête avec sa protégée, et qu'elle avait débusqué son détective privé (même si à aucun moment elle ne l'avait accusé de l'avoir embauché, et il se félicitait secrètement – et stupidement – qu'elle ne l'ait jamais deviné !), il se montrait vraiment complaisant avec elle et en tout cas toujours soucieux de ne pas la contrarier. Comme s'il avait quelque chose à se faire pardonner : elle, fine mouche, n'était pas dupe de son obséquiosité nouvelle.

— Quand tu voudras, lui assura-t-il.

— Demain midi ?

— Demain midi ? C'est que j'avais déjà quelque chose.

Elle pensa : *avec la jeune psychiatre ?*

— Tu ne peux pas annuler ?

Elle le fixait en attendant sa réponse, pour voir s'il ne lui mentirait pas.

— Oui, sans problème. C'est juste un *rep* d'une compagnie pharmaceutique.

Il avait cependant l'air plus contrarié que si ça avait vraiment été un simple *rep*.

Aussitôt, Sophie prétexta une course à faire et expliqua à Albert son plan.

— Mais tu es folle ou quoi ?

— Non, ensuite il va nous foutre la paix. Il ne se méfiera plus de rien.

Malgré ses réticences, Albert pensa : *ce que femme veut…*

Au demeurant, il lui fallait bien admettre que ce plan, quoique indéniablement bizarre, valait bien mieux que la première idée de sa maîtresse, qui avait d'abord voulu rompre. Aussi se prépara-t-il du mieux qu'il put à cette rencontre pour le moins inhabituelle.

Le lendemain, en ressortant de la réunion qui avait duré une petite heure, le mari de Sophie lui dit :

— Je le trouve plutôt sympa.

— Moi aussi, mais je ne sais pas, j'ai encore des hésitations, dit Sophie par quelque stratégie psychologique dont elle devait être seule à détenir la clé.

— Pourquoi tu ne l'inviterais pas à la petite fête qu'on organise à l'hôpital jeudi prochain ?

— Il y a une petite fête à l'hôpital jeudi prochain ?

— Oui, je ne t'en avais pas parlé ?

— Non. C'est pour fêter quoi ?

— Euh, l'arrivée du docteur Audrey Simon.

— Ah, l'arrivée du docteur Simon, celle qui porte du parfum Boucheron, je vois, dit-elle non sans ironie. Pourquoi pas ? C'est un des secrets du succès en affaires de connaître la compétition, non ?

— Voyons, Sophie.

Elle se contenta de sourire, mais pensa : *voyons voir !*

57
MÉNAGE À TROIS

Sophie fut de la fête.

Albert aussi, malgré son embarras, ses hésitations : il détestait ce genre de situations. Il y avait consenti à une condition : que sa compagne Louise soit à ses côtés.

Sophie n'y vit pas d'objection, mais fut étonnée, pour ne pas dire piquée, que son mari passe une bonne partie de la soirée avec elle, comme s'il avait éprouvé pour Louise un béguin considérable. Même Albert en prit ombrage. Quant à la jeune psychiatre Audrey Simon, la vedette de la soirée, elle sembla s'en moquer éperdument. Du reste, son fiancé l'accompagnait, un véritable play-boy, éblouissant dans sa jeune trentaine, courtier immobilier de son métier sur lequel toutes les femmes se jetaient. Ça le laissait visiblement indifférent, ça l'agaçait même, aurait-on dit : il n'avait d'yeux que pour la belle et pulpeuse Audrey Simon. Elle aussi semblait éperdument amoureuse, et paraissait se moquer du mari de Sophie comme de sa première chemise, ne lui adressant pas dix mots de toute la soirée.

Ça rassura Sophie : elle s'était tout simplement fait des idées avec la boîte de chocolats et les rires, quand elle était entrée sans se faire annoncer dans le bureau de son mari.

Son mari qui, en revanche, ne cessait de s'intéresser à Louise, s'était d'abord émerveillé de la retrouver par hasard (il lui avait fait du plat à l'aéroport, alors que tous deux étaient venus accueillir leur conjoint) puis lui avait fait le banal compliment, lorsqu'elle lui avait annoncé qu'elle était avocate, qu'elle avait pourtant l'air d'une véritable actrice. Depuis, il riait aux éclats à chacune de ses plaisanteries, trouvait tout ce qu'elle disait captivant, brillant, original.

À un moment, Sophie et Albert, qui étaient témoins de cette conversation qui n'en finissait plus, levèrent presque en même temps les paumes vers le plafond en se regardant et Albert dit :

— On dirait un ménage à trois.

— Un ménage à quatre, tu veux dire.

— Hum…

Et l'un et l'autre, même s'ils étaient infidèles, éprouvèrent une certaine jalousie.

Après le cocktail, dans la voiture qui les ramenait à la maison, le mari de Sophie lui dit :

— Il est vraiment intéressant, cet éditeur…

Elle pensa qu'il ne lui avait pas dit trois mots, qu'il avait passé la moitié de la soirée à faire la cour à sa femme, ou en tout cas à s'intéresser visiblement et de manière outrancière à elle, comme si Sophie, sa propre femme, n'existait pas.

— Tu avais raison, c'est un type correct. Je vais l'appeler pour signer avec lui.

Ainsi débuta un nouveau chapitre de leurs amours interdites.

58
LE GRAND AMOUR À LA LUMIÈRE DU JOUR

Mais les choses ne se passèrent pas comme Sophie l'avait planifié, malgré le succès apparent de son plan.

Le problème entre eux, imprévisible, vraiment, était qu'ils étaient… trop bien ensemble !

Oui, TROP BIEN ENSEMBLE.

Trop bien ensemble au lit…

Trop bien ensemble hors du lit !

Ce qui était plus grave, bien plus grave…

La fréquence de leurs rencontres – au Moulin Rose et ailleurs –, au lieu que d'affadir le plaisir qu'ils avaient à être ensemble, l'exaltait. Loin de les combler, leur liberté nouvelle les rendait plus malheureux. Ils s'étaient l'un et l'autre rendu compte de la nature de leur problème : ils étaient un vrai couple, et pas juste des amants, mais ne pouvaient pas avoir… la vie d'un vrai couple !

Comme ils étaient un vrai couple, ils avaient des problèmes de vrais couples. Et comme les hommes aiment peu aborder ceux-ci, ce fut Sophie qui prit les devants.

Ils étaient chez Leméac, à une des tables jouxtant la vitrine, d'où ils pouvaient voir la rue et être vus depuis celle-ci. Ils voulaient, ça crevait les yeux, jouir de cette liberté nouvelle de pouvoir s'afficher, même si, sans grande originalité, ils évitaient tout geste qui pourrait trahir leur liaison… ce que font en public tous les amants clandestins !

Sophie s'était fait servir pour tout repas une simple entrée de tartare de saumon, qu'elle avait exigée fort relevée, comme si les épices secrètes de l'exquis chef leméacien allaient pouvoir… relever son moral. Mais elle n'en avait pris qu'une seule minuscule bouchée. La déconvenue amoureuse peut être la meilleure diète – ou la pire ! – selon que l'on mange ou vomit ses émotions.

Le garçon, fort stylé, et qui surtout maîtrisait cet art subtil et rare dans son métier de tout voir sans que jamais sa présence fût vraiment visible, lui demanda si le saumon était à son goût. Distraitement, elle lui avait dit oui : il l'avait cru.

Mais pas Albert. Même s'il se régalait de son plat.

Voulant défier le sort, malgré ses ennuis financiers, et même si son comptable sourcillerait lorsqu'il recevrait sa note de frais, il avait commandé un *rib eye* de bœuf vieilli grillé, sauce trois poivres (le pluriel de l'épice qu'il vénérait presque avait eu son importance dans son choix : il était éditeur, on s'en souviendra !) qui ne s'enlevait que pour 54 $ avant taxes et service.

C'est qu'il aimait vivre dangereusement – comme il faisait d'ailleurs avec Sophie – même si, il s'en rendait bien compte, ce n'était pas vraiment réussi.

Constatant le peu d'appétit qu'elle manifestait pour son tartare de saumon, dont elle s'était si souvent régalée devant lui, il plaisanta :

— N'attends pas trop, ton plat va être froid.

— Ha ha ha, très drôle !

— Qu'est-ce qu'il y a, Louise… ?

Quel lapsus malencontreux, surtout en cet instant !

— Il y a justement Louise.

— Je… je suis désolé, je… j'ai une tonne de problèmes au bureau…

— Et il y a mon mari, poursuivit-elle sans se soucier de ses problèmes au bureau.

— Tu penses qu'ils ont une liaison ?

— Je ne sais pas et honnêtement je m'en fous. Ce que je veux dire est que ce sont eux qui nous empêchent d'être heureux.

— Normal, on vit avec eux.

— Est-ce que c'est supposé être drôle ?

— Non…

— Écoute, ça ne peut plus durer comme ça, Albert.

— C'est l'arrangement que tu voulais.

— Mais ça ne marche pas. Je le sais et tu le sais.

Elle haussa le ton pour poursuivre sa tirade :

— Est-ce qu'on va passer le reste de notre vie à faire l'amour comme des malades dans un motel minable fréquenté par des prostituées mineures qui font l'amour avec des vieux dégénérés ?

Elle vit alors qu'Albert blêmissait et elle comprit bien vite la raison de son embarras. À la table voisine, une sexagénaire un peu guindée qui dînait seule, arrondissait les yeux et semblait se demander, indignée, si Leméac était un restaurant aussi bien fréquenté qu'elle l'avait toujours pensé.

Avec aplomb, et non sans invention, Sophie, avec le sourire le plus innocent qu'il se put trouver, lui expliqua :

— On répète la nouvelle adaptation cinématographique des *Liaisons dangereuses* par Xavier Dolan.

— Ah, c'est bien, c'est très bien, fit la sexagénaire, rassurée.

Sophie se tourna vers Albert, qui esquissa un sourire admiratif et dit d'une voix plus basse et plus prudente :

— Drôle. Mais qu'est-ce que tu proposes ?

— Qu'on se jette à l'eau.

— Mais on a déjà parlé de ça, et c'est toi-même qui as dit que c'était impossible. As-tu pensé aux conséquences ?

— Je ne pense qu'à ça, justement. Et au fond, je me suis trompée, les conséquences, elles ne sont pas si graves. Bon, je sais que c'est triste pour les enfants que ta conjointe a adoptés, mais au fond, tu n'es pas leur père, et Louise est avocate, elle va se débrouiller. Et pour ta fille, elle est partie, alors tu ne briseras pas sa vie.

— Je sais, je sais…

Et il semblait penser à sa fille plus qu'à la proposition de Sophie. Sa fille qui avait sa vie… et plus trop de temps pour son père ! Sa fille qu'il n'avait pas vue depuis trois semaines, et encore, pour un petit déjeuner vite expédié et interrompu par dix textos.

— Mais ta fille ? objecta Albert. Ta fille qui t'adore et qui adore son père, tu n'as pas peur de…

— Les enfants sont résilients, le coupa-t-elle. Et elle a 16 ans. Elle va comprendre, et de toute manière presque tous les parents de ses amis sont divorcés. C'est la vie moderne, quoi !

— Et ton mari…

— Mon mari ? fit-elle d'un ton aussi surpris qu'agacé : elle trouvait qu'Albert semblait se soucier de tout le monde sauf d'elle, sauf de la chose la plus importante : leur couple. Il va s'en remettre. Et puis, il va peut-être en profiter pour commencer à voir ta Louise, si ce n'est pas déjà fait. Il n'est plus le même avec moi depuis cette stupide soirée à l'hôpital.

— Ça serait une drôle de fin de notre ménage à quatre.

— Et une façon amusante pour lui de se venger de mon départ.

Albert se rembrunit: cette vengeance ne lui semblait pas du tout amusante. Et en tout cas, il ne s'empresserait pas de dire à Sophie que son plan était génial, et que, toutes affaires cessantes, ils allaient prendre les grands moyens pour vivre leur grand amour au grand jour.

C'est en tout cas la manière dont Sophie lut l'expression torturée d'Albert. Elle en prit tout naturellement ombrage et dit d'un ton cassant et ironique:

— Bon, comme je peux voir, mon idée te fait étouffer d'enthousiasme. Alors on va faire comme font les gens qui n'ont pas vraiment l'intention de faire quelque chose: on va y réfléchir.

Et, contrariée, elle prit un billet de 100 $ dans son sac à main, qu'elle avait acheté à Venise et qui lui rappelait de bons et de mauvais souvenirs, et elle le jeta sur la table. Albert, qui payait habituellement pour tout, autant au restaurant qu'au Moulin Rose, sauf parfois pour le vin blanc dont elle voulait l'étonner, prit le billet et le tendit en direction de sa maîtresse, implora:

— Mais Sophie, attends!

Elle n'attendit pas, et Albert dut se contenter de distribuer des sourires embarrassés aux clients voisins de sa table qui avaient été témoins de l'algarade: même s'ils étaient un couple clandestin, ils avaient l'air d'un couple comme les autres. Qui vient de se disputer.

La sexagénaire à la table voisine lui demanda:

— Une autre scène du film?

— Oui, exactement: comment avez-vous fait pour deviner?

Sans attendre sa réponse, il se détourna d'elle pour regarder par la fenêtre du resto. Il vit Sophie traverser la rue, monter dans sa jolie Audi, et faire crisser ses pneus comme pour lui montrer sa colère et son désir de se retrouver le plus rapidement possible loin de lui : il n'avait d'autre choix que de réfléchir, sinon il la perdrait.

Sophie, elle, pensa qu'elle avait peut-être été un peu prompte avec Albert.

Et elle le fut à prendre sa décision à l'endroit de son mari. Elle en fut la première surprise, vu la discussion qu'elle avait eue avec Albert pendant la journée.

C'est que son mari lui fit l'amour en la préparant encore moins longtemps que d'habitude. Elle était restée sèche : ça lui fit mal. Il ne parut pas s'en rendre compte. Il paraissait absent. En plus, au moment de la volupté, il fit une chose qu'il n'avait pas faite depuis des années. Il lui dit : « Je t'aime. » Elle pensa spontanément que ce n'était pas à elle que cet aveu inhabituel s'adressait mais à la femme à qui il pensait : la pulpeuse Louise, tellement plus jeune qu'elle, et pour qui il semblait avoir eu un véritable coup de foudre. Sophie n'en était d'ailleurs pas encore tout à fait revenue, même si elle était plutôt mal placée pour faire à son mari le moindre reproche.

Elle était soudain dégoûtée de ce ménage à quatre, avec Louise, ou – qui sait ? – avec cette jeune psychiatre arriviste qui aimait peut-être son fiancé sans refuser pour autant ses faveurs à son mari pour obtenir en retour d'autres sortes de faveurs de lui : elle avait ainsi le choc et le chèque… pas très chic de sa part pour son fiancé et pour Sophie, mais pas impossible.

Vraiment, Sophie se répéta qu'elle en avait assez de cette comédie, de ce ménage à quatre, peu importât sa bancale composition.

Pourtant, vu la sagesse qu'apporte l'aube de la quarantaine, et son métier de psychiatre qui la portait à se méfier des mouvements trop brusques de son esprit, et encore plus de ceux de son cœur, elle se dit qu'elle dormirait là-dessus. Si son idée était aussi claire au matin qu'à son coucher, elle ne tergiverserait pas, elle annoncerait sa décision à son mari sans tarder.

De toute manière, eut-elle voulu s'entretenir tout de suite avec lui que ç'aurait été difficile : il dormait déjà !

Elle s'était fait ce raisonnement que se font souvent les femmes : si elle envoyait promener son couple, son amant ferait de même, et ils seraient tous les deux libres de s'aimer.

Mais le lendemain matin se produisit un événement inattendu qui bouleversa tous ses plans.

59

JE T'AIME… MOI NON PLUS (PRISE DEUX… OU TROIS)

Elle fut réveillée par une main impatiente qui lui secouait énergiquement l'épaule.

Elle crut d'abord que c'était son amant, car c'est de lui qu'elle avait rêvé, malgré l'altercation de la veille, et un vague sourire ravi sur ses lèvres témoignait qu'il s'était plutôt bien rattrapé nuitamment de ses lâchetés sentimentales déclinées en bégayant chez Leméac. Ensuite, avant de faire une gaffe qu'elle aurait regrettée, elle reconnut son oreiller, comprit que c'était plus probablement son mari qui tentait de l'extirper des bras de Morphée – en fait de ceux, vigoureux, d'Albert !

Elle se trompait encore : ce n'était pas son mari qui la priait ainsi de se réveiller mais sa fille.

— Elsa ? Il est quelle heure ? demanda-t-elle, en se frottant les yeux.

— Sept heures.

— Sept heures ?

Elle avait l'impression qu'il était seulement 5 heures du matin tant elle était fatiguée.

Aussitôt, elle se tourna vers le côté du lit de son mari : il était absent.

— As-tu vu ton père ? demanda-t-elle à sa fille.

— Il sortait quand je suis entrée dans votre chambre.

— Ah ! dit-elle avec une fausse nonchalance.

Parce que, à la vérité, il partait rarement de la maison avant 8 heures du matin, sauf, évidemment, s'il avait un avion à prendre, et déjeunait toujours avec elle. Où s'était-il enfui de si bon matin, sans lui laisser de note – elle avait vitement vérifié sur sa table de nuit ? Était-il allé prendre un café crème et un croissant avec la femme à qui il pensait cependant que, la veille, il lui faisait l'amour encore plus maladroitement que d'habitude, avec cette Louise qu'elle commençait de plus en plus à détester parce que non seulement – et c'était paradoxal, elle le savait – elle empêchait son amant d'être à elle seule, mais en plus elle semblait être en train, comme pour la narguer, ou se venger, de lui voler son mari ? Pas assez de temps ni d'éléments de preuve pour trancher cette question, du reste hautement hypothétique. Pour l'heure, la priorité était sa fille Elsa, une brunette grande et filiforme, qui pleurait à chaudes larmes et réclamait sa totale attention.

— Mais qu'est-ce qui se passe, ma chérie ?

Elsa fit deux ou trois faux départs, comme Beethoven fait trois ou quatre fausses fins dans certaines de ses symphonies (le génie a ses raisons que les idiots ne connaissent pas). Mais enfin, parvenant à maîtriser son chagrin, Elsa expliqua :

— Steph a tenté de se suicider !

Steph, c'était sa meilleure amie, presque la sœur qu'elle n'avait jamais eue.

— Oh, c'est triste. Mais pourquoi ?

Elsa voulut dire pourquoi mais elle s'était remise à sangloter.

Sa mère la fit asseoir à côté d'elle dans le lit conjugal déserté par son mari, et la serra dans ses bras. Elle lui caressa les cheveux, qu'elle avait abondants et magnifiques tout comme elle, tandis que l'adolescente tentait de sécher ses larmes.

Comme elle semblait reprendre un peu d'empire sur sa tristesse, Elsa dit :

— C'est que… c'est que…

Mais elle n'eut pas la force de dire ce que c'était. Enfin, Sophie, qui avait cru deviner la raison du désarroi de l'amie de sa fille, tenta :

— Son petit ami l'a laissée ?

— Non, c'est bien plus horrible.

— Bien plus horrible ? Mais qu'est-ce que… elle s'est faite violer ?

— Mais non, maman, voyons ! Je ne suis pas certaine à cent pour cent, mais je pense que c'est parce que ses parents lui ont annoncé qu'ils divorçaient. Elle l'avait appris hier, en tout cas…

60

LES SOUCIS DE SOPHIE

Le premier soin de Sophie, après qu'elle eut consolé du mieux qu'elle pouvait sa fille, fut d'appeler son mari. Ça la chicotait, et plus qu'elle aurait pu l'avouer, ce départ si matinal.

Où était-il allé?

Et surtout, oui, surtout, était-il allé rejoindre une femme?

Ça ne lui ressemblait pas en tout cas.

Elle tomba sur sa messagerie vocale.

Agacée, et s'enfonçant de plus en plus dans la certitude qu'il s'était enfui vers un rendez-vous galant, elle lui texta: « Tu es parti bien tôt, ce matin, mon mari. Un rendez-vous important? »

Il ne répondit pas à son texto, ni immédiatement ni dans les dix minutes qui suivirent et que, sans vrai succès, elle tenta de tuer en se faisant un espresso bien tassé avec sa somptueuse machine à café italienne, une Faema Emblema. Elle était Vénitienne, après tout, il faut ce qu'il faut!

Elle appela Albert:

— Tu peux parler?

Elle savait que lui non plus ne partait pas pour la maison d'édition avant 8 heures, et elle s'abstenait de l'appeler plus tôt, même s'il avait son deuxième cellulaire : elle voulait éviter de le mettre dans l'embarras.

Lui l'appelait en général de son auto pour lui souhaiter bon matin, lui demander comment elle avait dormi, si elle avait rêvé de lui ; il voulait surtout entendre le son magique et merveilleux de sa voix, qui lui faisait toujours le même paradoxal effet : qui le tuait, qui lui donnait envie de vivre… peut-être est-ce la définition même de l'amour fou, de l'amour vrai, allez savoir !

— Oui, je peux parler, je… je suis seul.

— Seul ?

— Oui, c'est un peu curieux, mais quand je me suis levé, Louise était déjà partie, elle qui ne se lève jamais avant 8 heures. Elle m'avait laissé un mot : « Suis partie tôt, une urgence au bureau dans le procès Zambito. »

Sophie rageait, car elle faisait 1 + 1 = 2 !

Louise et son mari étaient en train de déjeuner ensemble, de rire d'eux, ça tombait sous le sens !

— Sophie ? Es-tu encore là ?

— Oui, je…

Elle ne pouvait compléter sa pensée.

Car elle songeait que les choses étaient moins simples qu'elle les avait d'abord envisagées, que, en fait, comme le lui avait signifié Albert lors d'une de leurs premières conversations sérieuses, c'était compliqué.

Tout se brouillait dans son esprit.

Il y avait la conversation qu'elle venait d'avoir avec sa fille, dont la meilleure amie avait failli commettre l'irréparable. Elsa était équilibrée, certes, surdouée et première de classe – elle voulait même suivre ses traces et devenir médecin, pour mieux dire pédiatre. Mais était-il possible de savoir comment elle réagirait à l'annonce du divorce de ses parents ? Même une femme forte, c'est connu, peut parfois craquer, à l'étonnement de son entourage qui la croit bien au-dessus de ces banales faiblesses qui accablent le commun des mortels : alors une adolescente…

Et puis il y avait cette histoire qui l'irritait au plus haut point entre son mari et la compagne d'Albert… C'était le monde à l'envers, si du moins semblable expression pouvait s'appliquer à la situation.

Sa colère pourtant n'étouffait pas complètement sa lucidité : elle nageait dans les paradoxes intérieurs, ceux-là même qu'elle conseillait à ses patients de traquer et de répudier s'ils voulaient vivre heureux. Elle appelait même ça *la cohérence du bonheur*, s'en était ouverte à Albert, qui avait tout de suite décrété que ce devait être là le titre du livre qu'elle était supposée écrire. La cohérence du bonheur… Elle n'y nageait certes pas en ces moments de grands vents dans sa vie amoureuse, qui rappelaient de manière curieuse la prédiction de Madame Socrate faite à Albert : « Vous rencontrerez le grand amour dans un jardin de roses où il vente tout le temps… »

Elle dit enfin à Albert, surprenante, mais non sans une mystérieuse logique personnelle :

— Je… je voulais m'excuser pour hier midi. Je n'ai pas été correcte.

— Mais non, tu avais raison, c'est moi qui n'ai pas été correct, il faut qu'on assume notre amour : il faut faire preuve de cohérence du bonheur, comme tu dis si bien. Alors pourquoi ne pas se jeter à l'eau, comme tu le suggères ? On apprendra à nager ensemble et si on se noie, ce sera ensemble, et n'est-ce pas le plus important ?

Joliment romantique, et ce qu'elle avait toujours souhaité entendre de lui, même si, elle n'en disconvenait pas, elle n'était pas en cet instant la meilleure cliente de tels épanchements. Elle eut envie de rétorquer : « Avant, j'aimerais étriper mon mari qui est probablement en train de s'envoyer un café crème et des croissants avec ta femme ! »

Mais elle ne le fit pas.

Elle pensait à toute vitesse : *trop de choses se passent en même temps, j'ai besoin de temps pour réfléchir...*

Elle dit enfin :

— On en parle au Moulin Rose ?

— Tu as de ces arguments ! Tu pourrais être avocate !

— Tu en as déjà une dans ta vie, ça ne te suffit pas ?

61

« L'AMOUR, LA PLUS GRANDE DOUCEUR, LA PLUS GRANDE DOULEUR »

DU VIEIL EURIPIDE,
CE QUI ENGENDRA LA SURPRENANTE ET TARDIVE MODULATION MODERNE :
« STOP OU ENCORE ? » DU JEUNE ET CHARMANT PLASTIC BERTRAND

Dangereusement distraite au volant de la Audi aussi noire que ses pensées qui la conduisait à son cabinet où elle devrait dispenser à fort tarif les secrets de l'équilibre et du bonheur, Sophie, pourtant si malheureuse, songeait non sans angoisse : *qu'est-ce que je fais ? Je m'arrête ou je continue, avec Albert ? Est-ce que je ne suis pas en train de faire la plus grande erreur de ma vie – surtout si ça veut dire qu'en quittant mon mari, ma fille héritera de ce déséquilibre qui n'épargne personne à un moment ou l'autre de sa vie… au point où elle voudra peut-être justement y mettre fin, à sa vie, mourir, suivant l'exemple dramatique de sa meilleure amie ?*

Survivrait-elle à cet événement, à ce bouleversement ?

Et Albert…

Au fond, elle ne le connaissait pas vraiment…

Mais elle savait une chose : c'était très certainement un homme infidèle !

Bon, c'était peut-être un peu injuste, un peu ironique de le lui reprocher, car c'était avec elle, après tout, qu'il l'avait été – et elle-même avait été infidèle à son mari : qui se ressemble couche ensemble !

Mais il était peut-être plus volage qu'il ne le disait, comme presque tous les hommes trop beaux pour être fidèles.

C'était d'ailleurs, se rappelait-elle avec une douleur nouvelle, la première impression qu'elle avait eue en le voyant : et ne faut-il pas toujours s'y fier ?

Y aurait-il eu, avant elle, bien d'autres femmes avec qui il aurait trompé avec talent sa compagne ?

Incapable de trancher, malgré sa formation de psychiatre qui, elle s'en rendait bien compte, ne lui était d'aucune utilité en cette rose des vents de sa vie, Sophie en vint à penser que c'était une calamité d'avoir rencontré Albert : il lui avait fait découvrir autre chose que ce qu'elle vivait dans son mariage, la banalité, la grisaille, la routine, jusque-là confortable, ou en tout cas tolérable…

Maintenant, il était trop tard.

Dans la pomme de son tristounet amour conjugal, un ver s'était introduit, par le jeu de l'amour et du hasard, qu'elle avait d'abord cru heureux et qui peut-être ne l'était pas.

Désormais elle savait.

Qu'il y avait autre chose.

Et qu'un homme pouvait la combler.

Dans un lit et…

Hors d'un lit…

Trouble encore plus profond, maladie d'amour encore plus difficilement curable…

Car ainsi que l'avait promulgué ou pour mieux dire rappelé, vu son illustre devancier (Hugo, pour ne pas le nommer), Madeleine

Renaud, longue et intelligente et amusante muse de Jean-Louis Barrault : « Les femmes, c'est comme les lapins, on les attrape par les oreilles. »

Mais en cet instant, Sophie souhaitait une commode surdité.

Il lui fallait non pas un aide-mémoire mais un aide-oubli !

Pour pouvoir ne plus penser à Albert, à toutes leurs nuits, ou pour mieux dire, toutes leurs après-midi au minable Moulin Rose, pourtant leur seul paradis.

Pour le chasser de sa brûlante mémoire.

Ou alors elle pourrait se faire fausse psychiatre de ses propres égarements, tenter de se faire croire que tout cet amour n'avait été qu'un rêve : pourtant, ses innombrables voluptés ne lui mentaient pas !

Sa fille, qui la voyait triste, ou en tout cas préoccupée, sa fille, encore plus fine psy qu'elle, donc psychiatre avant la lettre – le fruit ne tombe jamais loin de l'arbre ! –, tenta quelques jours plus tard de la rasséréner, après que, désolée et inquiète, elle l'eut vu rater deux fois d'affilée la préparation pourtant simple de l'espresso qui lui donnait cet élan de plus en plus difficile à prendre. C'est que son amour, au lieu de lui donner des ailes, les lui coupait, se moquant d'elle !

En ce malentendu si fréquent, même entre ceux qui croient se connaître depuis longtemps, elle lui représenta :

— Ne sois pas si chagrinée, ma petite maman adorée... Steph n'est pas morte. C'est ça qui compte. Et elle s'est tout de suite ressaisie, elle est étonnante de résilience.

— Elle aurait quand même pu être résiliente avant d'avaler son flacon de somnifères avec sa bouteille de vodka, du moins si j'ai bien compris ce que tu m'as dit.

— Oui, je sais, je sais, maman mais, bon, personne n'est parfait, et il n'est jamais trop tard pour bien faire, non ?

— En effet, en effet, dit pensivement Sophie qui tentait de «*processer*» du mieux et du plus vite qu'elle le pouvait le sens profond de ces variations sur des poncifs qui, croyait-elle naïvement, n'avaient pas survécu à sa génération, surtout grande par ses prétentions.

Elle écouta ensuite, en mère fort peu rassurée, les assurances douces-amères de sa fille qui lui disait, sans être amère de la tournure des événements:

— Finalement, c'est une bonne chose que ses parents se séparent. C'est même la meilleure chose qui pouvait lui arriver.

La meilleure chose qui pouvait lui arriver? Que ses parents se séparent!?

Sophie pensa comme malgré elle: une autre pastille, ou dragée, si vous préférez, de la pensée *New Age* qui ravageait commodément bien des cervelles!

Dans quelle planète nouvelle, à quelle époque bizarroïde vivait-elle?

Sa fille n'allait pas tarder à le lui expliquer en lui révélant, avec la certitude d'un prix Nobel de psychologie, les conséquences des idées suicidaires de sa meilleure amie:

— Elle n'osait pas partir à New York, de crainte de faire de la peine à ses parents, mais là, comme ils divorcent parce que sa mère a rencontré quelqu'un, un romancier à succès, je crois, elle ne leur doit plus rien… Elle a carte blanche, comme elle le dit si bien.

Tout ce scénario ressemblait horriblement à l'histoire que Sophie vivait ou pour mieux dire s'apprêtait à vivre: un romancier à succès, un éditeur… N'était-ce pas blanc bonnet, bonnet blanc, et en tout cas un signe que lui envoyait le destin au vol?

— À New York? Elle va aller vivre à New York? s'enquit Sophie avec affolement.

Car si sa fille lui avait annoncé pareil projet, elle en serait morte, très certainement.

— Oui, chez son petit ami.

— Chez son petit ami ? Mais je pensais qu'il habitait à Laval.

— Ah ! celui-là. Mais il est trop banal. Elle en a un autre vraiment plus excitant, vraiment plus *hot*, maman.

— Ah bon, je vois, dit Sophie même si, de toute évidence, malgré les diplômes dont elle était bardée, elle ne voyait pas, mais alors là pas du tout !

— Elle a deux petits amis. En fait trois, mais le dernier ne compte pas : elle le voit juste quand elle est désespérée des deux premiers !

— Évidemment ! dit Sophie pour ne pas passer pour une mère trop démodée même si elle se sentait complètement dépassée. Mais son petit ami de New York, il est quoi dans cette équation, qui compte trois inconnus, si je comprends bien ?

— Il a une agence de mannequins. Et il dit que pour devenir une star internationale, Steph a tout pour elle.

Sophie n'en revenait pas.

— Il a une agence. Mais quel âge a-t-il ?

— Il est un peu plus âgé qu'elle, forcément, balbutia sa fille, avec une rougeur coupable qui mit la puce à l'oreille déjà inquiète de sa mère.

— Un peu plus âgé ? C'est-à-dire ?

— Euh, 37 ou 38 ans, mais pas 40 ans, c'est sûr…

— Il a le triple de son âge !

— Non, ça ferait 48 ans.

— Ne jouons pas sur les mots… ou avec les chiffres ! !

— Oui, bon, d'accord. Mais juste pour que tu saches en passant : Steph n'est pas stupide, elle utilise seulement ce mec pour sa carrière, et lui juste pour son cul. Elle a tout pigé dès le début : c'est juste un échange de bons procédés.

Un échange de bons procédés! se scandalisa intérieurement Sophie.

Étonnée et inquiète, pour ne pas dire toute chamboulée de cette découverte, elle entrait pour la première fois de sa vie de mère, non pas dans *Le Monde de Sophie* (titre du best-seller de Jostein Gaarder qui l'avait attirée – vu son titre – et éblouie dans sa jeune vingtaine) mais dans celui des amours (surprenantes) de sa fille.

Sa décision était prise : il lui fallait rester avec son mari, et cesser de voir Albert !

Elle le lui dirait au Moulin Rose, où ils avaient convenu d'une date, d'une heure, où ils feraient l'amour une dernière fois : l'amour, la plus grande douceur, la plus grande douleur.

62

LA ROSE DES VENTS

Au Moulin Rose, entre ses cuisses, entre ses lèvres, entre deux draps, ou dans le bain, qui n'avait de romain que le nom, en tout cas pour qui un jour et mieux encore trois jours était descendu au fastueux Danieli, Albert avait dit beaucoup de choses à Sophie.

Sauf peut-être celles qu'elle attendait de lui.

Qu'il ne pouvait plus vivre sans elle.

Qu'elle le tuerait si elle le quittait.

Qu'il ferait une dépression s'ils ne régularisaient pas leur situation et ne mettaient pas fin à ce qui ressemblait de plus en plus, vu les événements récents, à un déplorable ménage à quatre.

Alors peut-être aurait-elle changé d'idée, peut-être aurait-elle renoncé à sa décision de rompre.

Désolée de son silence, le front humide, les lèvres en feu, le sexe encore agité des émois que seul son amant avait jamais pu lui procurer, elle s'apprêtait à le faire lorsque ce dernier reçut un texto s'ouvrant sur la mention « URGENT ».

Dès qu'il en eut pris connaissance (il laissait son cellulaire sur la table de chevet et elle faisait de même), il se leva, et Sophie lui demanda – et ça ressemblait plus à une accusation, à un reproche, qu'à une question :

— C'est ta femme ?

Elle appelait souvent Louise ainsi (et parfois sur un ton un peu dérisoire), même si elle n'était pas officiellement l'épouse d'Albert : estimait-elle que son amant la traitait trop comme si c'était le cas ?

Mais plutôt que de répondre, Albert ouvrit la télé de la chambre, son cellulaire toujours en main.

Et aussitôt, il arrondit les yeux, car il ne croyait pas ce qu'il voyait.

63

JE T'AIME MOI NON PLUS... (PRISE TROIS OU QUATRE...)

Son auteur prodige était en effet en direct sur LCN, chaîne de nouvelles en continu.

Et il était en direct parce qu'il était... sur le pont Jacques-Cartier!

Où il avait arrêté la circulation.

Il était vêtu d'un « uniforme » bien singulier, qu'on aurait pu appeler l'uniforme d'un auteur en détresse, mais qui n'a pas perdu son originalité, son sens du spectacle, encore que « du drame » serait terme mieux choisi.

Sa veste était recouverte en effet de dizaines et de dizaines de couvertures des *Âmes Sœurs*: il avait plutôt l'air d'une âme en peine!

— Mais qu'est-ce qu'il fait là? Il est complètement fou! jeta Albert.

— C'est ton auteur? s'enquit Sophie, car elle se souvenait de la manière dont ils s'étaient rencontrés à l'aéroport, et avait reconnu la couverture des *Âmes Sœurs.*

Et elle pensa alors qu'il n'y avait pas de hasard, que c'était là un signe que la boucle était bouclée, qu'elle avait raison de vouloir mettre fin à sa relation avec Albert : la Vie, romancière habile, savait conclure ses histoires.

— Oui, j'aurais dû l'écouter.

Des automobilistes, qui étaient sortis de leur voiture, s'approchaient lentement du jeune auteur – pour ne pas l'effaroucher – et tentaient de le raisonner.

Une ravissante automobiliste de 20 ans sortit du petit groupe qui s'était formé et alla droit vers lui. Elle avait dévoré *Le Secret*, y croyait dur comme fer, et avait fait, l'avant-veille, un rêve qu'elle croyait prémonitoire. Une mystérieuse voix de femme qui y était restée invisible lui révélait qu'il lui faudrait traverser un pont pour rencontrer l'amour de sa vie. Or elle connaissait déjà l'amour de sa vie, même si elle n'avait jamais eu la chance de le rencontrer : c'était David, dont elle était une fan finie. Et voilà que, comme dans son rêve, elle se trouvait sur un pont, à quelques pas à peine de l'homme qu'elle aimait éperdument : Merci la Vie, le hasard n'existait pas ! Mais encore fallait-il le faire changer d'idée, ce jeune dieu, et qu'il ne mette pas fin à sa vie, parce que justement, sa vie avec lui allait commencer. Elle lui dit tout simplement, et ça avait pour elle bien plus de sens qu'il n'aurait jamais pu l'imaginer :

— Tu ne peux pas te tuer.

— Pourquoi ?

— Parce que je t'aime.

— Tu ne peux pas m'aimer. C'est impossible de m'aimer. Je suis un raté. J'ai tout raté. Mon roman est un flop, je n'ai pas de talent.

Ce disant, il arracha une des couvertures de livre qui décoraient son manteau, la lui donna :

— Ça te fera un souvenir de moi.

— Oh, merci, dit-elle.

Elle embrassa la couverture, parvint avec une adresse surprenante à la fixer à son propre imperméable, côté cœur, bien entendu.

Des automobilistes, surtout des automobilistes féminines, spectatrices émues de cette scène inattendue, se mirent à applaudir, certaines avaient les larmes aux yeux. D'autres klaxonnèrent ce couple improvisé comme on fait le jour d'un mariage. C'était un coup de foudre, et ce jeune déséquilibré n'allait pas se jeter à l'eau.

— Oh ! c'est trop mignon ! fit Sophie. Elle va le faire changer d'idée.

— Je l'espère, je l'espère.

Espoir vain : David plongea vers la mort.

— Mais il est fou ! s'exclama Sophie.

— Oui, je sais, fit Albert, qui se sentait horriblement coupable, car David l'avait prévenu de ses intentions : il ne l'avait pas pris au sérieux.

Mais ce n'était pas son destin de passer de vie à trépas ce jour-là, malgré son intention bien arrêtée. Par quelque sorte de miracle, ou d'aimable caprice du destin, le choc violent avec l'eau ne l'avait pas tué ni même assommé.

Un pêcheur dans sa barque, qui n'était pas du tout conscient du drame qui était en train de se dérouler au-dessus de sa tête, venait juste de changer son appât, de mettre sa ligne à l'eau, et de prendre un appel sur son cellulaire, lorsqu'il entendit un immense *splash* à côté de lui. Il crut que c'était un esturgeon géant (comme ceux qui, supposément, hantent les eaux glauques du fleuve Saint-Laurent) qui avait trouvé irrésistible sa nouvelle offrande.

Ce n'était qu'un désespéré, qui semblait peut-être avoir changé d'idée (l'eau était froide, pour ne pas dire glaciale, et rendait le suicide moins confortable !) et qui en tout cas ne l'envoya pas promener lorsqu'il lui tendit la main.

Autour de lui, arrachées de son manteau par le violent choc de la chute, des dizaines de couvertures des *Âmes Sœurs* flottaient, et se mettaient aussitôt à dériver vers la mer lointaine.

Il y eut bientôt une couverture supplémentaire.

Celle que David avait donnée à la jeune femme.

Juliette Bobin – c'était son nom – avait décidé de se jeter elle aussi à l'eau.

Pour tenter de sauver son Roméo.

Ou alors de mourir avec lui.

Parce que ça lui était insupportable de perdre l'amour de sa vie seulement quelques secondes après l'avoir rencontré.

Mais, tirée elle aussi des eaux par le pêcheur, elle fut miraculeusement indemne.

Sur le pont, les badauds l'applaudissaient à tout rompre.

On entendit la sirène d'une ambulance.

— Désolé, il faut que je trouve où ils amèneront David et que je le rejoigne à l'hôpital.

— Je comprends, je comprends, dit Sophie.

Il se rhabilla en vitesse, elle aussi, car rester seule dans cette chambre un peu minable, elle ne pouvait pas. Elle attendrait une autre fois pour lui dire qu'elle le quittait : une mauvaise nouvelle par jour lui suffisait ! De toute manière, il ne serait sans doute pas dans la bonne disposition d'esprit, n'aurait pas envie de discuter de leur couple, et de sa fin – vu que le ménage à quatre, elle ne pouvait plus.

64

GLOIRE SOUDAINE

À peine une heure plus tard, les vidéos amateur de cette tentative ratée de suicide devenaient virales sur le Net.

Plus de 275 000 visionnements en moins d'une heure, c'est vous dire l'ampleur de cette gloire instantanée.

On y voyait David Béjart, sur la rampe du pont, avec son manteau bizarrement décoré, on voyait Juliette Bobin, la jeune femme follement éprise de lui qui le suppliait de ne pas sauter, et lui qui le faisait quand même…

On la voyait qui plongeait à son tour dans les eaux froides du fleuve.

On y voyait le pêcheur qui les repêchait l'un et l'autre.

On voyait encore les deux jeunes allongés, côte à côte, dans deux lits de l'urgence, à l'hôpital.

Tout était filmé et mis en ligne en direct, pas juste par des infirmières, mais par LCN et même la très distinguée Société Radio-Canada, qui avait commissionné un de ses cameramen vu que le suicidé raté était auteur et, aubaine médiatique, ressemblait à Kierkegaard : on comparait son nouveau roman (lu en deux temps, trois mouvements) au *Journal du séducteur* du célèbre auteur danois.

À un moment, David Béjart (qui avait eu un coup de foudre à retardement ou avait un sens aigu du marketing) prit la main de Juliette. Elle ne le repoussa évidemment pas: la curieuse prédiction de son rêve se réalisait. Sur les réseaux sociaux, on s'émut follement de cette belle histoire: deux âmes sœurs venaient de se rencontrer, de manière inhabituelle certes, mais elles s'étaient quand même rencontrées, et c'était la seule chose qui comptait.

N'était-ce pas la même belle histoire que dans le roman du jeune auteur à la gueule d'acteur, *Les Âmes Sœurs*?

Le public ne résista pas à cette curiosité soudaine.

Le lendemain, Albert recevait un appel de son distributeur: tous les exemplaires des *Âmes Sœurs* s'étaient envolés comme par magie, il fallait aller en réimpression.

Réimpression!

Mot magique, véritable musique à l'oreille de tout éditeur et surtout à celle, fauchée, d'Albert!

La semaine même de sa tentative de suicide ratée, David Béjart fut invité à passer à *Tout le monde en parle*, car en effet, tout le monde parlait de lui, voilà la logique simple de l'émission. Guy A. Lepage eut le génie d'exiger qu'il se présentât en studio avec le manteau décoré des couvertures de livre qu'il portait lors de son geste qui aurait pu être fatal. Le jeune auteur nouvellement comblé se plia sans peine à cette astucieuse condition.

À la suite de son passage à la célèbre émission, les ventes de son livre explosèrent.

D'autant que nombre de journalistes qui l'avaient boudé jusque-là lui trouvèrent tout à coup du talent.

Même la Fartaulit, qui l'avait descendu en flammes, admit qu'il avait un talent: celui de la publicité.

Albert était un éditeur heureux – et son comptable respirait mieux.

Il avait un livre en tête de tous les palmarès.

En fait deux, car il avait finalement consenti à publier l'essai astrologique de Madame Socrate, *C'est écrit dans le ciel* (il la trouvait d'ailleurs meilleure diseuse de bonne aventure qu'il avait d'abord pensé, vu la précision assez étonnante de bien de ses prédictions), et son ouvrage se classait bon deuxième dans la liste des best-sellers et allait allègrement, comme celui de David Béjart, de réimpression en réimpression.

Mais le bonheur que la vie lui donnait d'une main, elle allait bientôt le lui enlever de l'autre.

65

RIEN NE VA PLUS : FAITES VOS JEUX !

Sophie avait laissé à Albert le temps de s'occuper du succès inattendu de son auteur.

Aubaine de sa gentillesse, ça lui avait donné le temps de réfléchir.

Et certaines choses s'étaient produites dans sa vie :

1. Sa fille s'était vite remise de la tentative de suicide de son amie, qui ne lui parlait plus du tout du divorce de ses parents, et lui parlait peu du reste, trop occupée par sa nouvelle vie new-yorkaise…
2. Son mari l'ignorait, ne réclamait plus ses faveurs, comme s'il les trouvait commodément dans d'autres bras, et elle avait l'impression de savoir lesquels : ceux de la jeune psychiatre ou de la femme d'Albert. Ça l'enrageait et tout à la fois ça l'arrangeait, surtout si elle décidait de le quitter, parce que finalement sa décision de se séparer d'Albert n'était plus aussi claire dans sa tête, et encore moins dans son cœur, et encore moins dans son corps, c'est que…

Dès qu'elle passait deux jours sans parler à son amant, quatre ou cinq jours sans le voir – et surtout sans le voir au Moulin Rose ! – elle devenait morose.

Elle était en manque.

De lui.

De sa voix, de ses yeux, de ses rires, de ses sourires, de ses idées, noires parfois mais presque toujours blondes, de sa manière dont il lui parlait de sa fille, qui lui manquait terriblement, de ses auteurs dont il se moquait souvent, mais dont il admirait aussi le talent...

De lui...

Et de la manière dont il lui parlait d'elle.

Dont il lui parlait de son corps, et avec précision, de ce creux, entre son mont de Vénus et le sommet de ses hanches qu'il résistait si rarement à couvrir de baisers admiratifs et émus. Avant. Et parfois aussi après, comme s'il voulait faire des provisions de beauté, pour les jours, pour les nuits où il serait loin d'elle.

De son corps...

De ses jambes, de ses seins adolescents, qui ne cessaient de l'émouvoir, même s'ils venaient de faire l'amour, et souvent il le lui prouvait en le lui refaisant...

Être dans un lit avec lui, ou debout contre la porte à peine refermée du Moulin Rose, parce qu'il y avait urgence en la demeure de leur cœur, et parfois aussi sur le canapé de cuir de la chambre, sans avoir eu le temps de terminer leur première coupe de vin, blanc invariablement – parfois du champagne, lorsqu'ils avaient quelque chose à fêter comme... le simple fait de pouvoir se retrouver, d'être ensemble, parenthèse exquise dans leur vie qui ne l'était pas toujours...

Faire l'amour avec lui, ne plus le faire qu'avec lui, ne plus le faire avec son mari qui, du reste, semblait avoir la même idée qu'elle depuis peu...

Faire l'amour avec lui, qui savait si bien se « hâter lentement », qui pouvait être en elle autant qu'elle voulait, aussi longtemps que son avidité de voluptés l'exigeait, cadeau du ciel inespéré, inattendu, auquel elle avait encore de la difficulté à croire vu la longue habitude qu'elle avait eue de la rapidité exaspérante de son mari.

N'était-il pas normal, dès lors, qu'elle fût en manque de lui ?

Mais, et c'était sans doute encore pire, encore plus douloureux, elle était aussi, elle était surtout, en manque… d'eux.

Ensemble.

De leurs corps ensemble, certes, car il faut de la musique, de la musique avant toute chose ; mais aussi, en manque de leurs rires, de leurs idées, de leurs ironies…

En manque de ces moments, lorsqu'ils ne disposaient pas des trois ou quatre heures consacrées à leur musique de chambre, passés au Leméac, devenu leur « cafétéria », ou dans de mignons restos de la Petite Italie, où ils tentaient tant bien que mal de retrouver les délices de leur aventure vénitienne – même si rien ne valait la Terrazza Danieli ou le Harry's Bar, même si les bellinis n'avaient pas la lumière vénitienne et que la sauce des *carpaccio diem* était tout sauf universelle, pâlissait en comparaison de celle de son inventeur.

Mais alors, au moins, ils étaient ensemble…

Et lorsqu'ils n'étaient pas ensemble, elle se sentait tout le contraire de lorsqu'ils l'étaient : nul besoin d'être psychiatre, non, pour comprendre mathématique si simple ?

N'y tenant plus, elle lui téléphona enfin, elle jouerait le tout pour le tout : elle le convaincrait qu'il leur fallait vivre leur amour au grand jour, que le temps du ménage à quatre était révolu : ils ne seraient plus qu'eux deux.

Son amant qui, penserait-elle avec le recul, semblait avoir deviné ses intentions avant même qu'elle s'en ouvre à lui, la surprit avec une proposition inattendue.

66

L'ORACLE DE MADAME SOCRATE

— Pourquoi ne ferait-on pas comme on a tous deux fait avant de se rencontrer ? lança Albert.

— Euh, je ne suis pas sûre de te suivre.

— Pourquoi ne consulterait-on pas Madame Socrate ?

Il en était venu au constat qu'elle avait eu raison pour toutes les prédictions qu'elle lui avait faites, hormis celle au sujet du gardien du cimetière qui déciderait de son destin.

— Je la rencontre demain au bureau, vers 13 heures, elle m'a demandé si je pouvais lui donner des sous parce que son livre est un best-seller. Je lui ai dit que je verrais ce que je pouvais faire. On va voir en passant si elle a été capable de prévoir le montant que je vais lui consentir. Tu peux venir nous retrouver vers 14 heures ?

Sophie pouvait.

Et Madame Socrate, qui portait son inséparable turban, surprit et troubla Albert en lui demandant, alors qu'il lui remettait, dans une enveloppe, l'avance qu'elle lui avait demandée :

— Est-ce que vous avez fait mon chèque de 10 000 $ à mon nom, ou à celui de ma compagnie ?

Son chèque de 10 000 $!

Il avait pourtant l'impression qu'il ne lui avait jamais mentionné le montant !

Comment l'avait-elle deviné ?

Il n'osa pas le lui demander, se contenta de lui dire :

— Euh, au nom de votre compagnie, comme pour le contrat...

— C'est parfait, merci beaucoup.

Et elle rangea l'enveloppe dans son sac à main, se leva.

Il consulta sa montre : Sophie était en retard. Ce n'était pas son style. Il espéra qu'elle n'avait pas eu un empêchement ou oublié leur petit rendez-vous.

— C'est que... j'aurais un petit service à vous demander.

— Euh, je n'ai pas beaucoup de temps.

C'est ce moment que Sophie choisit pour arriver, un peu essoufflée, comme si elle avait couru pour diminuer son retard.

— Vraiment désolée, un trafic fou...

— Oh ! docteur Stein, fit Madame Socrate, quelle belle surprise !

Était-elle vraiment surprise ou faisait-elle seulement semblant de l'être ?

Sophie, en tout cas, paraissait étonnée et ravie que l'excentrique voyante se fût souvenu de son nom. Après tout, elle ne l'avait consultée qu'une seule fois et il y avait de ça plusieurs mois !

Madame Socrate demanda à son éditeur :

— La consultation est pour le docteur Stein ou pour vous ?

— Pour les deux.

— Et je peux vous faire les deux consultations ici, je veux dire l'un devant l'autre ?

— Oui, fit Sophie qui répondit pour les deux.

— Ah, je vois…

Madame Socrate était pressée, aussi alla-t-elle droit au but, après s'être recueillie un instant les yeux fermés car elle ne disposait pas de boule de cristal. Elle commença par Sophie :

— Si vous quittez votre mari, il va tenter de se tuer.

Comment avait-elle deviné ses intentions secrètes ? pensèrent en même temps Sophie et Albert, qui échangèrent un regard consterné. N'avait-elle pas, d'ailleurs, deviné leur liaison ?

Sophie, qui gardait encore en tête l'histoire, qui avait failli être tragique, de la meilleure amie de sa fille, ne put s'empêcher de vérifier, même si la chose était assez inconvenante :

— Mais… est-ce que… est-ce qu'il va réussir ?

Madame Socrate avoua :

— Il faut que je demande à mon guide, parce que je n'ai pas ma boule de cristal.

Elle ferma les yeux à nouveau, se pencha, sortit au bout de quelques secondes de ce bref mais nécessaire recueillement en disant, désolée :

— Mon guide me dit qu'il ira au Paradis !

— Ah ! je vois, fit Sophie, vraiment abattue par cette prédiction, cependant qu'Albert se rembrunissait.

La prédiction qu'elle lui fit aussitôt après – elle était pressée, ne l'oublions pas ! – lui prouva, s'il en était besoin, que l'amour n'était pas toujours, beaucoup s'en fallait, le jeu amusant que l'on croyait.

— Si vous quittez votre femme, elle se retrouvera dans une maison de fous.

Sophie et Albert étaient consternés.

On aurait dit que Madame Socrate venait de sonner le glas de leurs amours clandestines.

Madame Socrate ne se trompait pas.

À une unique exception près, et encore, peut-être visiteraient-ils sous peu un cimetière au gardien influent, à entendre les prédictions du jour, elle avait fait preuve d'une étonnante sûreté avec ses dons.

Et Sophie avait compris, avec le recul, avec quelle précision la femme au turban lui avait annoncé son grand amour à venir, avec un homme qui vivait dans une maison dont les murs étaient faits de livres.

— Qu'est-ce qu'on va faire ? demanda-t-elle après le départ de la voyante.

Et on aurait dit qu'elle connaissait déjà la réponse, car il y avait dans ses beaux yeux verts une détresse infinie.

67

« LE BAISER EST LA PLUS SÛRE FAÇON DE SE TAIRE EN DISANT TOUT. »

MAUPASSANT

Ils auraient préféré l'un et l'autre le Danieli.

Où ils avaient eu leur première nuit.

Ce fut cependant au Moulin Rose qu'ils allèrent toutes affaires cessantes discuter de leur avenir – si du moins ils en avaient un, si du moins ils en avaient un…

Mais la chose leur semblait de plus en plus improbable, et de toute manière, ils ne trouvaient pas les mots…

Pourtant, Sophie trouva enfin ceux-ci :

— Embrasse-moi, mon chéri ! Embrasse-moi comme si c'était la dernière fois !

Et ils pensaient l'un et l'autre que ce n'était peut-être pas une plaisanterie.

Ils s'embrassèrent.

Et tout en s'embrassant, ils se déshabillaient.

Et tout en s'embrassant, ils faisaient l'amour, passionnément.

Et tout en s'embrassant, ils pleuraient constamment : le baiser est la plus sûre façon de se taire en disant tout.

68

« TU VOIS QUELQU'UN D'AUTRE ! »

Louise n'était pas dupe : Albert n'était pas heureux.

En fait, depuis un mois (depuis, précisément, la terrible prédiction de Madame Socrate), il semblait de plus en plus malheureux.

Avec elle.

Et aussi et surtout... au lit avec elle !

En tout cas, si elle en jugeait par ses urgences de plus en plus rares pour sa nudité, ce qui était boule de cristal bien accablante pour leur bonheur conjugal.

Elle se regardait souvent dans le miroir après avoir pris son bain – où il ne la rejoignais plus jamais comme au début – et en venait à détester ou en tout cas questionner son corps, pourtant somptueux.

Un soir, elle voulut en avoir le cœur net.

Elle s'arma pour ce faire de nouveaux dessous affriolants de chez Victoria's Secret dont elle fit l'essai devant lui, dans la chambre à coucher.

Les premiers résultats ne furent pas concluants : son éditeur de « mari » restait le nez plongé dans le nouveau manuscrit que David Béjart avait écrit à toute vitesse et à qui Madame Socrate, qu'il avait rencontrée à la maison d'édition, avait prédit un succès encore plus fracassant que pour *Les Âmes Sœurs*. Et comme elle ne se trompait jamais (Albert lui en avait donné l'absolue assurance tout en se frottant les mains de cette future vendange), son décret avait donné des ailes à la nouvelle coqueluche de l'édition. Le succès, il est vrai, attire le succès : la prédiction ne demandait pas nécessairement des dons de divination.

Louise avait croisé les doigts et passé un soutien-gorge de dentelle noire qui laissait parfaitement voir la lune rose de ses seins opulents et qui était assorti à son slip, à travers lequel on devinait sans hésitation la blondeur de son sexe de vraie blonde.

— Tu aimes ? dit la brillante avocate.

Albert s'arracha avec un certain agacement (qu'il cacha quand même poliment) à sa lecture, fit l'examen distrait et bref de cette femme qui aurait rendu fou tout homme digne de ce nom, mais qui le laissait de glace, lui, quelle ironie.

— Oui, pas mal, pas mal, ça te va comme un gant… convint-il avant de plonger non pas en l'inutile splendeur de Louise mais dans son manuscrit.

Le héros de celui-ci, il est vrai, du moins si on veut justifier l'indifférence du bel Albert, venait de se faire dire par la femme de sa vie qu'elle avait rencontré un autre homme, et, fou de douleur, il avait acheté un revolver. Pour mettre fin à une vie, et il ne savait pas encore laquelle. Celle de la femme qu'il aimait éperdument, celle de cet étranger qui venait de la lui voler, ou sa propre vie, qui ne voulait plus rien dire sans elle.

Grand dilemme, ou pour mieux dire trilemme, auquel il ne manquait qu'un acteur pour devenir parfait ménage à quatre.

De guerre (amoureuse) lasse, après lui avoir fait toute la soirée de vaines minauderies, Louise retira sa lingerie peut-être trop fine pour que son compagnon comprît pourquoi elle s'en était attifée, et passa en vitesse son pyjama préféré, qui était de coton vieux et usé, et n'avait rien d'érotique, sauf pour qui aurait prisé les amours ancillaires : c'est-à-dire celles d'un homme pour une servante.

À grandes tapes vindicatives, Louise reforma – ou tenta de reformer – son oreiller, un peu à la façon d'un boxeur qui souhaite achever son adversaire, comme si elle voulait faire comprendre à Albert sa colère, qu'il ignorait, faute supplémentaire, car il venait de l'ignorer de la plus belle ou laide des manières.

Puis elle s'allongea à côté de celui qui n'avait jamais voulu être son mari, et qui maintenant ne voulait même plus coucher avec elle, leur lit n'étant plus que le refuge inconfortable de deux étrangers.

L'avocate désillusionnée s'empara illico de la baguette magique qui active à distance le cheval de Troie de bien des couples, qui l'ont laissé entrer imprudemment dans leur chambre à coucher : la télé.

Et elle monta le volume au point de faire croire qu'elle souffrait de surdité.

— Tu ne pourrais pas baisser un peu le son, ma chérie, je ne m'entends plus lire, fit Albert avec une moquerie que lui seul trouvait suave.

Louise ferma la télé :

— Là, tu es content ?

— Tu veux qu'on se dispute ? C'est ça ? fit Albert qui, tout sauf néophyte dans l'art de vivre ou de survivre avec Louise, posa le manuscrit sur sa table de chevet et conclut : « Je suis prêt. »

Mais il était tout sauf prêt à entendre l'accusation qu'allait lui servir sa compagne ulcérée par la réédition, de plus en plus banale et prévisible, de sa froideur maritale :

— Tu vois quelqu'un d'autre ! Avoue-le !

— Mais pourquoi dis-tu ça ?

— Parce que tu ne me regardes plus.

— Allons, Louise, tu sais que je suis débordé ces temps-ci avec les best-sellers de David et de Madame Socrate.

— Et avant, tu étais débordé parce que tu n'avais pas de best-sellers et que ta boîte était au bord de la faillite, alors d'une manière ou de l'autre, tu tiens ton excuse.

Le raisonnement était juste : Albert ne savait pas quoi dire, surtout qu'il ne pouvait pas lui avouer la véritable raison de son indifférence amoureuse.

Après une brève et pénible tentative de séparation, Sophie et lui s'étaient remis à coucher ensemble.

Pour le reste, ils verraient.

Ou ne verraient pas : ils étaient juste incapables de… cesser de se voir, justement !

Et pas juste bien vêtus dans un restaurant bien tenu, mais nus !

Ce qui était leur parure préférée !

Un peu bizarrement – et voilà qui n'aidait pas sa cause conjugale ! –, alors qu'au début, l'éditeur aux affaires depuis peu florissantes s'était senti coupable de coucher avec sa maîtresse (il détestait ce mot, soit dit en passant), il se sentait maintenant coupable de coucher avec Louise, comme si Sophie était devenue sa vraie femme.

Et, ce qui était pire, car la tête aime plus sûrement que les yeux, il pensait toujours à elle.

— Je sais son nom, décréta Louise.

— Je serais heureux de l'apprendre.

— Sophie Stein.

— Mon auteure ?

— Oui, ton auteure qui t'appelle tous les jours, et même le week-end…

— Je ne peux quand même pas interdire à mes auteurs de me téléphoner.

— Même au beau milieu de la nuit ?

— Le succès ne guérit pas de toutes les angoisses : David Béjart en est la preuve vivante.

— Ah ! c'était lui, la nuit dernière ?

— Je pensais que je te l'avais dit.

Il mentait, mais simplement par omission, en ne disant pas toute la vérité, martingale utile et souvent nécessaire dans les liaisons adultères.

Ses deux auteurs l'avaient appelé tardivement pour des raisons évidemment différentes :

1. David pour lui demander une avance : comme tout homme de lettres à succès, il devenait homme de chiffres et voulait monnayer sa célébrité, surtout que c'était ce que tout le monde autour de lui – dont, soit dit en passant, personne qui ne connaisse ni de près ni de loin le monde de l'édition – lui avait formellement conseillé.
2. Sophie, en sueurs froides, pour lui annoncer qu'elle avait fait un horrible cauchemar. Elle partait avec lui pour l'Italie, et l'avion s'écrasait ; si bien que pour s'en remettre, elle voulait juste entendre le son de sa voix. Elle n'avait pas parlé beaucoup, elle avait juste murmuré, à la fin, avant de raccrocher, de crainte que son mari ne l'entende : « Je t'aime tant, mon amour. »

— Que ce soit elle ou lui qui t'ait appelé, objecta Louise, je persiste et signe que cette chienne de Sophie Stein est amoureuse de toi.

— Je ne vois pas où tu vas chercher ça. Elle est mariée, et elle me parle constamment de son mari !

Mensonge non pas par omission, cette fois-ci, mais par manque de précision. Sophie parlait de son mari à Albert en effet, mais pas très amoureusement, surtout depuis qu'elle le soupçonnait d'être sous le charme d'une autre femme, Louise ou Audrey, elle ne pouvait le déterminer, ce qui la tuait, car elle ne savait pas qui il lui aurait fallu éliminer si elle avait eu des humeurs assassines. Louise varia son attaque :

— Tu n'es plus le même depuis que tu es revenu de Venise.

— Je ne vois pas pourquoi tu dis ça.

— Parce que le mari de Sophie m'a dit qu'elle aussi était allée à Venise, et les dates coïncident !

— Il t'a fait cette confidence où ? Quand vous avez discuté au cocktail à l'hôpital pour la nomination d'Audrey, ou dans un lit, la tête sur l'oreiller ?

Et en faisant cette attaque frontale, il la regardait avec intensité.

— Un oreiller ? Peut-être. Et peut-être bien qu'il m'a demandé de te quitter, et peut-être même qu'il m'a demandée en mariage pour refaire sa vie avec moi. Ça vous laisserait le champ libre, à Sophie et à toi.

Jamais Albert n'aurait pu imaginer, lorsqu'il avait suivi Sophie dans sa suite au Danieli, dans la chambre de Balzac ou de Musset, qu'il aurait un jour semblable conversation avec la femme avec qui, depuis trois ans, il partageait sa vie.

En tout cas, ça faisait beaucoup d'informations pour un homme qui ne voyait plus très clair dans sa vie depuis qu'il voyait une autre femme, au Moulin Rose et dans chacune de ses pensées. Et la plupart étaient moroses, car il pensait souvent que la seule chose qu'il lui restait à faire était de se séparer d'elle, puis, tout de suite après, que la seule chose qu'il lui restait à faire était de se séparer de sa compagne : amour, amour (confus) quand tu nous tiens !

Il découvrait de nouveaux tenants et aboutissants du ménage à quatre !

— Mais Louise ! émit-il avec l'économie de mots (ou de sentiments) banale chez presque tout homme, et à laquelle n'échappait visiblement pas cet homme de livres.

— Si tu n'aimes pas cette psychiatre de mes fesses, ou je devrais plutôt dire de tes fesses, tempêta Louise, demande-moi en mariage !

— Mais Louise ! répéta-t-il, banale faute qu'il ne tolérait pas chez ses auteurs : tout se passait trop vite.

Et une nouvelle surprise l'attendait.

En effet, son cellulaire sonna.

Malgré la gravité extrême de la conversation, malgré l'heure tardive qui annonçait probablement un appel embarrassant pour lui, d'autant qu'il avait déjà consenti à David Béjart son avance et qu'il ne restait plus de probable que Sophie, comme visiteuse inopinée de sa soirée qui n'avait de conjugale que le nom, ou le triste souvenir de ce qu'elle avait déjà été, Albert, par réflexe d'accro fini aux nouvelles technologies, répondit.

Au bout du fil, une femme pleurait.

Une des femmes de sa vie.

Il y eut tout de suite un désespoir dans les yeux d'Albert.

69

L'INTRIGUE SE COMPLIQUE

— C'est elle, évidemment ! accusa aussitôt Louise, qui n'avait pas manqué de lire l'émoi dans les yeux d'Albert. Quand on parle du diable...

— Tu veux lui parler ? demanda-t-il en lui tendant son cellulaire.

— Oui, dit-elle après une brève hésitation.

Elle s'empara avec détermination de son Blackberry, et déclara d'une voix forte et agressive :

— Bonsoir, c'est moi, la fiancée d'Albert...

La fiancée d'Albert ! pensa ce dernier, ahuri, car c'était la première fois qu'elle utilisait cette expression, en tout cas en sa présence.

Mais immédiatement après, Louise baissait le ton, et après être demeurée silencieuse un moment, elle dit :

— Moi aussi, j'ai hâte de te voir. Alors à bientôt.

Un peu honteuse, et pourtant pas du tout convaincue qu'elle avait tort au sujet de Sophie Stein, elle rendit l'appareil à Albert, et, comme pour augmenter pour lui les commodités de la conversation (pas lui laisser un peu d'intimité), elle rouvrit la télé, mais en baissa le son.

La personne à qui elle venait de parler était Lisa, la fille d'Albert, qui, lorsqu'il avait répondu avait dit, du désespoir dans sa voix :

— Papa ?

Il l'avait tout de suite deviné, cette détresse, et la suite de la conversation lui donna raison.

— Qu'est-ce qui se passe, ma chérie ?

— C'est Jimmy… Il est…

Et elle fondit en larmes avant de pouvoir achever sa phrase.

Albert la laissa sangloter.

— Vous vous êtes disputés ? dit-il enfin.

— Oui.

— Oh ! mais ça va peut-être s'arranger.

— Non, on se sépare, il a rencontré quelqu'un d'autre. Il déménage toutes ses choses demain matin. Il a sous-loué l'appartement, j'ai une semaine pour déguerpir.

— Oh, je…

Il n'en revenait pas, c'était aussi soudain que brutal.

Pour bénéficier d'un peu plus de discrétion, il prit l'excuse de demander à Louise :

— Est-ce que tu veux un verre de vin ?

— Non, dit sa fille, intriguée par sa demande, qui n'était qu'un malentendu.

— Je parlais à Louise, expliqua-t-il.

— Ah, fit-elle.

Louise lui offrit enfin sa réponse :

— Euh, non, mais je prendrais volontiers un scotch. Double, ou plutôt triple, vu les circonstances.

Il ignora volontairement la remarque ou plaisanterie, c'est selon, se contenta de dire, comme un imbécile heureux, ou malheureux :

— D'accord.

Il sortit de la chambre, reprit aussitôt sa conversation avec sa fille, alla droit au but :

— Est-ce que tu aimerais revenir ici ?

— Je n'osais pas te le demander.

Et elle se remit à pleurer avec vigueur, vu son émotion qui, cette fois-ci, était belle.

Il en profita pour se servir un verre de vin, et, distrait, en versa aussi un pour Louise, au lieu du scotch qu'elle lui avait demandé.

— Je suis désolée de t'embêter, je retournerais bien vivre chez maman, tu sais, mais pour retourner vivre chez quelqu'un, il faut y avoir déjà vécu, dit-elle avec un sens de la logique et de la dérision un peu surprenant dans les circonstances. Et Londres, c'est quand même loin.

— En effet…

— Et puis je m'ennuie de notre vie de famille, je m'ennuie des jumelles, de Louise, elle est un peu comme la mère que je n'ai jamais eue…

— Oh…

Elle s'empressa d'ajouter :

— Ce n'est pas un reproche que je te fais là, papa. Je sais que c'est maman qui nous a abandonnés, que tu n'as pas eu le choix.

— Je sais, je sais…, fit Albert.

Mais en même temps, il pensait que quitter Louise serait encore plus difficile sinon impossible. Il briserait le cœur de sa fille, déjà abîmé par son petit ami.

— Bon, évidemment, il y a la question de Stéphane.

Stéphane, c'était le fils adoptif de Louise, qui, on s'en souviendra, avait eu pour Lisa une inclination déplacée.

— La chance est de ton côté, mon enfant. Il est parti étudier à New York avec sa petite amie.

— Vraiment ?

— Oui.

— Alors tout est parfait, tout est parfait ! s'exclama Lisa, ravie.

— Oui, en effet, dit pensivement Albert.

Mais il pensait : *tout est parfait, sauf pour moi.*

Le retour de sa fille compromettait sa rupture avec Louise, qu'avait déjà compromise pour ne pas dire condamnée la terrible prédiction de Madame Socrate : ses amours avec la belle Vénitienne resteraient à tout jamais impossibles. Il ne sortirait jamais de ce ménage à quatre qui était de plus en plus difficile à vivre.

— Alors je peux revenir quand ? lui demanda sa fille.

— Demain, si tu veux. Je vais demander à monsieur Roger (c'était son adorable homme à tout faire, qui faisait pour ainsi dire partie de la famille) d'aller t'aider à déménager.

— Oh ! je t'aime, mon petit papa d'amour, je t'aime.

— Moi aussi je t'aime, mon tout petit enfant.

Lorsqu'il revint dans la chambre à coucher, avec les deux verres de vin, Louise laissa tomber :

— Je t'avais demandé un scotch.

— Oh ! c'est vrai, j'y retourne.

— Non, ce n'est pas nécessaire.

Elle prit une gorgée de vin, dit ce qu'Albert savait déjà :

— Lisa m'a dit qu'elle se séparait de son petit ami.

— Oui. Il a rencontré quelqu'un d'autre.

— Ordinaire, les hommes, non ?

Elle avait dit ça d'une drôle de manière ou plutôt d'une manière qui n'était pas du tout drôle, du moins pour celui qui connaissait l'usage des sous-textes dans un livre ou dans un couple. En plus, elle le regardait droit dans les yeux, comme si elle voulait le laisser savoir : *je sais, tu sais !*

— Oui. C'est triste, mais en même temps, il était trop vieux pour elle.

— Elle t'a demandé si elle pouvait revenir vivre ici ?

Elle devinait tout, décidément, même si ce n'était pas très sorcier : Lisa n'avait que 16 ans, était étudiante.

— Oui.

— Et tu as accepté, j'espère...

— Oui, évidemment... je vais appeler monsieur Roger demain pour qu'il aille l'aider.

Louise en parut tout heureuse, mais ce n'était pas pour les raisons qu'Albert pensait.

Avocate habile, et qui ne perdait pour ainsi dire jamais un procès, elle savait lorsque son adversaire avait baissé la garde, ou fait une erreur qui pouvait le perdre. Alors son attaque était foudroyante et sans pitié : elle ne prenait pas de prisonniers.

En une fraction de seconde, avec la vélocité d'esprit que donne à une femme désespérée la vision soudaine du remède pour sauver in extremis son couple menacé, véritable lionne, Louise servit à Albert un terrible ultimatum.

70

LA DEMANDE EN MARIAGE

— Je vais te demander deux choses, expliqua Louise. Et cette fois-ci, ne fais pas comme avec mon scotch, écoute-moi bien !

— Je… je t'écoute, dit-il non sans un certain effarement, comme s'il s'attendait au pire.

— Je veux qu'on se marie.

— Qu'on se marie ?

— Oui, au plus tard dans trois mois. Sinon je déménage. J'ai repéré un petit condo dans le Plateau, et si on ne se marie pas, je pars vivre là avec les jumelles. Je te donne une semaine pour y penser.

Mon Dieu ! songea Albert, elle est rendue plus loin que je l'imaginais dans sa réflexion au sujet de notre couple.

— Et la deuxième chose que je te demande, et ce n'est pas négociable, est qu'on envoie un faire-part à Sophie Stein.

— Mais tu la détestes !

— Oui, je la déteste, et c'est pour ça que je veux qu'elle soit à notre mariage.

71

LA CÉRÉMONIE DE MARIAGE

— Albert Du… Du… Duras, acceptez-vous de… de… prendre pour épou… pou… pouse Louise Vo… vo… vo… Volland ici présente ? parvint enfin à demander le prêtre, un bègue qui se croyait depuis longtemps guéri de son travers de naissance, mais le retrouvait lorsqu'il était troublé. Or, il avait pris la robe parce qu'il n'aimait pas celles qui la portaient généralement, et qu'en plus, ça faisait plaisir à sa maman, et troublé, il l'était doublement, par Albert et David Béjart (son témoin), tous deux superbes dans leur smoking.

— Oui, je le veux…, répondit Albert, ce qui pour ainsi dire concluait le pacte nuptial, car Louise Volland avait dit : « Oui », un instant avant.

Albert trouvait la scène un peu surréaliste, mais pas plus, certes, que la vie tumultueuse et secrète qu'il menait depuis plusieurs mois. Peut-être cette cérémonie aurait-elle pour vertu de mettre fin à son ménage à quatre.

De toute manière, avait-il vraiment eu le choix, effrayé qu'il était par l'idée de chagriner à nouveau sa fille adorée ?

Louise Volland l'avait joué comme un Stradivarius !

David Béjart tira alors de sa poche un petit écrin de velours bleu nuit.

Juliette Bobin, qui s'était littéralement jetée à l'eau par amour pour lui, poussa un soupir attendri. Elle était assise à la première rangée, entre, à sa droite, les jumelles adoptées par Louise Volland, et, à sa gauche, la fille d'Albert, visiblement nerveuse de se trouver à côté de Stéphane : heureusement, il était avec sa petite amie !

Juliette n'était pas la seule femme, parmi la centaine d'invités présents dans l'église, qui était émue par la vue de cet écrin, comme elle l'avait été évidemment par la magnifique robe de la mariée et par son diadème qui lui donnait l'allure d'une reine.

En fait, il y en avait une qui l'était encore bien plus, assise en compagnie de son mari au bord de l'allée centrale, dans la première rangée de gauche : le détail n'est pas sans importance, vous verrez.

À la vérité, cette femme tragique et magnifique dans une robe Coco Chanel, noire bien entendu, comme si elle allait à un enterrement – et c'était très certainement son sentiment –, avait littéralement commencé à trembler.

72

LA NOUVELLE ROSE DES VENTS

La femme qui était toute chamboulée par cette cérémonie, vous l'aurez deviné, c'était Sophie Stein.

Déjà, elle avait été froissée, le mot est faible, en respirant le parfum de la mariée quand cette dernière était passée à côté d'elle, au bras de son père, un juge distingué : c'était du Boucheron, le même parfum qu'elle-même portait. Pire encore, son parfum : la ruse d'Albert se retournait contre lui.

Elle avait accepté sa bizarre invitation après lui avoir fait une véritable crise de nerfs et de larmes, au Moulin Rose où, pour la première fois de leur histoire, ils n'avaient pas fait l'amour immédiatement en arrivant dans la chambre.

Et Albert avait pensé, un peu mufle, qu'il aurait mieux valu lui annoncer son mariage après avoir fait l'amour. Parce que peut-être, justement, ils ne le feraient pas, et il en avait follement envie, malgré sa trahison ou pour s'en faire excuser : il nageait dans la plus grande confusion. Mais pas Sophie, dont la colère était bien claire : pour la lui prouver, elle avait lancé la Veuve Clicquot qu'il avait apportée contre un mur.

Bizarrement, la bouteille n'avait pas éclaté, comme si son destin était d'être bue : ils en étaient l'un et l'autre restés étonnés, et même amusés, permettant à la tension de redescendre de quelques crans. Albert avait rempli les banals verres de plastique que l'établissement fournissait aux clients.

Sophie avait demandé:

— Mais pourquoi me fais-tu ça?

Il lui avait expliqué pour sa fille et l'ultimatum de Louise, pour lui faire comprendre qu'il n'avait pas le choix.

Et il avait ajouté, en une sorte de conclusion de sa plaidoirie:

— Mais je te ferais remarquer que tu es mariée.

— Oui, mais j'étais mariée avant de te rencontrer.

— Je sais, je sais... Mais est-ce que tu penses vraiment que je suis heureux de la tournure des événements?

Elle le considéra avec tristesse. Savait-elle, parce qu'elle était femme, parce qu'elle était psychiatre, parce qu'elle était follement amoureuse, qu'ils avaient atteint cette nouvelle rose des vents (la première ayant été celle de leur rencontre) où, dans un couple éphémère, chacun prend un chemin différent, à tort ou à raison mais c'est ainsi? Ça fait de bons romans, certes, mais pour votre vie, c'est une autre histoire.

Enfin, s'arrachant à son mutisme, qu'Albert n'avait osé troubler, elle décréta en une variation de la célèbre réplique de *Casablanca*:

— On aura toujours Venise.

Ensuite, en ne cessant de le fixer, elle s'était déshabillée, mais un peu comme si elle marchait à la potence, et, ce faisant, elle lui avait dit, comme une fois précédente, mais cette fois-ci, ça semblait du sérieux, vraiment:

— Embrasse-moi, embrasse-moi comme si c'était la dernière fois.

Avant de lui faire l'amour, pendant qu'il lui faisait l'amour et après lui avoir fait l'amour, Albert s'était dit qu'il commettait la plus grande erreur de sa vie.

En se mariant.

Mais en même temps, Louise lui avait mis un revolver sur la tempe : il devait se sacrifier, pour le bonheur de sa fille, comme Sophie l'avait fait pour la sienne depuis le début de son propre mariage.

Ça ressemblait vraiment à des âmes sœurs, ces deux-là, qu'une tempête de neige inopinée en avril avait fait se rencontrer, dans un jardin où volaient des oiseaux géants, selon la formule sibylline de Madame Socrate, un aéroport pour les non-initiés, mais ça ne semblait pas suffire pour que le destin jette dans la corbeille de leur bonheur à deux le pain lumineux des circonstances favorables.

Après avoir fait trois fois l'amour – comme si c'était la dernière fois, et Albert ne pouvait s'empêcher de se répéter que jamais il ne ferait ça avec la femme qu'il s'apprêtait à épouser : quel douloureux paradoxe ! –, il avait demandé à Sophie :

— Est-ce que tu vas venir, finalement ?

— Peut-être, si d'ici là je ne me suis pas jetée en bas du pont Jacques-Cartier, comme ton auteur vedette.

— Tu plaisantes, j'espère ?

— Bien sûr, est-ce que j'ai déjà fait autre chose ?

En soutien-gorge, devant la glace de la salle de bain, elle refaisait son maquillage, que la fureur d'Albert avait ravagé, pour que personne ne puisse deviner de quel paradis elle venait de s'arracher.

— Il va évidemment falloir que je parvienne à vendre l'invitation à mon mari, qui s'est mis dans la tête la stupide idée que nous couchions ensemble, ce qui ne devrait pas le contrarier, car lui aussi, je le sens, lit un autre livre.

Lui aussi lit un autre livre...

Albert avait trouvé la formule jolie.

Ce n'est qu'une semaine avant le mariage que Sophie avait pris sa décision et demandé à son mari :

— As-tu choisi ton habit pour le mariage de mon éditeur ?

— Il se marie ?

Il avait l'air aussi surpris que ravi, comme s'il se débarrassait d'un homme qu'il avait longtemps cru son rival heureux, parce que, lors de leurs rencontres, il avait parfois perçu des regards, un trouble, et qu'il n'avait jamais tout à fait cru à cette histoire de livre que devait écrire sa femme, même si, à notre époque, tout le monde voulait écrire un livre, y compris ceux qui n'avaient rien à dire.

— Je te l'ai dit il y a deux semaines. J'ai même mis le faire-part sur ton bureau.

— Ah bon, je... la femme de ménage l'a peut-être jeté, elle est si étourdie. Mais oui, oui évidemment.

— Et Giorgio Santini va venir avec sa fiancée. J'ai tellement hâte de te le présenter.

Elle avait obtenu d'Albert de pouvoir l'inviter, profitant d'un de ses rares séjours montréalais : elle se sentirait moins perdue dans une foule d'étrangers.

Par une sorte d'effet de miroirs de la vie, Louise Volland avait tenu à l'inviter parce qu'elle la détestait et Sophie avait accepté l'invitation pour la même raison : parce qu'elle la détestait en retour !

Et aussi et surtout parce que, un peu bizarrement, elle avait la certitude, ou plutôt l'espoir, qu'il se passerait quelque chose, que, ultimement, en la voyant, Albert se souviendrait de Venise, du Moulin Rose, de tous leurs rires, de toutes leurs conversations passionnées, et changerait au dernier moment d'idée et dirait non à ce mariage ridicule.

Et, comme pour le rappeler à l'ordre, l'aider à prendre la bonne décision, elle portait des gants de léopard, en tout point identiques à ceux que lui avait offerts Albert à Venise : elle les avait trouvés sur la boutique en ligne de JB Guanti.

Il n'y avait pas qu'elle qui était troublée par la cérémonie : Giorgio Santini l'était aussi. Et beaucoup plus qu'il aurait pu imaginer en acceptant l'invitation de Sophie.

S'il était à Montréal, c'est qu'il avait éprouvé l'urgent besoin d'une consultation avec sa psychiatre. Il allait d'un fiasco (stendhalien) à un autre avec sa fiancée, véritable sosie de Louise Volland, à laquelle, d'une manière, il restait fidèle. Il pensait constamment à cette femme, vue à Montréal au restaurant Leméac.

Et cette femme, en ce jeu de l'amour et du hasard qui n'est peut-être autre que le destin, il la revoyait enfin.

Mais elle s'avançait, en robe blanche au bras de son père, qui la conduisait vers l'autel pour qu'elle épouse le mauvais homme : il en avait blêmi au point que Valérie, sa fiancée, elle aussi frappée par sa propre ressemblance avec la future mariée, lui avait demandé :

— Ça va, mon chéri ?

— Oui, oui…

— C'est incroyable comme elle me ressemble, cette femme, avait-elle ajouté, on dirait ma sœur jumelle.

— Ah, tu trouves ? avait-il répliqué.

Elle lui ressemblait peut-être, et de manière saisissante, la chose était indéniable, mais pour lui, elle était complètement différente : c'est Louise Volland qu'il aimait, ou en tout cas qui l'obsédait, même s'il ne la connaissait pas du tout, si bien qu'il lui était impossible de savoir s'il avait avec elle des affinités électives. Du reste, elle était peut-être idiote ou froide, ou détestable : il ne se le demandait pas.

Il l'aimait.

Un point c'est tout.

Comme s'il savait que c'était elle la femme de sa vie.

Seul ennui : il était un peu trop tard, pour la revoir, puisqu'un autre homme que lui, cet ami de Sophie qu'elle lui avait présenté à Ca'Dario, s'apprêtait à lui mettre la bague au doigt !

Et il avait aussitôt compris pourquoi le visage d'Albert lui disait quelque chose lorsqu'il l'avait rencontré chez lui : cet homme dînait avec elle, rue Laurier.

Il baissa la tête, trop abattu, comme s'il était absolument incapable de voir Albert passer une bague au doigt de la femme qu'il aimait.

Sa psychiatre, Sophie, ne vit pas son abattement, et pourtant, elle fit la même chose.

Se trouvaient-ils tous deux en ce lieu, l'église Saint-Viateur d'Outremont, pour ne pas la nommer, pour que puisse enfin se réaliser la dernière partie de la prédiction de Madame Socrate à Albert Duras, au sujet du grand amour de sa vie : « Vous visiterez un cimetière, et votre destin avec cette femme dépendra de son gardien » ?

Selon la légende, me permettrez-vous de le rappeler, Casa Dario avait été construite sur un ancien cimetière des Templiers, et Giorgio Santini en était pour ainsi dire le gardien, puisqu'il en était le richissime propriétaire.

La suite de la cérémonie fut un imprévisible ballet qui parut donner raison à l'excentrique voyante, auteure du best-seller *C'est écrit dans le ciel.*

73
FREUD AVAIT RAISON AU SUJET DES ACTES MANQUÉS

David Béjart remit avec bonheur l'alliance à son éditeur, qui avait cru en lui contre vents et marées.

Mais nerveux ou indécis, la main tremblante en tout cas, Albert l'échappa.

David s'excusa, comme si c'était sa faute, même si ce ne l'était pas.

Dans l'église, il y eut des éclats de rire. Louise se contentait de sourire : ce sont des choses qui arrivent. Elle distribuait des regards amusés à l'assistance, à son père, sa mère, ses amies, nombreuses et toutes ravies, toutes heureuses pour elle (même si parfois avec une petite touche de jalousie) que, après trois ans, Albert se fût enfin décidé à l'épouser.

Albert esquissa un sourire embarrassé, regarda à ses pieds, mais ne vit pas l'alliance. Où avait-elle bien pu rouler ? Il se gratta la tête, arrondit les yeux. Se mit à la chercher autour de lui.

David l'aida dans ses recherches.

Le prêtre aussi, malgré la dignité de ses fonctions : il suivait le jeune auteur qui lui avait volé le cœur !

Rien !

La bague restait introuvable !

C'était vraiment inexplicable !

Giorgio Santini, dont la curiosité avait été piquée par les éclats de rire dans l'église, avait relevé la tête, esquissait un sourire, croisait même discrètement les doigts.

Lisa, belle comme une princesse, moulée dans sa robe mauve, ses cheveux ornés de violettes, souriait, embarrassée pour son père.

Sophie Stein souriait elle aussi : peut-être Albert ne voulait-il plus se marier, d'où sa gaucherie infinie. Elle avait bien entendu lu *Psychopathologie de la vie quotidienne*, de Freud, et connaissait ces petits gestes insignifiants en apparence et qui pourtant trahissent nos intentions les plus secrètes.

Peut-être parce qu'une pensée similaire l'avait effleurée, la mariée se résolut alors à prêter main-forte aux hommes.

Fort heureusement, car elle n'avait pas fait trois pas qu'elle éprouva un inconfort du côté gauche de son pied gauche.

Ses souliers de mariée, de la bonne pointure, étaient cependant un peu trop larges, mais elle les aimait tellement qu'elle avait décidé de les acheter quand même.

L'alliance, après avoir rebondi sur le plancher, s'était bizarrement retrouvée dans son escarpin !

Ravie, surprise, Louise voulut utiliser l'incident pour faire un peu de spectacle.

Elle s'immobilisa, leva le doigt, en proclamant :

— Eurêka !

Albert se tourna vers elle, intrigué : elle ne tenait pas l'alliance dans sa main. Chose certaine, il ne la voyait pas. Il s'approcha. Louise esquissa un sourire coquin, fit un geste en direction du plancher. Albert ne vit toujours rien.

Elle souleva le bas de sa robe, découvrant non seulement son escarpin gauche un peu trop large, mais ses magnifiques mollets, que des bas de soie rose moulaient.

Dans l'église, il y eut des murmures admiratifs, et même quelques sifflements d'hommes affectant d'envier le marié.

Albert aperçut enfin l'alliance, comprit qu'il n'aurait jamais pu la trouver, car jamais il n'aurait pu imaginer où elle avait abouti dans sa chute. Il se pencha, la récupéra, se releva, l'exhiba avec une sorte de fierté, même s'il n'avait guère de mérite.

Dans l'église, on salua pourtant son « exploit » par des applaudissements.

Une femme par contre n'applaudissait pas, et même trouvait ce spectacle cruel, regrettait d'être venue à cette stupide cérémonie : c'était évidemment Sophie Stein. Qui maintenant ne pouvait plus retenir ses larmes.

Et les essuyait.

Les essuyait avec ses mains gantées de léopard, de chez JB Guanti, qui lui rappelaient le Danieli.

Quand elle avait porté les gants de la célèbre maroquinerie pour la première fois, dans la suite Alfred de Musset-George Sand.

Quand elle n'avait porté que ça, que ces gants-là, que son mari débile avait tachés de manière indélébile de vin rouge, la laissant, dans sa débrouillardise amoureuse, en trouver d'autres. Elle se remémorait Albert, qui, semblant avoir deviné sa petite mise en scène érotique, et voulant y ajouter sa touche, n'avait porté que sa boucle Versace : comme ils se rejoignaient mystérieusement, dans chaque détail, même infime, de leur vie !

Sophie avait envie de partir.

De partir le plus loin possible.

Au bout du monde de préférence.

Et même encore plus loin si possible.

Dans l'au-delà, pourquoi pas ?

Mais elle ne pouvait pas.

Son mari comprendrait qu'elle aimait Albert Duras, follement, douloureusement, son mari saurait enfin qui était l'homme avec qui elle l'avait trompé, comme il l'en avait soupçonnée pendant des mois.

Il se tourna justement vers elle, vit évidemment ses larmes, et eut un drôle d'air, comme si le démon de la jalousie revenait sournoisement le visiter, comme s'il devinait la vérité, qui lui avait jusque-là échappé. Fine mouche, Sophie vit aussitôt clair dans ses pensées pourtant noires, et s'empressa de lui fournir une explication de son émoi :

— Imagine comment je vais pleurer quand notre fille va se marier !

— Ah, oui…

Il n'avait pas pensé à ça, sautant tout de suite à ce qu'il crut être de fausses conclusions, alors qu'elles n'étaient que trop vraies. Il pensa : *les bonnes femmes, ce qu'elles sont sentimentales !*

Les futurs mariés, le prêtre, le témoin, tout le monde en somme reprit sa position devant l'autel, et, comme pour remettre les compteurs à zéro, pour faire une nouvelle prise, comme on dit au cinéma, mais cette fois-ci la bonne, Albert redonna l'alliance à David, qui la remit dans son écrin, qu'il referma aussitôt.

Le prêtre dit, mais cette fois-ci en ne bégayant pas ou presque pas, son émoi lui passant, quoi ! :

— Albert Duras, acceptez-vous de prendre pour épou… pou… pouse…

Etc.

David ouvrit l'écrin et le tendit en direction de son éditeur, tout en s'inclinant élégamment.

Mais Albert Duras ne fut pas plus adroit que la première fois.

Chose certaine, il eut de la difficulté à extraire l'alliance de l'écrin, comme si son auteur zélé l'y avait trop profondément enfoncée.

Ou alors c'était simplement la nervosité.

Le résultat en fut qu'il échappa la bague.

Et cette fois-ci, elle ne disparut pas dans l'escarpin de la mariée.

Car tout le monde, étonné de cette seconde maladresse du marié, put la voir rouler, et rouler, et rouler, dans les trois marches de l'escalier.

Puis, comme conduite par le destin vers la première rangée de la nef, où l'habile main gantée de léopard de Sophie l'arrêta enfin dans sa course bizarre.

74
L'HEURE DE VÉRITÉ

Aussitôt, elle la souleva en l'air, comme si c'était un trophée, alors que c'était – mais elle seule et Albert le savaient – l'obscur objet annonçant la fin de leurs désirs.

Normalement, elle aurait dû se fendre d'un sourire, s'amuser de cet incident, se réjouir d'avoir été, de toutes les invitées, celle qui, damant le pion aux hommes, avait enfin pu freiner l'alliance dans sa course folle!

Mais elle ne s'esclaffait pas, ses lèvres ne remuaient même pas.

Pourtant, elles s'ouvrirent bientôt, comme dans une sorte d'hébétement.

Elle venait de noter – comment ne l'avait-elle pas fait avant, seul Dieu le savait! –, au cou de l'homme qui ne réussissait pas à passer la bague au doigt de Louise Volland, le nœud papillon qu'elle lui avait offert à Venise.

Ce n'était pas, à la vérité, la splendide boucle Versace qui lui avait coûté les yeux de la tête!

Elle ignorait que Louise Volland, un peu comme son mari à elle avec ses gants JB Guanti, avait ruiné la belle boucle Versace en la mettant au lavage puis à la punitive sécheuse.

Mais Albert, même s'il était fauché, n'avait pas estimé qu'il l'était assez pour ne pas se dresser contre le destin (conjugal) et allonger les 600 et quelques dollars qu'on avait exigés de lui pour lui en livrer, depuis New York, une exacte réplique.

Sophie ignorait cette preuve (coûteuse) d'amour, ou de nostalgie, c'est selon.

Albert Duras avait choisi de porter cette boucle pour que Sophie Stein pense : *il veut me dire par là qu'il m'aime encore, qu'il pense encore à Venise, au Danieli, et que, nous deux, ce n'est pas fini. Ce mariage n'en est un que de convenance, tout au plus une petite parenthèse obligée dans le long roman de notre amour.*

Mais, par ce malentendu si fréquent entre amants, Sophie interpréta bien différemment ce geste. Spontanément vindicative, presque enragée, elle pensa en regardant Albert, qui la fixait en retour de telle façon qu'on aurait dit – et c'est ce que certains invités n'avaient pas tardé à penser – qu'il n'y avait qu'eux dans l'église : *pourquoi a-t-il fait ça* ?

Est-il sadique ou quoi ?

Veut-il vraiment me narguer, avec cette boucle Versace ?

Veut-il me tuer, me faire regretter à tout jamais que j'aie fait un jour la terrible erreur de devenir sa maîtresse ? Si c'est le cas, je le déteste…

Oui, je le déteste.

Je le déteste car lorsqu'il me disait, me murmurait, me criait pendant qu'il était fou de moi, que j'étais la femme de sa vie, et même son âme sœur, selon les décrets de Madame Socrate, c'était… c'était juste un paquet de mensonges, juste de banals boniments d'homme qui s'ennuie en voyage et veut se trouver une idiote qui lui fera passer le temps, lui faire oublier, en tentant de la faire crier dans un lit, les néants de sa vie.

Et moi l'idiote, l'amoureuse stupide, j'écartais mes jambes pour lui, je les levais vers les caissons d'or des plafonds du Danieli, ou ceux mal lambrissés et mal isolés du Moulin Rose, je le suçais, je le buvais, non sans déplaisir, il est vrai…

Mais maintenant, tout a un goût amer dans ma bouche : j'aurais préféré ne jamais le rencontrer, notre bonheur était faux…

Le regard entre Sophie et Albert se prolongeait un peu trop.

Et devenait embarrassant, inexplicable.

Le mari de Sophie se racla inutilement la gorge, voulant sans doute lui signifier qu'elle devait adopter un comportement digne d'une femme mariée : la sienne en l'occurrence !

Giorgio, lui, n'avait d'yeux que pour le visage de Louise, et voyait le malheur y poindre, et ça lui donnait quelque espérance, et donc quelque bonheur.

Lisa, elle, pensait un peu tristement que peut-être son père n'aimait pas vraiment sa belle-mère, et qu'il ferait peut-être avec elle ce que son Jimmy venait de faire : il la quitterait pour une autre femme, pour cette femme qu'il ne cessait de regarder, cette femme un peu bizarre et gantée de léopard, comme si elle se trouvait dans un carnaval… de Venise, aurait-elle précisé, si elle avait connu toute l'histoire.

Dans l'église, beaucoup d'invités pensaient sans doute la même chose mais avec moins de précision : en tout cas, ils s'étaient mis à murmurer.

Reprenant un certain empire sur ses sens, et sentant le malaise dans l'église – sa promise, faut-il ajouter, plus embarrassée que tout le monde, avait fini par le pincer, et assez fortement au bras –, Albert se dirigea d'un pas décidé vers Sophie, tendit la main pour récupérer l'alliance, avec un sourire de circonstance, affectant qu'il s'agissait là d'un simple petit incident amusant.

Sophie mit sa main – et l'alliance – contre son cœur.

Comme si, visiblement, elle refusait de la lui remettre.

Et, devant son regard étonné, elle fit alors quelque chose d'encore plus singulier.

75

« EN AMOUR, UNE SEULE VICTOIRE : LA FUITE. »

NAPOLÉON

On aurait dit que Sophie avait appris ce qu'Albert avait dû faire lorsque sa compagne avait failli le surprendre, dans sa voiture, avec sa boucle d'oreille dans la main.

Car dans une inspiration bizarre, comme si elle voulait dire devant le monde entier qu'elle s'opposait à ce mariage… elle mit la bague dans sa bouche !

Oui, elle porta la bague d'or blanc entre ses lèvres, et, fixant Albert avec défiance, ou désespérance, elle l'avala.

Son mari aussitôt lui demanda, étonné et surtout humilié, car il comprenait quand même un peu ce qui était en train de se passer entre eux :

— Mais qu'est-ce que tu fais là ? Tu es folle ou quoi ?

Elle ne daigna même pas lui répondre, ni même le regarder.

Elle sortit à grands pas de l'église, sans se soucier des murmures, des questions.

Elle ne fut pas la seule à prendre ainsi la fuite.

D'abord il y eut la mariée.

Qui, les larmes aux yeux, désespérée, trahie, sortit elle aussi en courant de l'église.

Aussitôt, Giorgio Santini la suivit.

Mais avant, élégant, il donna à sa fiancée la moitié de son argent de poche, soit 5000 $ canadiens, une aubaine pour un Européen, en lui expliquant, désolé mais surtout impatient :

— Il faut m'excuser, bon retour en Italie !

Puis le mari de Sophie, qui se demandait ce qu'il faisait encore là, parmi des gens dont aucun n'était de sa famille ou même de ses amis, sortit lui aussi.

L'air dévasté.

Alors Lisa, la fille d'Albert, quitta son banc et alla vers son père, et le serra dans ses bras.

Serra dans ses bras son petit papa pour lui montrer à quel point elle était chagrinée de tout ce drame surprenant qui venait de se passer.

David Béjart et sa fiancée tentaient aussi de le consoler.

Dans l'église, la confusion la plus totale régnait, même le curé en perdait son latin. Certains étaient tristes, d'autres, plus terre à terre, ne décoléraient pas d'avoir acheté inutilement un coûteux cadeau pour un mariage qui n'aurait pas lieu.

76

LA DEMANDE EN MARIAGE À L'ITALIENNE...

Giorgio Santini avait le sentiment qu'il avait peut-être une chance (de justesse) avec *the runaway bride*, la mariée qui avait fui à la dernière minute et que, cette fois-ci, il ne la laisserait pas passer : il avait déjà une petite idée derrière la tête.

Lorsqu'il arriva sur le parvis de l'église, il la vit qui montait dans la limousine blanche et fleurie des mariés : le chauffeur était vraiment surpris de la voir arriver seule, sans le marié, et aussi rapidement ! Giorgio tenta de la retenir, en criant à deux reprises : « Louise ! » Mais elle l'ignora.

Il ne fit ni une ni deux, sauta dans la Porsche qu'il avait louée pour son séjour montréalais, et prit en chasse la limousine, qui s'arrêta pas très loin de là, presque devant le restaurant où il l'avait vue pour la première fois, chez Leméac : et il la vit entrer avec étonnement dans une pharmacie voisine. Tenta de se garer, mais il n'y avait pas de place. Il sauta de sa Porsche, qu'il voulut laisser en double, avec ses clignotants, mais il ne jouait pas de chance, car un policier, juste derrière lui, actionna son gyrophare : il devait circuler. Il hésita : en Italie, il s'en serait moqué éperdument, mais il se trouvait dans un pays étranger. Il remonta dans la Porsche, mais n'eut pas le temps ni le besoin de se trouver une place pour se garer : déjà Louise Volland, qui ne manquait pas de faire tourner des têtes dans sa robe blanche de mariée, ressortait de la pharmacie, avec un petit flacon qu'elle décapsula et dont elle avala tout le contenu, qu'elle aida à faire passer avec une bouteille d'eau Perrier. Le tout sans que le chauffeur de la limousine pût la voir. Par souci de discrétion, et pour ne pas qu'on lui posât des questions, elle lança avec adresse le flacon vide dans la poubelle la plus proche.

— Mais qu'est-ce qu'elle fait ? Elle est folle…, s'exclama Giorgio.

Il savait très bien ce qu'elle voulait faire : se tuer.

Il pensa qu'il jouait de malchance : au moment où il retrouvait enfin la femme dont il était follement amoureux, elle voulait s'ôter la vie !

La malédiction du Palazzo Dario, dont il s'était toujours moqué, comme des histoires de bonnes femmes ou de sorcières, s'imposa à lui. Sinon, jamais ne serait-il devenu propriétaire de ce palais supposément maudit.

Mais, là, pour la première fois de sa vie, il se disait qu'il y avait peut-être quelque vérité dans cette légende vénitienne.

Eut ensuite lieu la plus curieuse « chasse à la femme » de sa vie.

Non seulement suivit-il la limousine, mais chaque fois que la route le lui permettait, il venait se placer juste à côté d'elle, et tentait de parler à Louise Volland, gesticulait pour qu'elle abaisse sa fenêtre.

Elle le reconnaissait vaguement : elle l'avait vu à l'église, lui semblait-il. Oui, à l'église, dans la première rangée, c'est ça, et à côté de sa rivale, Sophie Stein. Ça devait être lui, cet Italien dont elle avait vu le nom sur la liste des invités. Dont la fiancée lui ressemblait comme deux gouttes d'eau. Ça l'avait frappée sur le coup, mais elle n'y avait pas trop pensé, elle avait autre chose à faire : se marier, par exemple !

Pourquoi avait-il déserté l'église ?

Pourquoi l'avait-il suivie ?

Et sans sa petite amie, du reste ?

Il était beau en tout cas, c'était indéniable. Quelle femme n'aurait pas été troublée par ses yeux lumineux et bleus, son teint basané, ses cheveux noirs et gominés, ses dents immaculées, et aussi et surtout ce charme fou, et cette assurance que lui conférait sa fortune – ou qui lui avait permis de l'amasser ?

Chose certaine, il était amusant, autant, du moins, qu'elle pouvait, dans son infinie tristesse, trouver un homme amusant...

Oui, ses pantomimes avaient quelque chose de distrayant, de...

Elle chercha en vain le mot, et c'était de plus en plus difficile, car son esprit s'engourdissait peu à peu : les somnifères, les plus forts qu'elle avait pu obtenir sans ordonnance, agissaient déjà.

Le pharmacien, étonné par sa présence dans son établissement, et aussi par sa demande et par sa tenue inusitées, avait cru bon de vérifier pour quelle raison elle avait besoin de pareils médicaments.

— Pour ma nuit de noces, avait-elle dit avec un clin d'œil coquin.

— Pour votre nuit de noces ? s'était enquis le pharmacien en fronçant les sourcils.

— Oui, je veux endormir mon mari pour pouvoir coucher tranquillement avec mon amant.

— Ah évidemment, avait-il répondu, et il se sentait idiot d'avoir posé cette question.

Et il ne lui en posa pas d'autres, lui dit juste ce qu'il lui en coûterait. Pour endormir son supposé mari, qui serait par conséquent cocu dès sa nuit de noces !

Giorgio continuait de faire des pantomimes, évitait parfois de justesse un accident, se faisait souvent abondamment klaxonner.

Le chauffeur de la limousine, qui le remarqua alors, demanda à sa passagère ce que cet automobiliste pouvait bien lui vouloir.

— C'est un des invités du mariage.

— Mais justement, ce mariage, votre mari… je…

— Je n'ai pas envie d'en parler ! décréta-t-elle, et le chauffeur comprit qu'elle disait vrai.

De toute manière, il était payé jusqu'à 2 heures du matin, et allait où ses clients lui demandaient d'aller.

Pour se débarrasser de lui, ou de Giorgio, et peut-être par curiosité, Louise Volland finit par descendre sa fenêtre.

Ravi, Giorgio lui montra ses belles dents, et se mit à lui dire, comme un véritable fou :

— Je vous aime, je vous aime depuis le premier instant où je vous ai vue l'année dernière à Marienbad, je veux dire à Montréal au restaurant Le Hamac…

Il voulait dire Leméac, évidemment.

— Je ne cesse de penser à vous.

Elle sourcilla, il lui semblait aussi qu'elle l'avait déjà vu quelque part, en tout cas elle allait assez souvent chez Leméac, donc ce n'était pas tout à fait impossible.

Mais en même temps, comme la chose était secondaire, infiniment secondaire ! Elle ne croyait plus en rien. Elle allait mourir dans quelques minutes, dans une heure tout au plus, avec tous les somnifères qu'elle s'était envoyés.

Conservant une mine stoïque, malgré les déclarations enflammées de Giorgio, elle but une grande gorgée d'eau, comme pour être bien certaine qu'elle digérerait plus vite les cachets, même si, bien entendu, il n'y avait aucune base scientifique à cette théorie : elle était avocate et non pas médecin !

Ce simple geste indifférent aurait pu décourager Giorgio, qui eût préféré qu'elle lui réponde au lieu de lui vider sa bouteille de Perrier au nez. Mais il était italien et follement amoureux.

— Je veux qu'on se marie, insista-t-il. Je vous aime, je vous aime follement.

Se marier…

Elle venait de passer près de se marier…

Et ça avait plutôt mal tourné…

N'était pas né l'homme qui l'y reprendrait !

Toujours tiède, elle se contentait de regarder Giorgio.

Il faillit se faire emboutir par une voiture qui venait dans l'autre sens, effectua une manœuvre à la dernière seconde pour l'éviter, et ne manqua pas de lui signifier son irritation en le klaxonnant abondamment.

La mariée en fuite arrondit les yeux : cet excentrique Italien risquait sa vie pour elle.

Giorgio toucha alors son cœur, puis, de sa main gauche, il forma un pistolet imaginaire et fit mine de se tirer une balle dans la tête.

Au lieu de sourire, comme elle en avait envie, ou de donner instruction à son chauffeur de s'arrêter pour contenter cet hurluberlu et lui demander d'arrêter de la suivre avant de faire un accident, elle releva sa fenêtre.

Giorgio pensa qu'il ne faisait guère de progrès auprès d'elle et que c'était peut-être normal au fond : après tout, elle venait de rater son mariage avec un autre homme. Elle n'avait évidemment pas le cœur à la romance, mais alors là pas du tout !

Pourtant, obstiné ou fou, ou vraiment amoureux comme un fou, il continua de lui envoyer des baisers, à travers sa fenêtre.

Alors elle esquissa, ou du moins lui sembla-t-il, un très léger sourire. Dans lequel il vit une tristesse.

C'est qu'elle venait de penser aux jumelles, et de se dire que ce qu'elle venait de faire était un peu égoïste et qu'elle ne les reverrait probablement plus, parce que vivre sans amour, elle n'en avait plus vraiment envie.

Puis contre toute attente – mais ce n'était pas si surprenant que ça, vu tout ce qu'elle venait d'engloutir –, elle tourna de l'œil et s'effondra sur la banquette.

77

UN NOUVEL HOMME, UNE NOUVELLE CHANCE

Dans un état de panique, persuadé que Louise Volland était en train de mourir, Giorgio se mit à klaxonner comme un fou pour que le chauffeur de la limousine se rende compte de son état.

Mais le chauffeur ne faisait que hausser les épaules, se souciait peu de lui ni d'ailleurs de sa cliente, qui lui avait donné pour toute instruction de conduire. Tâche facile, s'il en fut.

Giorgio continuait de faire des gestes, désignait du doigt la banquette arrière.

Enfin à un feu rouge, comme sa cliente ne lui répondait pas, le chauffeur se tourna, réalisa son état, regarda Giorgio dans un état de panique.

Giorgio gara sa Porsche dans le seul espace disponible, devant une borne-fontaine, joua à nouveau de malchance : il y avait un agent qui distribuait des contraventions, mais cette fois-ci, il ne se laissa pas ralentir, ne lui montra pas le doigt, mais fit de la main le geste qui veut dire je m'en moque comme de ma première chemise. Il monta à l'arrière de la limousine et dit au chauffeur :

— À l'hôpital le plus proche !

— Mais pourquoi ? C'est peut-être juste un peu de fatigue.

— Elle a avalé un flacon complet de comprimés !

— Ah ! s'étrangla le chauffeur, qui effectua un audacieux virage en U, puis fit crier ses pneus pour foncer vers l'hôpital le plus proche.

Giorgio avait lu ou vu à la télé que, lorsqu'une personne avait avalé une dose massive de somnifères, le plus important était de tenter de toutes les manières possibles de la garder éveillée, par exemple en la faisant marcher.

Mais faire marcher Louise Volland dans une limousine n'était pas chose possible.

Alors il la souffletait gentiment, lui parlait, l'exhortait :

— Louise, mon amour, il ne faut pas que tu dormes, il faut que tu restes éveillée.

Louise, mon amour ! avait entendu le chauffeur, un quinquagénaire au crâne dégarni, ce que dissimulait cependant sa casquette : il était ahuri.

Était-ce l'époux de la mariée ?

Il ne l'avait jamais vu, puisque, selon la tradition, la mariée était arrivée seule à l'église.

Oui, au fond, c'était peut-être son mari.

Il supputa qu'il s'était passé quelque chose pendant la cérémonie, quelque chose d'assez grave pour y mettre fin prématurément.

Giorgio, pendant ce temps, tentait de réveiller ou de garder éveillée Louise.

Lui parlait.

La souffletait.

Mais elle lui tombait dans les bras.

Comme une poupée de chiffon, une marionnette désarticulée.

Il pensa : *je vais lui donner la respiration artificielle !*

Il lui ouvrit la bouche, comme s'il était dentiste ou médecin, appliqua ses lèvres contre les siennes, et se mit à souffler.

Mais bien vite, ça devint un baiser.

Un peu malgré lui, car Louise, qui rêvait ou revenait à elle, bougeait la langue, comme si… comme si elle voulait l'embrasser, embrasser à pleine bouche cet Italien, elle qui, à peine une heure avant, était sur le point d'épouser un autre homme que lui : c'était magique !

Oubliant le but premier de l'opération, il la serra dans ses bras.

Elle ne répondit pas à son étreinte : ses bras restaient ballants le long de son corps.

Le chauffeur, qui pouvait les voir dans son rétroviseur, se demandait un peu ce qui était en train de se passer.

Giorgio se trouvait à toucher, à froisser la robe de mariée de Louise, dans laquelle elle était divine, sa robe de mariée romantique à souhait et hyper sexy vu son décolleté plongeant, qu'elle avait choisie pas tout à fait innocemment, mais parce qu'elle voulait pour ainsi dire humilier encore plus sa rivale Sophie Stein.

Giorgio pensa que même tout l'argent du monde, même les centaines de millions qu'il faisait chaque année ne pouvaient acheter ça !

D'autant que…

D'autant qu'il éprouvait une sensation qu'il n'avait plus connue depuis un an : il regarda sa braguette, sourit, ravi.

Il était redevenu homme !

Mais il n'était pas au bout de ses peines, Louise ouvrait les yeux, le regardait sans trop comprendre ce qu'il faisait là, esquissait un demi-sourire, refermait les paupières, perdait conscience: ce n'était pas trop bon signe!

Et surtout c'était tout ce qu'il fallait éviter.

— Chauffeur, plus vite, plus vite!

Ils arrivèrent enfin à l'urgence de l'hôpital.

Giorgio, qui faisait un acte de foi en l'avenir, croyait en sa bonne étoile avec Louise Volland, donna sa carte de crédit au chauffeur, une American Express Noire, et lui expliqua à toute vitesse:

— Allez m'acheter une bague de fiançailles dans la plus grande bijouterie de Montréal.

— Birks?

— C'est la plus grande?

— Oui.

— Alors c'est parfait.

— Et le budget?

— Oh, soyons prudents, après tout, même si c'est la femme de ma vie, je ne la connais que depuis une heure.

— Huit cents, mille dollars?

C'est ce que le chauffeur avait payé pour la bague offerte à sa femme: on sort difficilement de sa propre expérience.

— Euh non, je pensais plutôt à un truc en bas de 100 000 $, quelque chose de bien, quoi, mais pas trop coûteux…

— Ah! d'accord, dit le chauffeur en arrondissant les yeux.

Quelque chose de bien, mais pas trop coûteux, un truc en bas de 100 000 $!

C'était beau d'être riche, et utile lorsqu'on était amoureux!

— Et revenez ici tout de suite après !

— Oui. Sans faute.

Le chauffeur prit la carte puis aida Giorgio à extraire Louise de la limousine, qui disait, malheureuse, confuse et pourtant lucide :

— Je savais qu'il… qu'il ne m'aimait pas, qu'il… qu'il ne m'a jamais aimée.

Puis elle s'évanouit à nouveau.

Giorgio, ému, la porta dans ses bras jusqu'à l'urgence, dont les portes d'entrée étaient heureusement coulissantes.

Ça faisait une scène assez frappante, ce bel Italien élégant, sapé comme un prince, qui portait une femme en robe de mariée.

— Qu'est-ce qui est arrivé à votre femme ? demanda la préposée à l'accueil.

Sa femme ?

On le prenait pour son mari ?

Même si la chose était naturelle, logique, Giorgio n'avait pas prévu cette réaction, et ça lui fit plaisir : les malentendus parfois annoncent l'avenir ! C'était un signe, non ?

— Elle a avalé des somnifères, enfin je crois, expliqua-t-il.

— Le jour de son mariage ? ne put s'empêcher de demander la préposée, même si ce n'était pas vraiment de ses affaires.

— Euh, oui, je vous expliquerai, c'est un peu compliqué.

— Il y a combien de temps ?

— Même pas une demi-heure. Vingt minutes, je dirais.

— Bien, très bien. C'est une bonne nouvelle. Dans les circonstances, je veux dire.

On administra tout de suite à Louise un lavement d'estomac.

Une heure plus tard, on estima qu'elle était tout à fait hors de danger. Les somnifères n'avaient pas eu le temps de faire des ravages. Elle répondait fort correctement aux questions d'usage, pour établir la lucidité des suicidés ratés. Elle put même donner le nom et le numéro de cellulaire de son mari, enfin de celui qui avait failli le devenir.

Ses signes vitaux étaient redevenus pour ainsi dire normaux, sauf des battements cardiaques un peu élevés. Ce qui était normal, dans les circonstances.

Elle ne devait pas s'être encore remise de cette cérémonie de mariage avortée, un événement peu banal dans la vie d'une femme, puisque le jour de son mariage était supposé être le plus beau jour de sa vie.

Mais il avait été horrible !

Et encore, elle ne supputait pas pour l'heure toute l'humiliation qu'elle devrait affronter quand elle aurait à raconter pourquoi ça ne s'était pas fait, comment il se faisait que son fiancé aimait une autre femme, mariée de surcroît, et qui avait voulu se venger d'elle, jouer les trouble-fête en avalant son alliance, une vraie déséquilibrée, quoi !

Mais même si elle était visiblement hors de danger (sauf peut-être pour des séquelles aux reins, on verrait bien !), on la transféra dans l'aile psychiatrique de l'hôpital : on ne tente pas de se tuer sans que son esprit soit un peu dérangé !

N'empêche, elle souriait déjà dans son lit, malgré une aiguille fichée dans son bras, pour lui administrer par intraveineuse le cocktail de médicaments qui convient en pareille situation.

Et elle sourit encore plus lorsque, le chauffeur étant revenu à l'hôpital après s'être acquitté de sa commission, Giorgio, surprenant écrin de chez Birks en main, s'agenouilla devant elle.

Elle pensa qu'il était bizarre, pour ne pas dire carrément fou : mais il était beau, extraordinairement beau, et jeune, et intense, ça rendait poétiques ses excentricités, les excusait. Elle pensa comme malgré elle et malgré les vapeurs des somnifères qui encombraient encore sa mémoire, à ce joli vers de Cyrano : *tous les mots sont fins quand la moustache est fine*, car elle aussi avait des lettres même si c'était son mari, enfin celui qui avait failli devenir son mari, qui était éditeur.

Pourtant, bien qu'elle trouvât Giorgio fou (elle ne le connaissait ni d'Ève ni d'Adam, l'avait juste brièvement aperçu, dans l'église, lorsque, au bras de son père, elle souriait à gauche et à droite à tous ses invités), par curiosité – et parce que personne ne peut résister à un cadeau surprise –, après une hésitation, elle ouvrit le boîtier. Elle fut encore plus ravie qu'elle n'avait pu s'imaginer lorsqu'elle vit le bijou somptueux.

— Oh ! elle est tellement belle ! Mais pourquoi me donnez-vous ça ?

Ce disant, elle n'extrayait pas la bague de son écrin bleu et merveilleux, se contentait de l'admirer, presque aveuglée par les éclats de l'énorme diamant, rose de surcroît : elle n'avait jamais vu ça.

— Mais… parce que je veux vous épouser.

— Ça vient de m'arriver, qu'un homme veuille m'épouser, et comme vous avez pu voir, ça n'a pas vraiment bien tourné.

— Au contraire, moi je trouve que ça a plutôt bien tourné. Sinon je ne serais pas ici, et on n'aurait pas la chance de tout recommencer ensemble.

Tout recommencer ensemble !

Elle venait de se faire humilier devant deux cents personnes, de se faire briser le cœur en mille miettes par Albert Duras, qui la trompait avec une folle, et ce bel Italien lui parlait de tout recommencer ensemble, comme s'il ne se rendait pas compte, mais alors là pas du tout, de ce qu'elle venait de vivre : un vrai homme, quoi ! Beau mais con, tout de même !

— Vous aimez les suicidées ?

— Seulement si elles vous ressemblent et ont raté leur coup.

— Vous êtes un peu fou, je crois. Pourquoi faire tout ça, juste pour coucher avec moi ? J'ai beau avoir avalé un flacon de somnifères, il me reste un peu de lucidité.

— Oui, je fais tout ça pour coucher avec vous ; mais pas une seule fois, pour le reste de ma vie.

— On ne se connaît même pas.

— Ça peut s'arranger facilement. Posez-moi toutes les questions que vous voulez !

— Vous êtes marié ?

— Non.

— Moi non plus, comme vous avez pu voir, mais vous n'êtes pas venu seul au mariage.

— Seulement une amie.

— Avec qui vous couchez quand même ?

— Non.

Il disait la vérité, et ce n'était pas parce qu'il n'avait pas tenté de coucher avec elle.

— Vous mentez mal.

— Parce que la vérité est parfois difficile à dire.

— Elle me ressemble comme deux gouttes d'eau, pourquoi avez-vous envie de coucher avec moi ?

— J'ai toujours préféré les originaux, je n'aime pas les imitations.

— Belle répartie !

— On se remet difficilement de vous avoir vue une seule fois.

— Vous avez quel âge ? demanda Louise, qui poursuivait son bizarre interrogatoire.

— Vingt-neuf ans.

— Comme moi. La vie continue de vouloir nous duper avec de stupides coïncidences.

— J'adore votre romantisme, la nargua-t-il.

Elle ne daigna pas commenter son ironie, demanda plutôt :

— Vous avez des enfants ?

— Non.

— Les coïncidences s'arrêtent là : moi, j'ai un fils, qui est parti à New York, mais il n'a pas 20 ans, alors il peut revenir demain. Et deux jumelles que j'ai elles aussi adoptées après que ma sœur est morte du cancer : vous me trouvez toujours aussi bandante ?

Bandante était « *the word* du jour » pour Giorgio, depuis qu'il avait eu pour elle son coup de foudre aux conséquences plutôt tristes dans ses histoires avec les autres femmes : mais le corps a ses raisons que la raison ne connaît pas !

— Et au cas où vous ne le sauriez pas, les enfants, ça coûte cher.

— Je suis milliardaire.

Elle regarda l'énorme diamant rose acheté chez Birks : il devait dire la vérité, même avec quelque enflure inévitable chez un homme amoureux, surtout s'il était italien.

— Ça aide. Mais ça ne sert pas votre cause.

— Comment ?

— Je me méfie des hommes riches. Ils sont trop populaires auprès des femmes et presque toujours infidèles.

— Mais pourquoi dites-vous ça ?

— Un homme n'a pas besoin d'une raison pour tromper une femme, juste d'une chambre, et comme les hommes riches peuvent se payer une chambre dans toutes les villes du monde…

— Je suis prêt à vous donner la moitié de ma fortune.

— Vous êtes vraiment fou, dit-elle.

Mais elle prit quand même la bague, l'admira.

Dit, non sans humour :

— J'espère que, celle-là, une folle ne l'avalera pas !

Pour Giorgio, ce fut comme si elle venait de lui dire oui.

Le fait qu'elle le laissa la lui prendre des mains et la lui passer à l'annulaire de la main gauche le confirma dans sa certitude.

Mais elle eut cet abandon au moment le plus inapproprié qu'elle aurait pu s'imaginer : à l'instant même où faisait son entrée dans la chambre son mari, ou plutôt celui qui avait failli devenir son mari, et qui, en se faisant diriger vers l'aile psychiatrique de l'hôpital, n'avait pu s'empêcher de penser à la prédiction récente de Madame Socrate : « Si vous quittez votre femme, elle se retrouvera dans une maison de fous. »

Il avait été parcouru de frissons… Madame Socrate avait vraiment un don : une aile psychiatrique n'était pas un asile, mais c'était tout comme, et sa compagne avait tout de même avalé un flacon de somnifères, selon ce qu'on lui avait dit lorsqu'on l'avait joint de l'hôpital, donc ses intentions étaient on ne peut plus claires.

Le drame, ou « presque drame » si vous voulez, était arrivé.

Et Albert Duras était témoin d'un autre drame, plus intime celui-là, et qu'il n'avait certainement pas vu venir.

Un homme qui lui avait tout de suite paru antipathique, dès qu'il l'avait vu à Ca'Dario, et même avant, parce qu'il avait offert du champagne à Sophie à Venise, et qu'il en était bizarrement jaloux par anticipation, un homme richissime et jeune et beau, Giorgio Santini, qui demandait en mariage celle qui était encore sa compagne !

Il ne perd pas de temps! pensa Albert, qui eut envie de lui mettre son poing au visage.

78

LA SÉPARATION DE CORPS – MAIS DE CŒUR ?

Malgré sa lucidité, encore affectée par les somnifères et par tout ce qui venait de lui arriver, Louise Volland eut quand même l'élégance de demander à son bel Italien :

— Est-ce que tu peux nous laisser, Giorgio ?

Giorgio ! Elle l'appelait déjà par son prénom ! déplora Albert, *et il y a trois heures, elle ne le connaissait même pas encore !*

Mais il se sentait tout de même mal placé pour lui faire des reproches.

Pourtant, elle fit un geste qu'il trouva sympa, plus que sympa, touchant, vraiment : elle retira la bague et la remit à Santini, qui eut un petit air de dépit : l'argent n'achetait pas tout et son principal rival était tout sauf éliminé.

Il prit la bague, et, sans dire un seul mot, sans daigner poser les yeux sur Albert, il sortit de la chambre.

Albert se sentit mieux.

Sentit qu'il pourrait arranger les choses.

Il ne savait cependant pas vraiment lesquelles : leur relation n'était-elle pas, comme disent les Américains… *beyond repair* ? Ou, si vous préférez, passée le point où vous pouvez croire la réparer. Un pot cassé en mille miettes, la meilleure *Krazy Glue* de l'amour, la meilleure volonté du monde peuvent-elles le réparer?

Il tira de sa poche une alliance.

Pas n'importe laquelle: celle que Sophie Stein avait avalée.

Louise la reconnut sans peine.

— Tu la lui as arrachée au fond de l'estomac?

— Non, elle l'a vomie. Je l'ai trouvée sur le parvis de l'église.

Ce n'était peut-être pas la bonne chose à dire, même si c'était la vérité. Aussi Louise s'exclama-t-elle:

— Ouash!

— Je l'ai lavée.

— Peut-être, mais elle restera toujours sale.

— Pourquoi dis-tu ça?

— Tu le sais.

— Je ne comprends pas.

— À l'église, j'ai vu, comme tout le monde, comment elle te regardait, comment tu la regardais. Vous vous aimez, c'est évident, même si elle est mariée, même si nous allions nous marier.

Il ne disait rien, se contentait de baisser la tête, trop honteux de se faire asséner toutes ces vérités. Il remit l'alliance dans la poche de son inutile veston de mariage.

— Ce n'est pas grave, dit-elle, au fond, rien n'est grave.

Albert ne pipait mot, trop bouleversé par la situation. Louise demanda alors – mais sa question avait l'air d'une affirmation, mieux encore, d'une certitude:

— Vous êtes devenus amants à Venise?

Il n'osait pas admettre sa faute.

Mais son silence était un aveu.

— C'est difficile de dire la vérité, hein ? fit-elle.

Et il n'y avait pas d'accusation, d'amertume ou de colère dans son ton, juste de la compassion, et même de la tendresse.

— Ce n'est pas grave, moi aussi j'ai eu mes fautes.

Étonné, il s'enquit:

— Tu m'as trompé ?

— Oh ! comment aurais-je pu ? J'étais beaucoup trop amoureuse de toi. La preuve, j'ai voulu mourir par amour pour toi. Tu devrais savoir, à ton âge, qu'une femme amoureuse ne trompe pas si facilement l'homme qu'elle aime.

— Mais alors ?

— Je ne sais pas, peut-être que lorsque j'ai adopté les enfants de ma sœur, j'ai oublié que ce n'étaient pas tes enfants, j'ai oublié que tu étais mon conjoint et que tu avais tes soucis, et que tu avais besoin d'une confidente. Et peut-être que je ne me suis pas assez excusée parce que ta fille était partie à cause de ça…

Elle avait deviné ça, aussi, en plus de sa tromperie, mais ne le lui avait jamais dit, peut-être parce qu'elle se sentait coupable, peut-être parce qu'il n'y avait rien à faire: elle ne pouvait tout de même pas dire aux jumelles et à leur frère (même irrespectueux) d'aller vivre ailleurs, les placer dans une famille d'accueil.

Albert dit, en regardant la boîte bleue de chez Birks, que Giorgio avait oubliée sur la table de chevet, et Louise vit ce qui avait chagriné ses yeux:

— Tu l'aimes ?

— Ce que tu peux être naïf ! Si jamais je fais la stupide erreur de l'aimer, même dans trois ans, même dans dix ans, je vais avaler

un autre flacon de somnifères, et même, je vais me tirer une balle dans la tête pour être certaine de ne pas me manquer cette fois-là.

— Je t'ai fait de la peine, je sais, je suis si désolé, siiiii désolé.

Elle ne dit rien, mais son air était triste, infiniment triste, et pourtant dépourvu de toute acrimonie.

— Tu vas accepter sa demande en mariage? s'enquit Albert, qui avait peine à dissimuler sa mortelle inquiétude.

Elle ne répondit pas mais rougit, ce qui se vit aisément, car sa tentative de suicide l'avait laissée blanche comme le drap de ce lit de l'aile psychiatrique dans lequel elle avait abouti. En plus, elle baissait la tête, comme lorsqu'on admet une faute.

— Mais Louise, c'est insensé, on était sur le point de se marier il y a à peine deux heures.

— Parce que je t'ai tordu un bras: sinon tu ne m'aurais jamais demandé ma main.

Il savait qu'elle avait raison.

Et en plus il lui avait menti, l'avait trompée pendant des mois: comment la défier?

Il se fit la réflexion qu'il était criblé de paradoxes: à un moment, en fait depuis plusieurs mois, elle l'avait laissé indifférent, il n'avait eu de pensées que pour Sophie Stein, son corps, son esprit, ses tristesses, ses réparties, et maintenant qu'il sentait qu'il perdait Louise, il ne le voulait pas. Il devenait possessif, jaloux, romantique, confus.

Il y eut un silence entre eux, plus long et plus lourd, aurait-on dit, que la somme de tous les silences qui avaient banalement ponctué leur vie de couple, même si l'un et l'autre étaient bavards, de par leur profession.

Ils se regardèrent.

Il y avait de l'amour dans leurs yeux, de l'amour et de la tendresse, et aussi de l'amitié, avec une petite touche de désespoir comme, dans un parfum, une note de tête, mais n'est-ce pas celle qui, par définition, se volatilise le plus vite ?

— Ce n'est pas grave, si tu y penses, reprit Louise, que la déception et peut-être une nouvelle chance dans la vie rendaient philosophe. C'est juste la suite normale des choses. Parce qu'au fond, même si on ne le savait pas, notre amour avait une date de péremption, et on l'a atteinte… On avait une limite de garantie de trois ans, comme presque tous les couples modernes…

Albert, littéraire malgré sa détresse humaine, trop humaine, pensa au titre du roman célèbre de Romain Gary, *Au-delà de cette limite votre ticket n'est plus valable.*

Pourtant, malgré ce message de réalisme (ou de désespoir) que lui envoyait sa mémoire livresque, il se rebiffait :

— Mais tu ne crois pas qu'on pourrait essayer à nouveau ?

— Oui.

— Oui ? Vraiment ? fit-il avec un espoir inattendu.

— Oui. Mais avec quelqu'un d'autre. Toi avec ta folle de psychiatre qui avale des bagues, moi avec cet Italien un peu dingue qui vient de m'en acheter une !

— Ma folle de psychiatre, comme tu l'appelles, ne quittera jamais son mari.

— Ça veut dire que tu le lui as demandé ! Et qu'elle t'a dit non.

Ce n'est pas facile pour une femme d'être un prix de consolation.

Albert réalisait l'ampleur de sa gaffe, et tenta aussitôt, mais sans y croire, de la réparer, car ses arguments étaient cousus de fil blanc, blanc comme l'inutilement romantique robe de mariée qui se trouvait sur une des deux laides chaises de la chambre et qui avait été remplacée, sur le corps fébrile et endormi de Louise, par une banale jaquette verte de patiente.

— Mais non, ce n'est pas ça que je voulais dire, tu sautes vite aux conclusions.

Louise Volland regarda avec un sourire triste son compagnon des dernières années. Elle n'avait pas envie de se quereller. Il lui semblait – surtout qu'elle avait failli se tuer par amour pour lui – qu'elle avait dépassé, subitement et non sans un certain soulagement, cette période entre eux. Ce qui voulait peut-être dire qu'elle avait tourné la dernière page de leur amour, car lorsqu'on ne se dispute plus, qu'on n'en a plus la force, l'envie, n'est-ce pas fini, même si on ne veut pas l'admettre? Il y a des amours tranquilles, je sais, et des tiédeurs qu'on appelle le bonheur à deux.

— On n'a pas réussi à s'aimer pour toujours, mais est-ce que c'est bien grave? On sera peut-être amis pour la vie. Moi, j'aimerais ça.

Une pause et elle ajouta, non sans ironie:

— Surtout si je parvenais à m'enlever l'envie de t'arracher les yeux parce que tu m'as trompée à bras raccourcis.

— Je sais, je... Ça n'était pas planifié.

— Je l'espère bien, enfin pour toi, parce que sinon, ça aurait été bien moins amusant, non? Les hommes, vous aimez le défi, l'aventure, l'inconnu ou pour mieux dire les inconnues.

Décidément, pensa Albert, elle lui était supérieure en calme philosophique et désillusion amoureuse. Pourtant elle dit alors:

— Et qui sait, on va peut-être se manquer, tu vas peut-être te rendre compte qu'on s'aimait vraiment, et alors on va peut-être revenir ensemble.

— Tu crois? Tu crois vraiment?

— Je... je ne sais pas, je sais juste que notre passion est partie en vacances, elle était surmenée, la pauvre. Est-ce qu'on peut le lui reprocher ? On lui en demandait peut-être juste trop. Mais les vacances, même si c'est beau, on finit toujours par en revenir, non ?

— Tu... tu pen... penses ? bafouilla-t-il avec presque autant d'émoi que le prêtre à leur mariage, mais pour des raisons différentes, cela va de soi.

— Oui. Et de toute manière, en attendant qu'on revienne ensemble, si jamais ça se fait, tu ne seras pas seul, tu as Lisa, elle est revenue.

— Oui, c'est vrai.

Il regarda la robe de mariée, échouée sur la chaise, demanda :

— Est-ce que tu vas vraiment te marier avec cet Italien ?

— Si jamais je faisais cette erreur, ce ne sera pas dans cette robe-là, rassure-toi !

Il se mit à pleurer, et elle l'imita aussitôt.

Il lui prit la main, la serra : elle ne le repoussa pas.

Dans le corridor, où attendait Giorgio Santini, Albert Duras dit, en sortant de la chambre :

— Ne faites pas la même erreur que moi ! Ne me l'abîmez pas : sinon je vous tue !

Le bel Italien, d'habitude si léger de tempérament, sauf depuis son coup de foudre pour Louise Volland, inclina la tête gravement : il savait qu'Albert ne plaisantait pas, car le vrai amour n'est pas une comédie !

79

MOURIR AU MOULIN ROSE

Après avoir vomi sa tristesse infinie sur le parvis de l'église – et aussi, par la même occasion, l'alliance qu'elle venait d'avaler sur un coup de tête ou pour mieux dire de cœur –, Sophie héla un taxi.

Le chauffeur lui demanda :

— Vous allez où ?

— Nulle part. Roulez simplement !

Il haussa les sourcils et pensa : *elle est fêlée, mais comme elle est bien habillée, elle doit avoir de l'argent pour me payer, alors je n'ai pas à m'inquiéter, c'est juste la misère des riches.*

Il nota qu'elle portait des gants léopard, et cette excentricité ne fit que confirmer son diagnostic hâtif. Toute chamboulée, ou pour mieux dire anéantie, Sophie ne s'était pas encore décidée où elle irait. Elle était trop désemparée pour prendre une aussi banale décision, elle n'aurait même pas pu trancher comme une marquise d'une autre époque, si elle prendrait ou non son thé à 5 heures.

Chose certaine, elle n'avait pas envie de revoir son mari.

Que lui dirait-elle, après l'esclandre du mariage, le geste fou qui disait tout sur son amour pour le bel et vain Albert Duras ?

Et comme il la détesterait pour sa duplicité, pour l'avoir roulé dans la farine en prétendant qu'elle voulait qu'il le rencontre pour avoir son opinion sur son honnêteté d'éditeur !

Il aurait juste envie de l'égorger, parce qu'il se sentirait trop stupide !

Et, par désir naturel de vengeance, dans sa colère de mari trompé, il dirait sans doute tout à leur fille adorée, ou alors, elle le devinerait, ce qui revenait au même. Et jamais plus sa fille ne pourrait la voir comme avant : et peut-être qu'elle ferait comme sa meilleure amie, qu'elle tenterait de se tuer !

Ou partirait vivre à New York.

Ce qui pour Sophie reviendrait au même.

Elle aurait tout perdu : son mari, son amant (qui s'était sûrement marié, même sans alliance) et sa fille : quel gâchis !

Et quel désastre humiliant, surtout pour une psy que ses clients payaient le gros prix pour leur dire quoi faire de leur vie – et comment éviter les erreurs de jugement, les égarements que causent la passion et ses tristes accompagnements !

Sophie, fébrile, suicidaire comme nombre de ses patients, avait finalement échoué dans un petit resto où elle allait parfois luncher avec Albert (on retourne toujours sur les lieux du crime !) après leurs supposées rencontres éditoriales, et se disait que, probablement, cette époque était révolue, qu'ils ne se reverraient jamais plus.

Elle se commanda un troisième verre de blanc, répétant au garçon qu'elle n'avait pas encore décidé ce qu'elle mangerait, car il fallait manger pour boire dans ce restaurant : mais manger, ça voulait dire pour elle vomir à coup sûr, car même l'estomac vide, elle en avait encore envie, remuée par un dégoût profond de sa vie.

À chaque pensée.

À chaque souvenir.

À chaque (désormais triste) désir.

En prenant une première gorgée de son troisième verre de blanc – un pouilly-fuissé excellent –, apporté par un serveur qui était en fait étudiant et fort élégant, elle se remémora encore une fois les deux verres de mauvais blanc qu'elle avait bus à La Rose des Vents, et elle riait et elle pleurait en même temps pour des raisons que vous devinerez aisément si vous avez connu et perdu un amour qui était grand.

Le garçon, l'ayant abandonnée un instant, pour servir un autre client, s'inquiéta de la confusion de ses sentiments, vint la retrouver en disant :

— Il n'est pas aussi bien que les deux premiers ? C'est une nouvelle bouteille, j'aurais peut-être dû vous la faire goûter avant de vous la servir ?

Sa gentillesse la toucha infiniment, même si elle était celle d'un parfait étranger. Mais cette goutte inattendue de bonté était comme un océan dans le vide incommensurable de sa vie. Elle se mit à larmoyer. S'en excusa, dit :

— Non, il est parfait, ce vin, je… ce sont les allergies d'automne…

— Ah, évidemment…, fit-il sans être dupe.

Car les allergies d'automne étaient depuis longtemps passées, on était en octobre, toutes les fleurs s'étaient depuis longtemps délestées de leur pernicieux pollen, tous les champs de foin avaient été fauchés, comme leurs frères plus fortunés, de blond blé.

Sophie Stein revit son mari plus vite qu'elle n'avait pensé, à peine deux heures après sa fugue de l'église, car elle venait de vider son troisième verre de vin blanc, et avait levé la main en direction de l'aimable serveur pour en commander un quatrième lorsqu'elle reçut un appel de l'Hôpital Général : son mari avait fait un grave accident d'auto !

Elle s'empressa évidemment de s'informer de son état, mais elle perdit la communication. Elle pesta, tenta de rappeler l'hôpital : sa pile était morte !

Elle sauta dans un taxi, et, pendant toute la course, dévorée de culpabilité, elle ne put faire autrement que de penser à la terrible prédiction de Madame Socrate, dont les mots, même imprécis, résonnaient ainsi dans sa mémoire affolée : « Si vous quittez votre mari, il tentera de se tuer et ira au Paradis ! »

Il avait donc tenté de se tuer, car il n'avait leurré personne et en tout cas pas elle avec son accident d'auto : ce n'était qu'un suicide déguisé. Elle était bien placée pour le savoir. Elle posait souvent à ses patients qui s'étaient blessés, brûlés, cassé une jambe par accident, la question préférée de Freud : *pourquoi l'as-tu fait ?*

Il n'était peut-être pas mort, mais sans doute à l'article de la mort, qui préparait déjà celui dans la chronique de nécrologie, et se retrouverait sous peu aux cieux.

Elle arriva à l'hôpital dans tous ses états (après avoir donné au chauffeur un pourboire de 100 $ pour qu'il fasse fi des lois, roule au-delà de la vitesse permise, brûle si nécessaire des feux rouges) et s'informa du numéro de chambre de son mari : la 113.

Oui, la 113.

À cent près, comme sa suite au Danieli.

Vraiment, la Vie ou le Hasard voulait lui envoyer un message – et en deux copies !

Ou lui faire un pied de nez.

La chambre d'hôpital de son mari suicidaire était moins grande que la suite Alfred de Musset-George Sand (comme presque toutes les chambres de l'univers !) et pourtant, comme elle, mais plus modestement, elle comportait une antichambre, ou disons, une « sorte » d'antichambre formée par des rideaux.

De telle manière qu'on n'en voyait pas immédiatement le lit, ni son occupant, ni les visiteurs qui les honoraient de leur présence, ou de l'aumône de leur temps.

On ne les voyait pas, donc, ces patients ou leurs visiteurs.

Mais… on pouvait entendre ce qu'ils se disaient.

Et ce que put entendre Sophie Stein, étonnée, *flabbergastée*, et bientôt anéantie, comme ses patientes les plus déçues de la vie, et surtout des hommes qu'elles avaient cru leur ami, fut ceci :

— Oh ! mon bel amour, comme on a de la chance que tu ne sois pas mort dans cet accident. Comment te sens-tu ?

— Mieux.

— Mieux ? Vraiment ?

— Oui, depuis que je vois ton beau visage, depuis que je peux entendre ta voix, tenir ta main, toucher le satin de ta peau, respirer ton parfum, celui que tu portes depuis que nous sommes devenus amants, il était temps, après tout ce temps sans toi, après ce mariage qui n'en finit plus et qui n'a jamais été un vrai mariage.

— Oh mon amour, oh mon amour…

— Quand j'ai perdu le contrôle de mon véhicule, je pensais à toi, juste à toi, je pensais à cet instant où enfin on a fait pour la première fois l'amour, alors que ma femme était à Venise pour donner une consultation à son stupide milliardaire italien… et j'ai revu en un éclair toute cette nuit, toute notre folie, et je me disais, non, non, ce n'est pas possible que je meure au moment où je pourrais être si heureux, auprès d'une femme avec qui je me sens vraiment un vrai homme, avec qui mon corps ne me trahit pas au bout de trente secondes pour mieux m'éloigner de cette femme qui me juge et ne m'a jamais aimé.

— Je t'avais dit aussi de ne pas aller à ce mariage stupide. Je t'avais dit que ta femme te trompait avec cet éditeur.

— Oh, mon bel amour, j'aurais tellement dû t'écouter.

— Mais tu sais quelle est la bonne nouvelle dans tout ça ?

— Euh ! Non. Mais dis-la-moi ! J'aime tellement entendre le son de ta voix, qui me fait oublier la musique grinçante de ma femme, tous ses reproches, toutes ses colères, ses idées folles sur la vie… t'ai-je dit qu'en plus elle ronfle souvent la nuit ? Elle ne me laisse véritablement aucun répit.

— Oh, tu ne m'avais pas dit, mon pauvre chéri. Ça doit être horrible de coucher à côté de ce bruyant glaçon.

— Pourquoi tu penses que j'ai voulu me tuer ?

— Oh, ne dis pas ça, mon amour ! Tu me fais de la peine…

— J'espère que j'aurai toute la vie pour me faire pardonner.

— Tu l'auras, tu l'auras. Et j'ai une autre bonne nouvelle en plus, tu sais ce que c'est ?

— Non, dis-moi !

— J'ai nos billets d'avion que tu m'avais demandé d'acheter hier pour Paradise Island.

Cette annonce était la goutte qui faisait déborder le vase de Sophie Stein.

Qui comprenait en un instant, volé au dieu de la coïncidence, tout ce que son mari pensait d'elle mais n'avait jamais osé lui dire, et visiblement ne se gênait pas pour dire à une autre, une nouvelle, et plus jeune qu'elle.

Elle avait été infidèle, certes, lors de sa passade vénitienne, et ensuite plusieurs après-midi, au Moulin Rose, et ensuite dans l'hôtel encore plus rose de son esprit où il y avait toujours, jour et nuit, une chambre pour deux, pour son amant et elle, pour elle et son amant, c'était blanc bonnet, bonnet blanc : ils n'étaient, du moins l'avait-elle vite pensé, qu'une seule et même âme cruellement déchirée entre deux corps.

Elle avait été infidèle, certes…

N'empêche, entendre ces horreurs lui était une douleur infinie, doublée par la surprise de découvrir que son mari avait une autre vie.

Une vie dont elle ne faisait pas partie.

Une vie dont faisait partie une autre femme.

Elle en eut une autre accablante preuve lorsqu'elle entendit ce qui suit :

— Pour Paradise Island ?

— Oui, on part demain.

— Tu es un ange, je t'adore, je suis si content de t'avoir enfin rencontrée. Tu as choisi quelque chose de bien comme hôtel ?

— Non, juste un cinq étoiles.

— Mais, ça a dû te coûter les yeux de la tête, ma chérie !

— Non, rien du tout, mon petit Sigmund Freud adoré.

— Rien du tout ?

— J'ai utilisé ta carte de crédit.

Le docteur Bergmann rit : ce fut vraiment trop pour Sophie.

Elle passa de l'antichambre à la chambre : son mari et sa jeune maîtresse parurent surpris. Plus que surpris : ébranlés, catastrophés, bouche bée.

Audrey s'empressa d'abandonner la main du docteur Bergmann.

Qui était blanc comme le drap de son lit, quand il vit sa femme apparaître, comme le fantôme de sa culpabilité :

— Oh, Sophie, c'est toi...

— Désolée que je ne puisse être Audrey. Tout le monde a ses petits défauts... De toute manière, elle est déjà là.

— Je... je vous laisse, fit cette dernière, immensément embarrassée.

— Non, non, pas la peine, je passais juste dans le voisinage, et je voulais vérifier que mon mari avait survécu à son accident d'auto. Je vois que tout se passe bien. Alors bon voyage à Paradise Island, les amoureux !

Ils comprirent qu'elle avait tout entendu ou en tout cas la dernière partie de leurs épanchements adultères. Son mari protesta quand même :

— Mais Sophie, attends ! Ce n'est pas ce que tu penses !

Ce n'est jamais ce qu'on pense, parce qu'on ne pense jamais comme l'autre, surtout lorsque l'autre est un homme et qu'on est une femme : mais parfois on se laisse berner par cette commodité de la conversation, qui jaillit si souvent de la bouche des menteurs chroniques...

Sophie en avait trop entendu pour être dupe : elle tourna les talons et sortit de la chambre.

Sortit de la chambre mais laissa entrer dans son esprit la prédiction fausse et vraie de Madame Socrate, et tout à la fois elle souriait et avait envie de pleurer de ses conséquences.

Il avait tenté de se tuer, certes, mais n'allait pas au paradis, comme les bons ou même les mauvais maris, mais à... Paradise Island, avec sa nouvelle petite amie !

Sophie sauta dans un des nombreux taxis qui attendaient à la porte de l'hôpital, et, pendant qu'il la conduisait à la pharmacie la plus proche, elle se rédigeait une ordonnance, une dose très forte ou létale si vous préférez de morphine. Elle, oui. Préférait.

Parce qu'elle voulait dormir, et même d'un sommeil éternel.

De la pharmacie où le chauffeur de taxi l'avait conduite et attendue, elle se rendit au Moulin Rose, l'air résolu.

80

MOURIR À VENISE

Jamais de sa vie Albert Duras ne s'était senti aussi seul.

Il avait perdu sa compagne, sa maîtresse !

Dans notre désarroi, plusieurs voies s'ouvrent à nous en général : Albert Duras choisit l'aéroport, à Dorval.

Peut-être parce que ça lui rappelait cet instant précieux, et pourtant malheureux, en fin de compte, où il avait connu la belle, la bonne, la spirituelle et, sous un masque de froideur, la follement amoureuse, l'ardente Sophie Stein, qui, d'ailleurs, ressemblait à Fanny Ardant, si j'y pense, et en avait entre autres la troublante voix. On croit toujours que tout peut recommencer, même lorsqu'on sait que tout est fini : la *Krazy Glue* des sentiments peut bien des choses, et parfois quelques miracles inattendus, mais elle ne peut pas tout, hélas !

Au comptoir d'Alitalia, Albert Duras demanda un aller simple pour Rome.

Par nostalgie infinie, il voulait refaire, au moins une dernière fois dans sa vie, le même trajet magique qu'il avait fait avec son âme sœur, qu'il avait cru être sa certitude pour le reste de sa vie : mais la Vie l'avait déjoué. On ne fait pas de bons romans avec de bons sentiments, il aurait dû savoir ça depuis longtemps, puisqu'il était éditeur. Cordonnier mal chaussé, en somme !

Dans son souci du détail, pour le dernier acte, toujours le plus important, il insisterait pour louer la même Alfa Romeo. Il roulerait vite, très vite, encore plus vite que la première fois, qu'il ait ou non à se mesurer à une Ferrari et à un ami italien de fortune, heureux que Sophie Stein ne puisse lui en faire le reproche, mais en même temps infiniment malheureux de cette même chose: c'est le paradoxe amoureux.

— Aller simple? s'enquit la préposée de la compagnie aérienne.

— Oui.

— Vous avez un passeport italien?

— Non, canadien.

— Alors je doute que le douanier vous laisse partir sans billet de retour.

— Je comprends. Donnez-moi un billet de retour pour le jour de Noël.

Elle le considéra un instant, se demanda s'il plaisantait ou non, ne voulut pas l'insulter, se contenta de dire:

— Parfait. On dit donc retour le 25 décembre.

Le client a toujours raison, non?

Elle lui donna son billet.

Il était content.

Comme un enfant qui a enfin son jouet.

Il voulait retourner à Venise.

Même si ce n'était pas le meilleur moment de l'année pour y aller, parce que dès octobre, en général, bon an mal an, les inondations recommençaient, pas tous les matins mais souvent.

Mais on n'a pas toujours le luxe de choisir le lieu de ses fuites, ni la couleur des yeux de ceux qui nous briseront le cœur.

— Vous avez des malles à enregistrer ?

— Non.

— Est-ce que je peux vérifier la taille de votre bagage à main ?

— Je n'en ai pas. Juste mon ordi et un livre, les *Lettres à Sophie Volland*, vous connaissez ?

Las de le lire sur écran, il s'en était finalement offert un exemplaire de belle facture.

— Euh, non, je n'ai pas cette chance.

Il pensa comme par-devers lui qu'il n'aurait jamais dû lire cette si romantique correspondance.

Parce que ça lui avait peut-être donné des idées de grand amour.

Et ça avait mal tourné, comme il pouvait voir.

L'employée d'Alitalia trouvait toute la situation bizarre : un homme qui n'était pas italien et qui partait deux mois pour Rome, sans bagage, avec seulement son ordinateur et un livre.

— Vous êtes sûr que…

Elle allait dire : *que vous allez bien.*

Elle le trouvait beau et triste, aurait aimé le consoler du chagrin qui semblait l'habiter. Mais ce n'était pas de ses affaires.

Son billet aller-retour en main, il franchit sans difficulté les douanes. Alla s'asseoir dans la salle d'embarquement.

Il lui sembla qu'il s'était échoué sur le même banc de plastique qu'en avril dernier, mais il n'en était pas absolument certain : il n'avait pas noté ce détail dans son journal intime, d'ailleurs il n'en tenait pas depuis des lunes, faute de temps.

Vite, ça le déprima, ce banc de plastique et ces souvenirs de marbre vénitien, et de roses et de seins et de lèvres entre de longues jambes et de rires et de boucle Versace et de gants de léopard de chez JB Guanti et de Terrazza Danieli et tutti quanti avec Sophie.

Il se réfugia à La Rose des Vents, but deux ou trois verres de mauvais blanc, qui ne firent qu'exalter sa nostalgie : ce remède était un poison. Il tenta de recourir à sa médecine préférée, la lecture.

Il se rabattit tout naturellement sur Diderot. Maintenant, et maintenant seulement (comme preuve que le malheur est un grand professeur !) il comprenait ce qu'il avait vraiment voulu dire, dire à Sophie Volland et qu'il aurait pu dire à sa Sophie : « *J'écris sans voir. Je suis venu ; je voulais vous baiser la main et m'en retourner. Je m'en retournerai sans cette récompense ; mais ne serai-je pas assez récompensé si je vous ai montré combien je vous aime ? Il est 9 heures, je vous écris que je vous aime. Je veux du moins vous l'écrire ; mais je ne sais si la plume se prête à mon désir. Ne viendrez-vous point pour que je vous le dise et que je m'enfuie ? Adieu, ma Sophie, bonsoir ; votre cœur ne vous dit donc pas que je suis ici ? Voilà la première fois que j'écris dans les ténèbres : cette situation devrait m'inspirer des choses bien tendres. Je n'en éprouve qu'une : je ne saurais sortir d'ici. L'espoir de vous voir un moment m'y retient, et j'y continue de vous parler, sans savoir si j'y forme des caractères. Partout où il n'y aura rien, lisez que je vous aime.* »

Partout où il n'y aura rien, lisez que je vous aime…

Ému, il laissa son regard triste et bleu flotter à la ronde, sans vraiment s'intéresser aux voyageurs…

Mais soudain…

Oui, soudain, il eut le sentiment que peut-être sa chance ne l'avait pas complètement abandonné !

Il venait en effet d'apercevoir, comme une apparition, Sophie Stein !

Sophie Stein qui marchait d'un pas vif, tirant son bagage à roulettes !

Il se frotta les yeux, jeta un coup d'œil à son verre de mauvais vin blanc. Il était peut-être juste fatigué, surmené, malheureux. Ou avait trop bu.

Pourtant, elle portait, comme en avril, un imper et des jeans, et elle tirait sur un bagage à roulettes, qui, si son souvenir était bon, était identique.

Il la suivit aussitôt.

Elle se dirigeait, comme le jour où elle lui était apparue, vers le tabac de l'aéroport.

Malgré son aventure qui avait mal tourné avec un éditeur, elle ne semblait pas avoir perdu le goût de la littérature.

Il cria :

— Sophie !

Elle ne se retourna pas. Il cria encore plus fort, hurla presque :

— Sophie !

Elle ne se retourna pas.

Il nota alors qu'elle portait des écouteurs.

Il la rejoignit enfin, répéta :

— Sophie !

L'inconnue se retourna, Albert vit que ce n'était pas Sophie.

Quelle déception infinie !

Elle avait un nez crochu, des lèvres minces, les yeux trop rapprochés. Elle trouva Albert beau comme un dieu.

— Je ne m'appelle pas Sophie, dit-elle, visiblement pâmée et non sans esprit. Mais si vous y tenez, je suis prête à faire des compromis.

— Vraiment désolé, je vous avais prise pour quelqu'un d'autre.

— Ça ne devrait pas vous arrêter, dit-elle philosophiquement, les histoires d'amour commencent presque toujours comme ça.

— Vous avez raison, si jamais vous écrivez quelque chose là-dessus, envoyez-moi votre manuscrit.

Et il lui remit sa carte pour se débarrasser d'elle, lui souhaita bon voyage et s'éloigna d'un pas aussi rapide que déçu.

D'ailleurs on annonçait le début de l'embarquement.

Il n'avait pas remarqué le numéro du siège que l'employée d'Alitalia lui avait assigné.

C'était le 11A !

Il trouva que c'était une cruelle ironie du sort : le même qu'en avril.

Mais le 11B était inoccupé.

Il ne s'en plaignit pas.

Il pourrait prendre ses aises, avoir plus d'espace pour dormir pendant le vol.

Pour tromper l'attente, d'autant qu'une agente de bord avait annoncé que le vol serait retardé de quelques minutes, vu que trois passagers étaient en retard, il parcourut sans vraiment y croire la banque de films classiques que lui proposait la compagnie aérienne : il espérait y trouver *Mort à Venise*.

C'était pire que demander un miracle au Vatican.

Dans un autre répertoire, il trouva une petite comédie sentimentale américaine qui ne l'aurait sans doute pas attiré dans d'autres circonstances, mais son titre nourrissait à merveille sa nostalgie : *When in Rome*. La bande annonce parlait des miracles qui se produisaient pour les amoureux, lorsqu'ils jetaient des pièces de monnaie dans la célèbre Fontaine de Trevi.

Il pensa que Sophie et lui auraient dû faire un détour *piazza di Trevi*, faire ce que tous les amoureux du monde font, ça leur aurait peut-être porté chance !

Le film avait commencé, et ne lui déplaisait pas, lorsqu'il entendit une voix de femme demander :

— Le siège 11B est libre ?

Il releva la tête, crut rêver encore. La femme qui venait de lui poser cette banale question portait des gants de léopard : c'était Sophie Stein !

Il tenta de dire oui, mais il en était incapable : il suffoquait d'émotion.

Elle s'assit pourtant.

Il parvint enfin à lui demander :

— Mais qu'est-ce que tu…

— Qu'est-ce que je fais ici ?

— Oui, je… je ne comprends pas.

— Je m'étais acheté de la morphine, j'avais pris un taxi pour le Moulin Rose, puis ensuite je me suis dit, tant qu'à mourir, aussi bien mourir à Venise, où je suis née. Mais toi, qu'est-ce que tu fais là ?

— La même chose que toi.

— As-tu loué une auto ?

— Non, mais peut-être avec un peu de chance et quelques euros…

Ils cessèrent bientôt ce dialogue trop badin, et ils se mirent à pleurer, à pleurer et à rire, puis à rire et à pleurer.

Et ensuite ils se racontèrent tout ce qui s'était passé entre le dernier moment où ils s'étaient vus à l'église et ce vol, cet instant magique.

Sophie fit remarquer, en entendant le récit étonnant de la demande en mariage de Giorgio à Louise Volland :

— Madame Socrate avait raison, ton destin avec moi dépendait du gardien du cimetière…

— Oh. Puisque le Palazzo Dario est bâti sur un cimetière, comme tu m'as expliqué…

Et ils comprirent que, par quelque bizarrerie du destin, ils étaient désormais libres.

Et surtout… libres de s'aimer !

Et ça commencerait à Venise.

FIN